펼쳐 보면 느껴집니다

단 한 줄도 배움의 공백이 생기지 않도록
문장 한 줄마다 20년이 넘는
해커스의 영어교육 노하우를 담았음을

덮고 나면 확신합니다

수많은 선생님의 목소리와
정확한 출제 데이터 분석으로 꽉 찬
교재 한 권이면 충분함을

해커스북 중·고등
HackersBook.com

WHY
HACKERS
READING SMART?

FUN & INFORMATIVE

최신 이슈가 반영된
흥미롭고 유익한

독해 지문

배경지식이
풍부해지는

Read & Learn

재미있는 활동과
읽을거리가 가득한

FUN FUN한 BREAK

**Hackers
Reading Smart**

Level 1

**Hackers
Reading Smart**

Level 2

Hackers
Reading Smart

Level 3

**Hackers
Reading Smart**

Level 4

SMART & EFFECTIVE

**최신 출제 경향을
철저히 반영한**

다양한 유형의 문제

**본책을 그대로 담은
편리하고 친절한**

해설집

**추가 연습문제로
독해 실력을 완성하는**

WORKBOOK

HACKERS
READING
SMART

LEVEL **2**

HACKERS

Contents

HACKERS READING SMART LEVEL 2

절취선

Overview

Fun & Informative

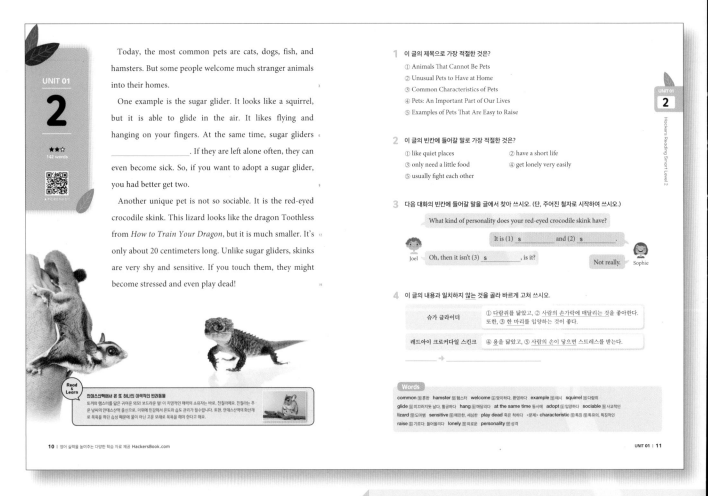

UNIT 01
2
★★☆
142 words

Today, the most common pets are cats, dogs, fish, and hamsters. But some people welcome much stranger animals into their homes.

One example is the sugar glider. It looks like a squirrel, but it is able to glide in the air. It likes flying and hanging on your fingers. At the same time, sugar gliders _____. If they are left alone often, they can even become sick. So, if you want to adopt a sugar glider, you had better get two.

Another unique pet is not so sociable. It is the red-eyed crocodile skink. This lizard looks like the dragon Toothless from *How to Train Your Dragon*, but it is much smaller. It's only about 20 centimeters long. Unlike sugar gliders, skinks are very shy and sensitive. If you touch them, they might become stressed and even play dead!

Read & Learn
안데스산맥에서 온 또 하나의 이색적인 반려동물
토끼의 앙스터를 닮은 귀여운 외모 보드라운 털 이 지력적인 매력의 소유자는 바로, 친칠라예요. 친칠라는 추운 날씨의 안데스산맥 출신으로, 더위에 민감해서 운도와 습도 관리가 필수랍니다. 또한, 안데스산맥의 화산재로 목욕을 하던 습성 때문에 물이 아닌 고운 모래로 목욕을 해야 한다고 해요.

1 이 글의 제목으로 가장 적절한 것은?
① Animals That Cannot Be Pets
② Unusual Pets to Have at Home
③ Common Characteristics of Pets
④ Pets: An Important Part of Our Lives
⑤ Examples of Pets That Are Easy to Raise

2 이 글의 빈칸에 들어갈 말로 가장 적절한 것은?
① like quiet places
② have a short life
③ only need a little food
④ get lonely very easily
⑤ usually fight each other

3 다음 대화의 빈칸에 들어갈 말을 글에서 찾아 쓰시오. (단, 주어진 철자로 시작하여 쓰시오.)

What kind of personality does your red-eyed crocodile skink have?

It is (1) s_____ and (2) s_____.

Joel   Oh, then it isn't (3) s_____, is it?   Not really.   Sophie

4 이 글의 내용과 일치하지 않는 것을 골라 바르게 고쳐 쓰시오.

| 슈가 글라이더 | ① 다람쥐를 닮았고, ② 사람의 손가락에 매달리는 것을 좋아한다. 또한, ③ 한 마리를 입양하는 것이 좋다. |
| 레드아이 크로커다일 스킨크 | ④ 용을 닮았고, ⑤ 사람의 손이 닿으면 스트레스를 받는다. |

_____ → _____

Words
common ⑧흔한 hamster ⑧햄스터 welcome ⑧맞이하다, 환영하다 example ⑧예시 squirrel ⑧다람쥐 glide ⑧미끄러지듯 날다, 활공하다 hang ⑧매달리다 at the same time 동시에 adopt ⑧입양하다 sociable ⑧사교적인 lizard ⑧도마뱀 sensitive ⑧예민한, 세심한 play dead 죽은 척하다 <문제> characteristic ⑧특징 ⑧특유의, 특징적인 raise ⑧기르다; 들어올리다 lonely ⑧외로운 personality ⑧성격

1. 흥미롭고 유익한 지문

최신 이슈와 관심사 반영
국내외 다양한 최신 이슈와 관심사가 반영된 흥미진진한 지문으로 재미있게 독해 실력을 쌓을 수 있어요.

교과서 연계 소재 반영
과학, 문화, 예술 등 교과서와 연계되는 최신 소재의 지문이 담겨 있어, 중등 교과 과정에 대한 이해력을 높일 수 있어요.

2. 배경지식이 풍부해지는 Read & Learn

지문과 관련된 유용한 배경지식을 읽으며, 지문 내용에 대해 확실히 이해하고 상식도 넓힐 수 있어요.

3. 추리 지문으로 독해력 up 재미도 up!

범인은 이 안에 있다! 교재의 마지막 지문에서는 추리 퀴즈를 다루고 있어요. 상상력과 추리력을 발휘해서 퀴즈를 풀어보며 재미있게 독해 실력을 키울 수 있어요.

4. 재미있는 활동과 읽을거리가 가득한 Fun Fun한 Break

각 UNIT의 마지막 페이지에는 지문과 관련된 다양한 활동과 읽을거리가 담겨 있어, 재미있게 학습을 마무리할 수 있어요.

Smart & Effective

1. 효과적으로 독해 실력을 향상시키는 **다양한 유형의 문제**

서술형 문제
다양한 유형의 서술형 문제로 학교 내신 시험에도 대비할 수 있어요.

심화형 문제
조금 더 어려운 심화형 문제로 사고력을 키우고 독해 실력을 향상시킬 수 있어요.

다양한 도표 문제
표, 전개도 등 지문 내용을 도식화한 다양한 유형의 문제로 글의 구조와 핵심을 파악하는 능력을 키울 수 있어요.

English Only
각 UNIT의 마지막 지문에서는 영어로만 구성되어 있는 문제를 읽고 풀며 영어 실력을 더욱 강화할 수 있어요.

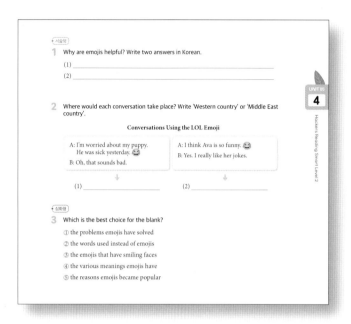

2. 추가 연습문제로 독해 실력을 완성하는 **워크북**

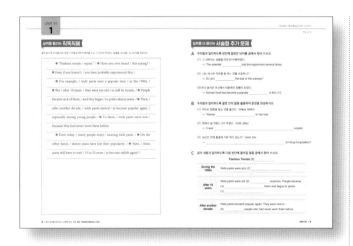

직독직해 워크시트
각 지문에 대한 직독직해와 문장별 주어·동사를 파악하는 훈련을 통해 한 문장씩 완벽히 복습할 수 있어요.

서술형 추가 문제
어휘·구문 확인 문제와 다양한 유형의 추가 서술형 문제를 통해 지문 내용을 확실히 익히고 영작 실력도 키울 수 있어요.

3. 본책을 그대로 담은 편리하고 친절한 **해설집**

본책의 지문과 문제를 그대로 담아 편리하게 학습할 수 있어요. 문장의 정확한 해석을 알려주는 직독직해와 본문 해석, 오답의 이유까지 설명해주는 자세한 문제 해설, 예문과 함께 제공되는 친절한 구문 해설을 통해 꼼꼼히 복습할 수 있어요.

HackersBook.com

UNIT 01

"Fashion trends repeat." Have you ever heard this saying? Even if you haven't, you have probably experienced this. (①)

For example, wide pants were a popular item in the 1990s. (②) But after 10 years, they were too old to still be trendy. (③) People became sick of them, and they began to prefer skinny jeans. (④) Then, after another decade, wide pants started to become popular again, especially among young people. (⑤)

Even today, many people enjoy wearing wide pants. On the other hand, skinny jeans _____. Now, these jeans will have to wait 10 to 20 years to become stylish again!

3

6

9

12

1 이 글의 제목으로 가장 적절한 것은?

① How to Have Your Own Style

② Fashion Items with Timeless Popularity

③ Old Fashion Items Can Be Trendy Again

④ Fashion Trends Are Changing More Quickly

⑤ Fashion: An Effective Way to Show Your Personality

2 이 글의 흐름으로 보아, 다음 문장이 들어가기에 가장 적절한 곳은?

To them, wide pants were new because they had never worn them before.

①   ②   ③   ④   ⑤

3 와이드 팬츠와 스키니 진 중 각 시대별로 인기를 얻은 패션 아이템이 무엇인지 쓰시오.

・1990년대: _____   ・2000년대: _____   ・2010년대: _____

4 이 글의 빈칸에 들어갈 말로 가장 적절한 것은?

① are a necessary item

② have become too expensive

③ aren't comfortable to wear

④ have lost their popularity

⑤ have appeared with a new design

Words

trend 몡 유행, 동향, 추세 (trendy 혱 유행의) repeat 동 반복되다, 반복하다 saying 몡 말, 속담 sick of ~에 싫증이 난, 신물이 나는
prefer 동 선호하다 jeans 몡 청바지 (skinny jeans 스키니 진, 몸에 딱 붙는 청바지) decade 몡 10년 on the other hand 반면에
stylish 혱 유행의 <문제> timeless 혱 시대를 초월한, 영원한 popularity 몡 인기 effective 혱 효과적인 personality 몡 성격
necessary 혱 필요한 comfortable 혱 편한 appear 동 나오다, 나타나다; ~인 것 같다

Today, the most common pets are cats, dogs, fish, and hamsters. But some people welcome much stranger animals into their homes. 3

One example is the sugar glider. It looks like a squirrel, but it is able to glide in the air. It likes flying and hanging on your fingers. At the same time, sugar gliders 6 _____. If they are left alone often, they can even become sick. So, if you want to adopt a sugar glider, you had better get two. 9

Another unique pet is not so sociable. It is the red-eyed crocodile skink. This lizard looks like the dragon Toothless from *How to Train Your Dragon*, but it is much smaller. It's 12 only about 20 centimeters long. Unlike sugar gliders, skinks are very shy and sensitive. If you touch them, they might become stressed and even play dead! 15

> **Read & Learn**
>
> **안데스산맥에서 온 또 하나의 이색적인 반려동물**
> 토끼와 햄스터를 닮은 귀여운 외모! 보드라운 털! 이 치명적인 매력의 소유자는 바로, 친칠라예요. 친칠라는 추운 날씨의 안데스산맥 출신으로, 더위에 민감해서 온도와 습도 관리가 필수랍니다. 또한, 안데스산맥의 화산재로 목욕을 하던 습성 때문에 물이 아닌 고운 모래로 목욕을 해야 한다고 해요.
>
>

1 이 글의 제목으로 가장 적절한 것은?

① Animals That Cannot Be Pets

② Unusual Pets to Have at Home

③ Common Characteristics of Pets

④ Pets: An Important Part of Our Lives

⑤ Examples of Pets That Are Easy to Raise

2 이 글의 빈칸에 들어갈 말로 가장 적절한 것은?

① like quiet places ② have a short life

③ only need a little food ④ get lonely very easily

⑤ usually fight each other

3 다음 대화의 빈칸에 들어갈 말을 글에서 찾아 쓰시오. (단, 주어진 철자로 시작하여 쓰시오.)

What kind of personality does your red-eyed crocodile skink have?

It is (1) s＿＿＿＿ and (2) s＿＿＿＿.

 Joel

Oh, then it isn't (3) s＿＿＿＿, is it?

Not really. Sophie

4 이 글의 내용과 일치하지 <u>않는</u> 것을 골라 바르게 고쳐 쓰시오.

| 슈가 글라이더 | ① 다람쥐를 닮았고, ② 사람의 손가락에 매달리는 것을 좋아한다. 또한, ③ 한 마리를 입양하는 것이 좋다. |
| 레드아이 크로커다일 스킨크 | ④ 용을 닮았고, ⑤ 사람의 손이 닿으면 스트레스를 받는다. |

＿＿＿＿＿ ➡ ＿＿＿＿＿

Words

common 휑 흔한 hamster 몡 햄스터 welcome 동 맞이하다, 환영하다 example 몡 예시 squirrel 몡 다람쥐
glide 동 미끄러지듯 날다, 활공하다 hang 동 매달리다 at the same time 동시에 adopt 동 입양하다 sociable 휑 사교적인
lizard 몡 도마뱀 sensitive 휑 예민한, 세심한 play dead 죽은 척하다 <문제> characteristic 몡 특징 휑 특유의, 특징적인
raise 동 기르다; 들어올리다 lonely 휑 외로운 personality 몡 성격

Most students go to school on foot, by bus, or by subway. But the students at Sun Peaks School use a different method.

The school is located at the top of a ski slope that is 1,255 meters high. The way to the school is usually covered with snow. So ⓐ <u>they</u> take a ski lift to get to school! Then, the students ski down the slope after class. On Fridays, ⓑ <u>they</u> spend time in the snowy mountains doing outdoor activities.

Before Sun Peaks was founded, there was no school nearby. It took students two hours to get to the closest one. So local parents worked together _____. ⓒ <u>They</u> raised funds from the local community. As a result, over 75,000 dollars was collected. Thanks to ⓓ <u>their</u> efforts, the children can now learn in their town. Plus, ⓔ <u>they</u> can enjoy skiing anytime!

1 이 글의 제목으로 가장 적절한 것은?

① A Training School for Skiers

② A School on a Ski Mountain

③ A Ski Slope Built by Local Residents

④ Efforts to Open Ski Classes in a Town

⑤ Popular Winter Activities among Students

2 이 글의 밑줄 친 ⓐ~ⓔ 중, 가리키는 대상이 같은 것끼리 짝지어진 것은?

① ⓐ, ⓒ   ② ⓐ, ⓓ   ③ ⓑ, ⓒ

④ ⓑ, ⓔ   ⑤ ⓒ, ⓔ

3 이 글의 빈칸에 들어갈 말로 가장 적절한 것은?

① to buy new ski equipment

② to move to a different town

③ to build their own school

④ to repair the ski slope in town

⑤ to get a school bus for their children

4 Sun Peaks 학교에 관한 이 글의 내용과 일치하지 <u>않는</u> 것은?

① 등굣길은 보통 눈으로 덮여 있다.

② 학생들은 스키 리프트를 타고 등교한다.

③ 학생들은 금요일마다 야외 활동을 한다.

④ 설립 이전에는 인근에 다른 학교가 없었다.

⑤ 학생들이 등교하는 데 2시간이 걸린다.

Words

on foot 도보로, 걸어서   **method** 圀방법   **be located** 위치해 있다   **slope** 圀산비탈, 경사지 (**ski slope** 스키장)
be covered with ~으로 덮여 있다   **lift** 圀리프트, 승강기   **get to** ~에 가다, 닿다   **spend** 圄(시간, 돈을) 보내다[쓰다]   **outdoor** 圈야외의
activity 圀활동   **found** 圄설립하다   **nearby** 圕근처에 圈인근의   **local** 圈지역의   **work** 圄노력하다, 공부하다   **raise** 圄모으다; 들어올리다
fund 圀자금, 기금   **community** 圀(공동) 사회, 공동체   **collect** 圄모으다   **thanks to** ~ 덕분에   **effort** 圀노력, 수고
<문제> **resident** 圀(지역) 주민, 거주자   **equipment** 圀장비   **repair** 圄수리하다

You pour hot tea in a mug. Suddenly, the cup changes color. What is going on?

The cup is painted with a special ink that is sensitive to heat. It gradually changes color depending on the ___(A)___ . For example, an orange cup will turn brown if its temperature drops below 15°C. Then, it will become yellow above 40°C. This is not only fun to see but also ___(B)___ . If the cup is yellow, you'll know it is hot and be more careful. Therefore, you can avoid getting burns. ___(C)___ , the ink can be used in baby clothes to show the baby's condition. If the clothes change color, the parents can see their baby may have a fever.

1 What color will the underlined <u>an orange cup</u> become in each condition?
Write the answers in English.

- 10°C: _____
- 45°C: _____

2 Which is the best choice for blanks (A) and (B)?

(A)		(B)
① place	......	familiar
② place	......	pretty
③ temperature	......	useful
④ temperature	......	natural
⑤ time	......	environmental

3 Which is the best choice for the blank (C)?

① So   ② In addition   ③ However

④ For example   ⑤ In short

(심화형)

4 Complete the answers with words from the passage.

> Q. What are the benefits of heat-sensitive ink?

A. (1) It helps people avoid _____ .

(2) It lets parents know if their baby has a _____ .

Words

pour 图 붓다 mug 명 머그잔 suddenly 閏 갑자기 go on 일어나다, 벌어지다 sensitive 형 민감한, 예민한 gradually 閏 서서히, 점차
depending on ~에 따라 temperature 명 온도 careful 형 조심스러운, 신중한 burn 명 화상 图 (불이) 타오르다 condition 명 상태
fever 명 열 <문제> familiar 형 친숙한 useful 형 유용한 environmental 형 환경적인, 환경의 in short 요컨대 benefit 명 장점, 혜택

Review Test

정답 및 해설 p.82

1 단어의 성격이 나머지와 다른 것은?

① prevent   ② react   ③ admit   ④ effort   ⑤ adopt

[2-4] 단어와 영영 풀이를 알맞게 연결하시오.

2 benefit •   • ⓐ the state of being liked by many people

3 popularity •   • ⓑ a period of 10 years

4 decade •   • ⓒ advantage that is helpful or useful

5 다음 밑줄 친 단어와 가장 비슷한 의미의 단어는?

> The university was <u>founded</u> more than 50 years ago.

① created   ② discussed   ③ repeated   ④ managed   ⑤ observed

6 다음 빈칸에 공통으로 들어갈 단어로 가장 적절한 것은?

> • The charity _____ thousands of dollars for the homeless.
> • The students _____ their hands when the teacher asked a question.

① lifted   ② invested   ③ raised   ④ collected   ⑤ preferred

[7-8] 다음 빈칸에 들어갈 단어나 표현을 보기 에서 골라 쓰시오.

| 보기 | depending on | lonely | get to | sociable |

7 We might have a picnic, _____ the weather.

8 Jane is a _____ girl, so she has many close friends.

[9-10] 다음 밑줄 친 단어나 표현에 유의하여 각 문장의 해석을 쓰시오.

9 People became <u>sick of</u> them, and they began to prefer skinny jeans.

→ _____

10 The way to the school <u>is</u> usually <u>covered with</u> snow.

→ _____

첫 스키장, 최대의 난제

'스키'냐 '스노보드'냐 그것이 문제로다

스키와 스노보드는 생긴 것뿐만 아니라, 타는 방법도 완전히 다르죠.
어떤 종목을 선택할지 고민할 여러분들을 위해 준비했답니다!
취향에 따라 선택해볼까요?

나는야 '스키'파!

나는 속도를 즐기는 '스피드광'

스키의 활강 속도는 스노보드보다 평균 10km 정도 빠르답니다. 낙엽이 떨어지는 모양처럼 천천히 큰 폭으로 내려오는 스노보드에 비해 S자 모양으로 좀 더 빠르게 내려올 수 있기 때문이죠. 또한 타는 법이 어렵지 않기 때문에 초보자도 2~3시간 연습하면 비교적 빠른 스피드를 즐길 수 있어요. 단, 속도 조절 없이 일자로 쭈~욱 내려올 경우 아주 위험하니 주의하세요!

나는 안 넘어지는 게 좋아 '꽈당 방지'

스키는 스노보드와 달리 양발이 떨어져 있어 무게중심을 잡기 편해요. 그렇기 때문에 스노보드보다 넘어질 확률이 훨씬 낮답니다. 또한, 내려갈 때 시선이 정면을 향하고 있어 비교적 안정된 자세로 라이딩이 가능해요.

나는야 '스노보드'파!

나는 멋을 느끼고 싶은 '인싸'

스노보드의 최대 장점은 여러 가지 트릭 기술을 멋있게 활용할 수 있다는 점인데요. 이러한 화려함에 매력을 느끼는 사람들이 많이 타는 게 바로 스노보드랍니다. 단, 트릭 기술을 성공하기까지 여러 번 넘어지는 아픔을 감수해야 한다는 점도 참고하세요~

나는 몸이 비교적 '가벼운 사람'

스노보드는 스키에 비해 신체 무게 중심에 민감하게 반응하는 스포츠랍니다. 따라서, 몸이 가벼울수록 균형을 잡기 수월하고, 넘어졌을 때 부상 위험도 적어요. 상대적으로 몸이 가벼운 편이라면 스노보드 적응에 유리하답니다.

HackersBook.com

UNIT 02

Jane received a call from a salesperson. He was offering a great deal on a cell phone, so Jane sent him money to purchase it. But she later realized that it was a *scam. Fortunately, the ₃ call had been recorded through an app on her phone. The app guessed what the criminal looked like using his voice, which helped the police catch him eventually. ₆

Sooner or later, <u>this</u> might happen in real life with Speech2Face. (a) This new technology guesses people's appearance by their voice. (b) It has artificial intelligence ₉ (AI) that analyzes the speech of millions of people to find patterns between faces and voices. (c) When it hears a voice, it quickly analyzes the language, pronunciation, pitch, and ₁₂ speed. (d) AI can also improve the quality of people's lives in many ways. (e) The AI then determines the person's gender, ethnicity, and age, and even produces an image of his or her ₁₅ facial features.

*scam 신용 사기

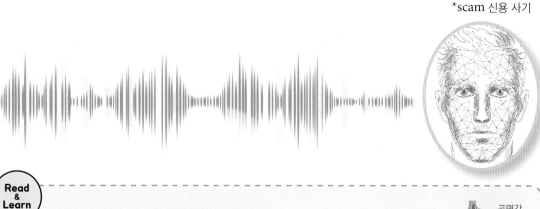

Read & Learn

얼굴이 닮은 사람들은 목소리도 비슷하다? OX 퀴즈!
정답은 'O'! 대체로 그런 편이에요. 성대부터 입술까지의 빈 공간인 '공명강'이 음색을 결정하는데, 얼굴이 닮으면 공명강의 구조도 비슷해서 목소리도 비슷할 가능성이 커요. 따라서 일란성 쌍둥이는 얼굴뿐만 아니라 목소리도 구별하기 어렵다고 해요. 쌍둥이인 친구들을 한번 유심히 관찰해보세요!

공명강

1 이 글의 제목으로 가장 적절한 것은?

① Can AI Commit Crimes in the Future?

② AI Guessing Appearance from the Voice

③ Development of a Voice Recording Program

④ A Device That Can Be Controlled by Your Voice

⑤ A New Technology to Protect Your Information

2 이 글의 (a)~(e) 중, 전체 흐름과 관계<u>없는</u> 문장은?

① (a)　　　② (b)　　　③ (c)　　　④ (d)　　　⑤ (e)

3 이 글의 밑줄 친 this가 의미하는 것은?

① 앱(app)을 통해 범죄 기록을 확인하는 것

② 음성을 변조하여 다른 사람을 속이는 것

③ 녹음된 음성을 복제하고 합성하는 것

④ 음성 인식 기능으로 물건을 구매하는 것

⑤ 음성을 통해 범인을 식별하여 잡는 것

4 이 글에서 Speech2Face의 기능으로 언급되지 <u>않은</u> 것은?

Speech2Face의 AI는 사람의 ① 언어, ② 발음, ③ 성량 등을 분석하여 ④ 인종, ⑤ 나이 등에 대한 정보를 판단할 수 있습니다.

Words

receive 통받다　salesperson 명판매원　offer 통제안하다, 권하다　deal 명거래　purchase 통사다, 구입하다　realize 통알아차리다
fortunately 부다행히도　record 통녹음하다, 기록하다　app 명앱, 애플리케이션　guess 통(추측으로) 알아내다, 추측하다
criminal 명범인 (crime 명범죄)　sooner or later 머지 않아, 조만간　technology 명기술　appearance 명외모
artificial intelligence 인공지능　analyze 통분석하다　pronunciation 명발음　pitch 명음의 높이; 정점, 최고조　quality 명질, 품질
determine 통알아내다; 결정하다　gender 명성별　ethnicity 명인종, 민족성　feature 명특징　<문제> commit 통저지르다
device 명장치, 기기　protect 통보호하다

"Gina runs all the way to the goal line. She gets six points!" the announcer shouts, and Gina wins the *MVP award.

Gina is a 12-week-old poodle and a player in the Puppy Bowl. The Puppy Bowl is an annual event that imitates the Super Bowl, an American football league's championship game. The players are puppies between 12 and 21 weeks old. They wrestle for toys and treats. Then, if one of them carries a toy across the goal line, it scores a point. The game has a human referee, who prevents rough play, as well as a vet to treat any injuries. At halftime, kittens put on a show, just like famous singers do during the Super Bowl.

Many people enjoy watching the Puppy Bowl. However, it isn't only for entertainment. All the puppies _____. The event is a way to help them find good homes.

*MVP (Most Valuable Player) 최우수 선수

Read & Learn

그 볼이 알고 싶다

**미국 최대의 스포츠 행사
슈퍼볼(Super Bowl)**

여기, 퍼피볼의 원조인 스포츠 경기가 있습니다. 바로 미국의 미식축구 리그 결승전인 슈퍼볼 (Super Bowl)입니다. 그런데 말입니다… 이 경기가 단순한 스포츠 경기 이상이라는 것을 알고 계셨습니까? 이 경기는 전·현직 대통령들이 참관하고, 개막식에서는 당대 최고의 가수들이 화려한 공연을 선보입니다. 게다가 티켓 한 장이 1,000만 원을 호가한다는 사실! 정말 놀랍지 않습니까?

1 이 글의 주제로 가장 적절한 것은?

① 동물 보호 단체의 기금 마련 활동

② 강아지와 고양이가 대결하는 경기

③ 강아지들이 선수로 출전하는 대회

④ 미식축구 선수들을 위한 특별 공연

⑤ 강아지와 주인이 함께 참여하는 스포츠

2 다음 중, 퍼피볼에서 볼 수 있는 대상이 <u>아닌</u> 것을 <u>모두</u> 고르시오.

① 아나운서　　　　② 심판　　　　③ 인기 가수

④ 감독　　　　⑤ 수의사

3 이 글의 빈칸에 들어갈 말로 가장 적절한 것은?

① win special awards　　　　② come from shelters

③ receive donations　　　　④ get training every day

⑤ are professional players

4 퍼피볼에 관한 이 글의 내용과 일치하지 <u>않는</u> 것은?

① 매년 개최되는 행사이다.

② 미식축구 경기를 모방한 것이다.

③ 생후 21주가 지난 강아지는 참여할 수 없다.

④ 상대 팀의 장난감을 획득하면 득점한다.

⑤ 중간 휴식 시간에는 쇼가 펼쳐진다.

Words

all the way 온 힘을 다해; 줄곧, 내내　**announcer** 몡 아나운서　**poodle** 몡 푸들　**puppy** 몡 강아지　**annual event** 연례행사
imitate 통 모방하다　**championship game** 결승전　**wrestle** 통 몸싸움을 하다　**treat** 몡 간식 통 치료하다; 대우하다　**referee** 몡 심판
prevent 통 막다, 예방하다　**rough** 혱 거친　**vet** 몡 수의사　**injury** 몡 부상　**halftime** 몡 (경기 전반전이 끝난 뒤의) 중간 휴식 시간
kitten 몡 새끼 고양이　**put on** (연극 등을) 공연하다, 상연하다　**entertainment** 몡 오락　<문제> **shelter** 몡 보호소, 피난처
donation 몡 기부(금)　**professional** 혱 전문적인, 프로의

When you go to the mountains, you often find plastic water bottles people have abandoned. Unfortunately, these bottles not only pollute the environment but also _____.

(a) On a sunny day, clear plastic bottles can act as magnifying glasses. (b) When sunlight passes through the bottle, the water inside it focuses the light in one spot. (c) Water generally boils at 100°C, but it boils below 100°C on the top of a mountain. (d) The temperature at this point increases quickly and can get as hot as 300°C. (e) This can easily set things on fire. In fact, in one experiment with newspapers, they caught fire in less than two minutes <u>this way</u>.

The problem could be worse in the mountains because there are many leaves and trees that burn easily. So, you should make sure not to leave things behind in the mountains. This can result in huge disasters.

1 이 글의 빈칸에 들어갈 말로 가장 적절한 것은?

① block the light　　　　　　　② cause forest fires

③ melt in hot weather　　　　　④ are poisonous to trees

⑤ contain harmful chemicals

2 이 글의 (a)~(e) 중, 전체 흐름과 관계<u>없는</u> 문장은?

① (a)　　　② (b)　　　③ (c)　　　④ (d)　　　⑤ (e)

3 이 글에서 설명하는 햇빛과 물병의 모습으로 가장 적절한 것은?

① 　② 　③ 　④ 　⑤

(심화형)

4 이 글의 밑줄 친 this way에 관한 내용과 일치하는 것은?

① 물병과 렌즈를 이용한 방법이다.

② 물병에 햇빛을 비추어 빛을 분산시킨다.

③ 물병 전체의 온도가 매우 높아진다.

④ 물병이 돋보기 같은 역할을 한다.

⑤ 주변에 잎이나 나무가 있으면 효과가 약해진다.

Words

abandon 통 버리다　unfortunately 부 불행하게도　pollute 통 오염시키다　clear 형 투명한; 분명한　bottle 명 병　act as ~의 역할을 하다

magnifying glass 돋보기　focus 통 (빛 등을 초점에) 모으다; 집중하다　boil 통 끓다　increase 통 상승하다, 증가하다

set ~ on fire ~에 불을 내다　experiment 명 실험　burn 통 불에 타다　leave behind 두고 가다　result in ~을 야기하다　disaster 명 재난

<문제> block 통 차단하다, 막다　melt 통 녹다　weather 명 날씨　poisonous 형 유독한, 유해한　harmful 형 해로운　chemical 명 화학 물질

Easter eggs are hidden messages or features in films, TV shows, and computer games. Now, do you notice any here? Just take the first letter of each sentence in this paragraph. ₃ Observe what they spell. You've just found an Easter egg.

Here are some other examples you might "enjoy." If you have an iPhone, try saying "Hey, Siri. Give me a beat!" ₆ Siri will beatbox for you. In Google, type "Atari Breakout" in the search bar and click on the "I'm Feeling Lucky" button. Then you can enjoy a brick-breaking game! ₉

Easter eggs are fun and interesting. But some of them are so hard to find that it can take years to do so. In one video game, _____, it took 26 years for players to ₁₂ find an Easter egg!

Read & Learn

꼭꼭 숨어라 달걀껍질 보일라! ●

사람들이 꼭꼭 숨겨둔 재미있는 장치, 이스터 에그! 이것은 '부활절(Easter)의 달걀 찾기 풍습'에서 유래했어요. 부활절 아침, 아이들은 집 안 곳곳에 숨겨진 오색 빛깔의 달걀을 찾아다녀요. 이 달걀들을 이스터 에그라고 부르며, 가장 많은 이스터 에그를 찾은 아이는 달걀 모양의 초콜릿을 상품으로 받아요.

1 What is the purpose of the passage?

① to show how Easter eggs are made

② to recommend some fun online games

③ to emphasize the useful features of Google

④ to introduce Easter eggs and give examples

⑤ to explain why Easter eggs are widely loved

2 Complete each sentence with ONE word from the passage.

- Daniel didn't _____ that I was behind him.
- She handed me a _____ about the trip.

(서술형)

3 What are the Easter eggs in the iPhone and Google? Write the answers in Korean.

(1) iPhone: _____

(2) Google: _____

4 Which is the best choice for the blank?

① however   ② for example

③ instead   ④ fortunately

⑤ in other words

Words

Easter egg 이스터 에그   **feature** 몡기능; 특징 동특별히 포함하다   **notice** 동알아차리다 몡안내문   **paragraph** 몡문단
observe 동보다, 목격하다   **spell** 동(철자가 조합되어 어떤 단어가) 되다, 철자를 말하다[쓰다]   **beatbox** 동비트박스를 하다 몡비트박스
breakout 몡탈옥   **search bar** 검색 창   **brick-breaking** 혱벽돌을 깨는   <문제> **recommend** 동추천하다   **emphasize** 동강조하다
introduce 동소개하다   **explain** 동설명하다   **widely** 뷔널리, 폭넓게; 대단히   **hand** 동건네주다, 넘겨주다

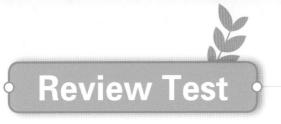

Review Test

정답 및 해설 p.83

1 짝지어진 단어의 관계가 나머지와 <u>다른</u> 것은?

① disaster – fire ② chemical – iron ③ feature – characteristic
④ device – computer ⑤ animal – puppy

[2-4] 단어와 영영 풀이를 알맞게 연결하시오.

2 protect • • ⓐ to study or research something deeply

3 imitate • • ⓑ to copy someone or something

4 analyze • • ⓒ to guard someone or something from harm

5 다음 빈칸에 공통으로 들어갈 단어로 가장 적절한 것은?

• The doctor tried to _____ the patient who had a cold.
• It is important to _____ others with kindness and care.

① bother ② congratulate ③ treat ④ surprise ⑤ reduce

[6-8] 다음 빈칸에 들어갈 단어나 표현을 보기 에서 골라 쓰시오.

| 보기 | donation | abandon | result in | vet | emphasize |

6 The boy decided to _____ his old bike.

7 I took my cats to the _____ to check their health.

8 If you don't study, it may _____ poor test scores.

[9-10] 다음 밑줄 친 단어나 표현에 유의하여 각 문장의 해석을 쓰시오.

9 At halftime, kittens <u>put on</u> a show, just like famous singers do during the Super Bowl.

→ _____

10 So, you should make sure not to <u>leave</u> things <u>behind</u> in the mountains.

→ _____

LET'S COLOR!

HAPPY EASTER

서양에서는 부활절에 달걀 찾기 놀이를 하는 풍습이 있답니다.

알록달록하게 색칠한 달걀을 미리 집 구석구석에 숨겨놓고 "토끼가 숨겨놓은 달걀을 찾아라"라는

미션을 주면 아이들은 열심히 달걀을 찾아다녀요. 여기 달걀 찾기 놀이를 준비하는 토끼들과 달걀에

색깔을 화려하게 칠해볼까요?

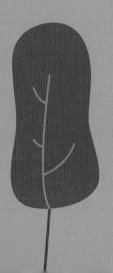

UNIT 03

Sometimes our bodies smell bad, especially when we sweat. However, some people have a stronger scent than others. Scientists say one reason for <u>this</u> is genes. There are three types of body odor genes: GG, GA, and AA. People with type GG have the strongest smell. Those with type GA have a weaker scent, and people with AA genes smell the least. So, if you have a strong odor, you may have the GG gene.

There are a few things you can do to deal with body odor. ＿＿＿＿＿＿, eating lots of fruit can reduce body smells by removing toxins. Also, wash behind your ears frequently, and you'll smell much less. Lots of *sebum and dirt build up there, causing a bad smell.

*sebum 피지

Read & Learn

궁금한 향 이야기 Y

한국인의 땀 냄새는 어떨까?

한 연구 결과에 따르면, GG, GA, AA형의 유전자를 가진 사람들의 비율은 국가별로 다르다고 해요. G 유전자가 전혀 없는 AA형의 사람은 전 세계적으로 매우 적은데요, 그렇다면 한국인은 어떨까요? 놀랍게도, 한국인은 AA 유전자를 가진 사람의 비율이 전 세계에서 독보적으로 높다고 밝혀졌답니다!

1 이 글의 밑줄 친 this가 의미하는 내용을 우리말로 쓰시오.

_____

2 이 글의 빈칸에 들어갈 말로 가장 적절한 것은?

① However　　　　　　　　② Therefore

③ For example　　　　　　 ④ On the other hand

⑤ In short

3 이 글의 내용과 일치하면 T, 그렇지 않으면 F를 쓰시오.

(1) GA형의 유전자를 가진 사람들은 AA형의 유전자를 가진 사람들보다
체취가 덜 난다.　　　　　　　　　　　　　　　　　　　　_____

(2) 생선을 많이 섭취하면 몸 안의 독소가 제거되어 체취를 줄일 수 있다.　_____

(3) 체취를 유발하는 원인 중 하나는 피지이다.　　　　　　　　　_____

4 이 글의 내용으로 보아, 다음 빈칸에 들어갈 말을 글에서 찾아 쓰시오.

Strong Body Odor

Cause	Solution
According to scientists, a difference in (1) _____ is one reason.	Eating (2) _____ and cleaning behind the (3) _____ can reduce the smell.

Words

sweat 통 땀을 흘리다 명 땀　scent 명 냄새, 향기　gene 명 유전자　type 명 유형, 종류　odor 명 냄새　deal with ~을 처리하다, 다루다
reduce 통 줄이다　remove 통 제거하다, 치우다　toxin 명 독소　frequently 부 자주　dirt 명 때, 먼지　build up 쌓이다, 축적되다
<문제> on the other hand 반면에　in short 요컨대　solution 명 해결책　according to ~에 따르면

Every year, filmmakers and performers in Hollywood get together for awards shows like the Oscars and the Golden Globes. (①) They are happy to receive awards for their hard work. (②) It is the Golden Raspberries, or the Razzies. (③) At this awards show, prizes are given to the worst films and performers. (④)

Usually, the Razzies is held a day before the Oscars. (⑤) There are 10 categories, including the worst picture, director, and performers. The winner of each category is chosen by the Razzies Organization and receives a raspberry trophy painted with fake gold.

Most winners never go to this awards show, but Sandra Bullock did in 2010. She received the Worst Actress award and gave a humorous speech. Ironically, she won an Oscar the next day for a different film!

Read & Learn

★ 골든 라즈베리 시상식만의 특별한 상들 ★

★만회상
(Razzie Redeemer)
과거 '최악의 OO상'을 수상했으나,
새 작품을 통해 오명을 벗은 영화인에게 수여!

★가장 거품이 많은 10대 영화상
(Most Flatulent Teen-Targeted Movie)
10대를 타깃으로 한 영화 중
가장 과대평가 된 영화에 수여!

★인간 생명과 공공재산을 무시한 작품상
(Worst Reckless Disregard for Human Life and Public Property)
지나치게 많은 사람이 죽고
건물과 도로 등의 공공재산이 파괴된 영화에 수여!

1 이 글의 제목을 다음과 같이 나타낼 때, 빈칸에 들어갈 단어를 글에서 찾아 쓰시오.
(단, 주어진 철자로 시작하여 쓰시오.)

A Film A   S   for the W   Movie

심화형

2 이 글의 흐름으로 보아, 다음 문장이 들어가기에 가장 적절한 곳은?

However, there is one awards show that no one wants to attend.

①   ②   ③   ④   ⑤

3 다음 영영 풀이에 해당하는 단어를 글에서 찾아 쓰시오.

a formal talk about a particular subject given to an audience

_____

4 골든 라즈베리 시상식에 관한 이 글의 내용과 일치하지 <u>않는</u> 것을 <u>모두</u> 고르시오.

① 영화인들의 공로를 기념하기 위해 만들어졌다.

② 주로 오스카 시상식이 개최되기 하루 전날 열린다.

③ 영화, 감독 등을 포함해 총 10가지의 수상 부문이 있다.

④ 현재까지 산드라 블록을 포함한 대부분의 수상자가 참석했다.

⑤ 오스카상과 중복하여 수상할 수 있다.

Words

filmmaker 몡영화 제작자 **performer** 몡연기자 **get together** 모이다 **awards show** 시상식 **raspberry** 몡라즈베리, 산딸기 **prize** 몡상
hold 통개최하다; 잡다 (hold-held-held) **category** 몡부문, 범주 **including** 전~을 포함하여 **picture** 몡영화; 그림; 사진
director 몡감독, 지도자 **organization** 몡협회, 조직 **fake** 휑가짜의 **humorous** 휑재치 있는, 재미있는 **speech** 몡연설
ironically 閉역설적이게도 <문제> **attend** 통참석하다 **formal** 휑격식을 차린 **particular** 휑특정한 **audience** 몡청중

The basketball court was full of heavy breathing. Only three seconds were left until the end of the game, and the team—the Charlotte Hornets—was losing by two points.

3

(A) He shot the ball when the timer was showing that only half a second remained. The buzzer sounded while the ball was flying through the air. Then, like a miracle, the ball went in.

6

(B) At that moment, Jeremy Lamb was more than 14 meters away from the basket. He grabbed the ball. There was still one last chance to score and win the game.

9

(C) The Charlotte Hornets won thanks to Jeremy's buzzer beater. A buzzer beater is a shot scored after the buzzer sounds for the end of the game. It is one of the most exciting shots to watch. As the saying goes, it truly isn't over until it's over.

12

15

Read & Learn

Jeremy Lamb
(1992년 5월 30일, 버지니아 출생)
제레미 램은 고등학생 시절부터 농구 선수로 활약해 졸업과 동시에 대학교 농구 선수로 발탁되었어요. 주 포지션은 외곽에서 득점 찬스를 노리는 슈팅 가드예요. 그는 새내기 시절부터 주전 선수를 도맡아 모든 경기에 출전했으며, 강심장을 지녀 경기 종료 직전까지도 득점 슛을 넣는 엄청난 선수랍니다.

1 이 글의 단락 (A)~(C)를 순서에 맞게 배열한 것으로 가장 적절한 것은?

① (A) – (B) – (C) ② (A) – (C) – (B) ③ (B) – (A) – (C)

④ (B) – (C) – (A) ⑤ (C) – (B) – (A)

2 경기 종료 직전과 직후 Jeremy Lamb의 심경 변화로 가장 적절한 것은?

① 초조한 → 기쁜 ② 신이 난 → 부끄러운

③ 긴장한 → 좌절한 ④ 희망적인 → 미안한

⑤ 안도한 → 즐거운

3 이 글을 읽고 답할 수 <u>없는</u> 질문을 <u>모두</u> 고른 것은?

(A) What is the name of Jeremy Lamb's team?

(B) What is a buzzer beater in a basketball game?

(C) What was the final score of Jeremy Lamb's team?

(D) How many players have made a buzzer beater?

① (A), (B) ② (A), (D) ③ (B), (C)

④ (B), (D) ⑤ (C), (D)

(심화형)

4 이 글이 주는 교훈으로 가장 적절한 것은?

① Don't give up until the end.

② Be willing to admit your losses.

③ Don't wish for a miracle without effort.

④ It's important to work together.

⑤ You should be careful with everything.

Words

court 몡경기장; 법정 **be full of** ~으로 가득 차다 **heavy** 혱거친; 무거운 **breathing** 몡호흡 **shoot** 동던지다; 쏘다 (shoot-shot-shot)
half 혱(절)반의 **remain** 동남아 있다, 여전히 ~이다 **buzzer** 몡버저, 경적 **miracle** 몡기적 **grab** 동움켜잡다 **score** 동득점하다 몡점수
thanks to ~ 덕분에 **shot** 몡(운동경기에서의) 슛; 발사 **exciting** 혱흥미진진한 **saying** 몡격언, 속담 **truly** 튄정말로
<문제> **final** 혱최종적인, 마지막의 **give up** 포기하다 **be willing to** 기꺼이 ~하다 **admit** 동인정하다

In the famous film series, *Pirates of the Caribbean*, a huge sea creature destroys ships with its long *tentacles. ⓐ <u>It</u> is a legendary monster called the Kraken. The Kraken originated from ancient myths about the ocean. But many sailors in the past insisted they had seen the real Kraken. Some of ⓑ <u>them</u> even said it had attacked them!

In fact, a similar animal actually exists—the giant squid. The largest one in history had an 18-meter-long body and weighed a ton. But no one knows how big the giant squid can grow. These squid live underwater at depths between 300 and 600 meters, so they are rarely seen. However, they sometimes attack ships that come near ⓒ <u>them</u>. So, what many people know as the Kraken may be this monster-like creature.

*tentacle (오징어·문어 등의) 촉수

1 What is the best title for the passage?

① Giant Squid: Do They Really Exist?

② Kraken: It Could Be a Real Creature

③ Krakens Are Not Actually Dangerous

④ A Myth about Giant Underwater Animals

⑤ The History of the World's Biggest Animal

(• 서술형)

2 Why are giant squid rarely seen? Write the answer in Korean.

_____

3 Write T if the statement is true or F if it is false.

(1) In the past, many sailors believed the Kraken really existed. _____

(2) The giant squid is known to grow as big as 18 meters long. _____

(3) Sailors sometimes try to hunt and kill giant squid. _____

4 Write what ⓐ, ⓑ, and ⓒ refer to in the passage.

ⓐ: _____   ⓑ: _____   ⓒ: _____

5 Complete the sentences with the following words.

dangerous	films	similar	myths

The Kraken is a legendary creature originally found in _____. It is _____ to giant squid, which have large bodies and sometimes attack ships.

Words

series 명 시리즈 pirate 명 해적 huge 형 거대한 creature 명 생물, 동물; 창조물 destroy 동 파괴하다 legendary 형 전설 속의
originate 동 기원하다 (originally 부 원래) ancient 형 고대의 myth 명 신화 sailor 명 선원 insist 동 주장하다 exist 동 존재하다
squid 명 오징어 (복수형: squid) weigh 동 무게가 나가다, 무게를 재다 underwater 부 물속에 형 수중의 depth 명 깊이 rarely 부 드물게

Review Test

정답 및 해설 p.84

1 다음 빈칸에 공통으로 들어갈 단어로 가장 적절한 것은?

- We're going to _____ a party at our house on Halloween.
- Please _____ the cup carefully as it's very hot.

① carry   ② hold   ③ attend   ④ invite   ⑤ grab

[2-5] 다음 빈칸에 들어갈 단어를 보기에서 골라 쓰시오.

보기	miracle	insist	humorous	remove	condition

2 It was a _____ that no one was injured in the accident.

3 I watched a _____ movie that made me laugh a lot.

4 Please _____ the dirt from the window.

5 My brother _____(e)d that he saw Santa Claus, but I don't believe him.

[6-8] 자연스러운 대화가 되도록 빈칸에 들어갈 단어를 보기에서 골라 쓰시오.

보기	destroy	exist	audience	category	formal

6 A: The hurricane _____ed many buildings and homes.
   B: That's really bad news!

7 A: The _____ in the concert hall was amazed by the singer's performance.
   B: Actually, I was there, too!

8 A: Do I have to wear a jacket and shirt for the wedding?
   B: Yes, and you should also wear a tie because it's a _____ event.

[9-10] 다음 밑줄 친 단어나 표현에 유의하여 각 문장의 해석을 쓰시오.

9 There are a few things you can do to <u>deal with</u> body odor.

   → _____

10 The basketball court <u>was full of</u> heavy breathing.

   → _____

재미로 보는 심리테스트
앉고 싶은 자리 Pick!

수업을 들으러 온 당신,
아래 4개의 자리 중 가장 앉고 싶은 자리를 골라보세요.

| ① 맨 앞자리 | ③ 중앙 자리 |
| ② 창가 자리 | ④ 맨 뒷자리 |

① 맨 앞자리

친구들 사이에서 믿음직한 사람으로 손꼽히는 당신! 입이 무겁고 의리가 있어 유독 고민거리를 털어놓는 친구들이 많아요. 주변을 살뜰히 챙기는 따뜻한 성품 덕에 인기도 많네요. 조용한 편이지만 가끔 무심하게 한 마디를 날려 사람들을 빵 터지게 하는 것이 당신의 매력!

② 창가 자리

난 뭔가 달라 달라~ 노래 가사처럼 당신은 남들과는 다른 톡톡 튀는 매력의 소유자예요. 감각이 뛰어나고 창의적이라 뭘 해도 개성이 넘쳐요. 슬픈 영화를 보고 눈물을 흘릴 줄 아는 감성파이기도 하답니다.

③ 중앙 자리

원칙을 중요하게 여기는 칼 같은 당신! 주변 사람들은 아마 당신을 해결사라고 생각할지도 몰라요. 합리적이고 현명해서 어떤 문제든지 해결할 줄 아니까요. 차가워 보이는 당신이지만 속은 누구보다도 진국이랍니다.

④ 맨 뒷자리

미지의 세계로 용기 있게 떠나는 모험가처럼 당신은 현재에 만족하지 않고 끊임없이 도전하는 사람이에요. 넘치는 에너지와 긍정 파워로 주변 사람들에게 웃음을 주죠. 친구들을 잘 이끄는 리더형이기도 해요.

HackersBook.com

UNIT 04

Lake Natron is known as the lake of Medusa. As Medusa turned living things into stone, the lake seems to do the same.

One day, a photographer traveling in Africa saw this unusual lake. There were all kinds of dead bats and birds along the shore. However, they did not seem like typical dead animals. Their bodies were dried up and as hard as rocks, so they looked like stone sculptures!

Actually, these animals were killed by the lake. This is because Lake Natron has a pH level of 10.5. It is high enough to cause burns and eventually kill animals. In addition, the lake has a high amount of salt. So, the saltwater absorbs the moisture from the dead bodies of animals. This causes them to remain in the same condition, exactly like a mummy!

Read & Learn

무시무시한 나트론 호수도 이 동물에겐 안 통한다?!
나트론 호수에는 무려 250만 마리의 홍학이 살고 있어요. 홍학은 튼튼한 피부의 긴 다리 덕분에 호숫물에 닿아도 아무런 영향 없이 생존할 수 있다고 해요. 덕분에 나트론 호수는 이들에게 오히려 천적을 막아주는 최적의 서식지랍니다.

1 이 글의 제목으로 가장 적절한 것은?

① A Lake in Africa That Never Dries Up

② Lake Natron: Africa's Only Saltwater Lake

③ Polluted Lakes May Cause Animals' Deaths

④ A Place That Turns Animals into Mummies

⑤ Lake Natron: Where the Story of Medusa Begins

● 서술형

2 이 글의 밑줄 친 This가 의미하는 내용을 우리말로 쓰시오.

_____

3 이 글에 따르면, 나트론 호수 근처의 동물들이 죽게 된 원인은?

① extremely hot weather

② the high pH level of the lake

③ a lack of water in the lake

④ fighting between animals

⑤ stones that crashed into the lake

4 이 글의 내용으로 보아, 괄호 안에서 알맞은 말을 골라 각 문장을 완성하시오.

The high level of (pH / salt) causes animals to become (like mummies / burned).

(1) The high level of _____ causes animals to become _____ .

(2) The high level of _____ causes animals to become _____ .

Words

be known as ~이라고 알려지다 **Medusa** 몡 (그리스 신화) 메두사 **photographer** 몡 사진사 **kind** 몡 종류 **bat** 몡 박쥐; 방망이
shore 몡 호숫가 **typical** 혱 일반적인, 전형적인 **dry up** (메)마르게 하다, (바싹) 마르다 **sculpture** 몡 조각 **cause** 동 야기하다 몡 원인
burn 몡 화상 동 화상을 입다; 불에 타다 **eventually** 분 결국 **saltwater** 몡 염수[소금물], 바닷물 **absorb** 동 빨아들이다, 흡수하다
moisture 몡 수분, 습기 **exactly** 분 꼭, 정확히 **mummy** 몡 미라 <문제> **pollute** 동 오염시키다 **extremely** 분 극도로 **lack** 몡 부족, 결핍
crash 동 충돌하다 몡 충돌

When Olympic champions pose for photos, they often do one thing: bite their gold medals! Why do they do this?

In the past, gold coins were commonly used. But some bad people added other metals, such as copper, to make fake gold coins. _____(A)_____, to find out if a coin was pure gold or not, the merchant would bite it. Since gold is a very soft metal, biting the coin would leave teeth marks. On the other hand, if the coin contained other metals, no teeth marks would be seen.

Although people don't use gold coins anymore, the tradition continues with gold medals. _____(B)_____, Olympic gold medals haven't been made of pure gold since 1912. So when you bite it, it won't get marked easily.

Read & Learn

별의별 올림픽 메달!

〈2014 소치동계올림픽〉
러시아에 떨어진 커다란 유성의 파편이 메달 안에 쏙!

〈2016 리우하계올림픽〉
폐금속과 플라스틱병을 재활용해 환경까지 생각한 메달!

1 이 글의 내용과 일치하도록 괄호 안에서 알맞은 말을 골라 표시하시오.

(1) gold coins: 깨물었을 때 잇자국이 (남는다 / 남지 않는다).

(2) fake gold coins: 깨물었을 때 잇자국이 (남는다 / 남지 않는다).

2 이 글의 빈칸 (A)와 (B)에 들어갈 말로 가장 적절한 것은?

	(A)		(B)
①	Therefore	......	However
②	Therefore	......	For example
③	However	......	In other words
④	However	......	In short
⑤	For example	......	So

3 이 글의 내용과 일치하면 T, 그렇지 않으면 F를 쓰시오.

(1) 금이 무르기 때문에 과거에는 다른 금속을 첨가해 금화를 만들었다. _____

(2) 현재 올림픽 금메달은 순금으로 만들어지지 않는다. _____

4 이 글의 내용으로 보아, 다음 빈칸에 공통으로 들어갈 말을 글에서 찾아 쓰시오.

In the past, merchants would _____ gold coins because some people made fake ones. Nowadays, Olympic champions _____ their gold medals as merchants did.

Words

champion 명챔피언, 우승자 pose 통자세를 취하다; (문제를) 제기하다 bite 통깨물다 commonly 튀흔히, 보통 add 통첨가하다
metal 명금속 such as ~과 같은 copper 명구리 fake 형가짜의 find out 알아내다, 발견하다 pure gold 순금 merchant 명상인
soft 형무른, 부드러운 mark 명자국, 흔적 통자국을 남기다, 표시하다 (tooth mark 잇자국) contain 통~이 들어 있다, 함유하다 tradition 명전통

When people are on a diet, a "cheat day" is like an oasis in the desert. On regular days, they only eat healthy foods. But they can eat anything that they want on cheat days.

Originally, cheat days were for athletes. (A) These are their cheat days. (B) They usually maintain high-protein diets that help build and repair muscles. (C) However, they sometimes eat the foods they want, including those with lots of fats and *carbohydrates.

Now, many people who want to lose weight by dieting have cheat days, too. A cheat day acts as a reward after following a strict diet for several days. So, it helps relieve stress and gives dieters extra motivation to do well. It also helps them overcome the temptation to eat too much on other days. As long as it is used wisely, a cheat day can help dieters

_____.

*carbohydrate 탄수화물

1 이 글의 제목으로 가장 적절한 것은?

① Don't Eat Too Much on Cheat Days

② Food That Helps Dieters Lose Weight

③ Cheat Days: For Dieters as well as Athletes

④ The Importance of a Balanced Diet for Health

⑤ Athletes Who Invented Cheat Days for Dieters

2 이 글의 문장 (A)~(C)를 순서에 맞게 배열한 것으로 가장 적절한 것은?

① (A) – (C) – (B) ② (B) – (A) – (C)

③ (B) – (C) – (A) ④ (C) – (A) – (B)

⑤ (C) – (B) – (A)

3 이 글의 빈칸에 들어갈 말을 글에서 찾아 쓰시오. (단, 주어진 철자로 시작하여 쓰시오.)

l＿＿＿＿＿ w＿＿＿＿＿

4 이 글에서 cheat day의 효과로 언급되지 <u>않은</u> 것을 <u>모두</u> 고르시오.

① 스트레스를 해소하는 데 도움이 된다.

② 단기간에 체중을 감량하는 데 효과적이다.

③ 다이어트를 하는 데 동기 부여가 된다.

④ 과식의 유혹을 이겨내는 데 도움을 준다.

⑤ 일시적으로 에너지를 증가시킨다.

Words

diet ⑲ 다이어트[식이요법], 식단 ⑧ 다이어트를 하다 (be on a diet 다이어트 중이다) cheat day 치팅 데이(마음 놓고 먹는 날) oasis ⑲ 오아시스
desert ⑲ 사막 regular ⑲ 평상시의; 규칙적인 originally ⑨ 원래 athlete ⑲ (운동)선수 high-protein ⑲ 고단백의
repair ⑧ 회복하다; 수리하다 fat ⑲ 지방 ⑲ 뚱뚱한 lose weight 살을 빼다 act as ~의 역할을 하다 reward ⑲ 보상
follow ⑧ 따르다, (뒤를) 따라가다 strict ⑲ 엄격한 relieve ⑧ 완화하다, 없애주다 extra ⑲ 추가적인 motivation ⑲ 동기, 자극
overcome ⑧ 극복하다 temptation ⑲ 유혹 as long as ~하기만 하면, ~하는 한 wisely ⑨ 현명하게 <문제> balanced ⑲ 균형 잡힌

▲ 지문 음성 바로 듣기

Most artists sign all of their artwork. However, Michelangelo only signed one of his works—the *Pietà*. ⓐ This is a statue of Jesus and his mother, Mary. On Mary's shoulder, there is ₃ a strap with the words "Michelangelo from Florence made ⓑ this."

Michelangelo sculpted the *Pietà* in 1499. He was only 24 ₆ years old, and not many people knew about him or his work at the time. One day, he heard some viewers talking about ⓒ the *Pietà*. One of them asked who had made it, and ₉ someone answered, "Gobbo, the artist from the city of Milan, carved ⓓ it." Michelangelo, of course, was _____(A)_____. He secretly carved his name upon the statue one night. ⓔ This ₁₂ made his reputation grow. But eventually, Michelangelo _____(B)_____ signing it. He said, "God, creator of the world, did not even leave a signature on his creatures, but I did!" ₁₅

미켈란젤로의 또 다른 역작, 〈천지창조〉
〈천지창조〉는 시스티나 성당의 천장에 그려져 있어요. 높고 거대한 천장을 수놓은 화려하고 섬세한 이 그림은 미켈란젤로 가 무려 4년 6개월에 걸쳐 완성한 역작이에요. 하지만 그는 긴 시간 동안 몸을 꺾어 천장을 봐야 했기 때문에 몸이 틀어졌고, 흘러내린 물감으로 인해 피부도 엉망이 되어버렸다고 해요.

1 What is the main topic of the passage?

① the story behind the name of the *Pietà*

② an artist who had great pride in his works

③ a popular sculpture by an unknown artist

④ how the *Pietà* got Michelangelo's signature

⑤ the recent discovery of an artwork by Michelangelo

2 Among ⓐ~ⓔ, which one refers to something different?

① ⓐ   ② ⓑ   ③ ⓒ   ④ ⓓ   ⑤ ⓔ

(심화형)

3 Which is the best choice for blanks (A) and (B)?

	(A)		(B)
①	happy	......	kept
②	happy	......	stopped
③	unhappy	......	regretted
④	unhappy	......	began
⑤	unhappy	......	enjoyed

4 Why did Michelangelo write his signature on his statue?

① to remember his hometown

② to celebrate his last work

③ to show his religious faith

④ to let people know he made the statue

⑤ to express his satisfaction with the statue

Words

sign 통 서명하다 명 기호 (signature 명 서명)   statue 명 조각상   Jesus 명 예수   strap 명 띠, 끈   Florence 명 (이탈리아) 피렌체
sculpt 통 조각하다 (sculpture 명 조각)   viewer 명 구경꾼, 시청자   Milan 명 (이탈리아) 밀라노   carve 통 조각하다, 새기다   secretly 분 몰래
reputation 명 명성   creator 명 창조자   <문제> pride 명 자부심   unknown 형 알려지지 않은   recent 형 최근의   discovery 명 발견
regret 통 후회하다   religious 형 종교적인, 종교의   faith 명 신앙(심), 믿음   satisfaction 명 만족(감)

Review Test

정답 및 해설 p.85

1 단어의 성격이 나머지와 <u>다른</u> 것은?

① carve   ② athlete   ③ shore   ④ creature   ⑤ gene

2 다음 밑줄 친 단어와 가장 비슷한 의미의 단어는?

> What <u>kind</u> of music do you like to listen to when you are studying?

① type   ② pride   ③ crash   ④ sign   ⑤ joy

3 다음 밑줄 친 단어와 가장 반대되는 의미의 단어는?

> The <u>cause</u> of my brothers' fight was the new video game.

① trend   ② motivation   ③ satisfaction   ④ result   ⑤ example

[4-5] 다음 괄호 안에서 알맞은 단어를 골라 표시하시오.

4 Would you (repair / glide) my broken bicycle tomorrow?

5 Don't forget to (mark / follow) your answers on the exam paper.

[6-8] 다음 영영 풀이에 해당하는 단어를 보기에서 골라 뜻과 함께 쓰시오.

| 보기 | overcome | temptation | regret | sculpture | burn |

		단어	뜻
6	a piece of art created by carving material	_____	_____
7	to feel sad about something that you have done	_____	_____
8	a strong desire to do something, especially something bad	_____	_____

[9-10] 다음 밑줄 친 단어나 표현에 유의하여 각 문장의 해석을 쓰시오.

9 Lake Natron <u>is known as</u> the lake of Medusa.

→ _____

10 A cheat day <u>acts as</u> a reward after following a strict diet for several days.

→ _____

작심삼일은 그만! 매일 할 수 있는
간단한 홈트레이닝

방 안에서 매일 할 수 있는 간단하면서 쉬운 '홈트레이닝' 동작들을 소개합니다!
지금 일어나서 함께 따라 해볼까요? Let's go!

복부 근력 강화하기
트위스트 크런치

❶ 누워서 머리 뒤에 양손 깍지를 끼고 무릎을
   직각으로 구부린다.

❷ 상체를 들어 올려서 좌측
   팔꿈치와 우측 무릎이 가운데서
   만날 수 있게 한다. 이 동작을
   좌우 반복한다.

⚠ **주의!**
고개를 너무 들게 되면 목에
힘이 들어가서 통증을 유발할
수 있으니 주의하세요!

하체 운동의 끝판왕
점핑 스쿼트

❶ 발을 어깨 너비로 벌리고
   엉덩이를 뒤로 빼면서
   무릎을 구부린다.

❷ 몸을 일으키는 동시에 가볍게
   위로 점프했다가 착지 후 처음
   자세를 유지한다.

⚠ **주의!**
점프를 너무 높게 하면 착지 시
충격이 커서 무릎과 발목에 통
증이 올 수 있어요. 처음엔 가
볍게 하는 것이 좋습니다.

HackersBook.com

UNIT 05

The remote control stops working, and you take out the batteries to replace them. But you drop them by mistake, and now there are both old and new batteries on the floor. You have a problem: which ones are new and which ones are dead?

To find out, hold the battery with the negative end facing down. Drop it from five centimeters above the ground. If the battery is new, it won't bounce and it might even stand up. A dead battery, however, will bounce and fall over. It's simple and easy, isn't it?

This test works because batteries usually contain *zinc in the form of a gel. Gels don't bounce, so a fresh battery doesn't bounce as well. However, as you use batteries, the chemistry inside changes, and the zinc becomes a material that is like a network of springs. This makes the battery bounce easily.

*zinc 아연

1 이 글의 제목으로 가장 적절한 것은?

① How to Identify Dead Batteries

② Why You Shouldn't Drop Batteries

③ What Material Is a Battery Made Of?

④ Useful Tips for Using Batteries Longer

⑤ Don't Store Old and New Batteries Together

2 건전지를 떨어뜨린 후의 모습이 다음과 같을 때, 새 건전지와 오래된 건전지 중 어떤 것인지 쓰시오.

(1)

(2)

3 건전지를 사용하면 건전지 내부에서 어떤 변화가 일어나는가?

① 젤이 굳어 딱딱해진다.　　　② 젤이 녹아서 탄성을 잃는다.

③ 아연이 줄어들어 가벼워진다.　　　④ 아연이 용수철 조직과 비슷해진다.

⑤ 용수철 조직이 젤 형태로 바뀐다.

4 이 글의 내용으로 보아, 다음 빈칸에 공통으로 들어갈 말을 글에서 찾아 쓰시오.

> Batteries are filled with a gel that does not _____. As the battery is used up, this gel changes into a material that causes batteries to _____.

Words

remote control 리모컨　take out 꺼내다　battery 몡건전지　replace 동교체하다, 대신하다　by mistake 실수로　floor 몡바닥
find out 알아내다, 발견하다　negative end 음극　face 동~을 향하다 몡얼굴　bounce 동튕기다, 튀다　fall over 넘어지다
work 동가능하다, 작동하다; 일하다　form 몡형태; 종류　gel 몡젤　chemistry 몡화학적 성질, 화학　material 몡물질　network 몡조직, 망; 관계
spring 몡용수철; 봄　<문제> identify 동확인하다　useful 혱유용한　store 동보관하다 몡가게　use up ~을 다 사용하다, 고갈시키다

Smoky eyes are a popular beauty trend. The eyes look more intense and mysterious. It is believed that ancient Egyptians first used makeup to create smoky eyes. However, they did ₃ not do this just for beauty.

In ancient Egypt, people put on a black substance, *kohl, to make smoky eyes. They soon discovered something ₆ interesting about the substance. _____! The kohl kept away mosquitoes and flies. So, the Egyptians could avoid getting the infectious diseases that were carried ₉ by these insects.

But there was one big problem that the Egyptians didn't know about. Kohl contains a very toxic substance, **lead. ₁₂ When this builds up in the body, it can affect almost every organ. As a result, the Egyptians probably had some serious health problems in the end. ₁₅

*kohl 콜 (동양권 일부에서 눈가에 바르던 검은 가루)   **lead 납

1 이 글의 제목으로 가장 적절한 것은?

① The Discovery of Kohl in Ancient Egypt

② How Egyptians Maintained Good Eye Health

③ Ancient Eye Makeup Had Good and Bad Sides

④ Beauty Products Based on Egyptian Traditions

⑤ Beauty: The Most Important Value in Ancient Egypt

2 이 글의 빈칸에 들어갈 말로 가장 적절한 것은?

① It lasted long   ② It was eaten by insects

③ Insects hated it   ④ Their eyes looked beautiful with it

⑤ Some diseases were cured using it

3 이 글의 내용으로 보아, 고대 이집트인들이 할 수 있는 말을 <u>모두</u> 고른 것은?

> (A) 우리가 최초로 스모키 눈 화장을 시작했어.
> (B) 우리는 콜(kohl)을 사용해서 스모키 눈 화장을 했어.
> (C) 스모키 눈 화장을 하지 않았다면, 전염병에 걸리기 더 쉬웠을 거야.
> (D) 스모키 눈 화장의 문제점을 알고 있었지만, 아름다움을 위해 유지했지.

① (A), (B)   ② (A), (D)   ③ (B), (D)

④ (A), (B), (C)   ⑤ (B), (C), (D)

4 이 글의 내용으로 보아, 다음 빈칸에 들어갈 말을 글에서 찾아 쓰시오.

> Smoky eyes helped Egyptians avoid _____, which carried some diseases. However, a _____ substance in the makeup could have eventually damaged their health.

Words

trend 몡 유행, 경향, 추세 intense 혱 강렬한 mysterious 혱 신비로운, 기이한 ancient 혱 고대의 Egyptian 몡 이집트인 (Egypt 몡 이집트)
makeup 몡 화장(품); 조립 put on ~을 바르다; 입다 substance 몡 물질 keep away 가까이 오지 못하게 하다 mosquito 몡 모기
fly 몡 파리 동 날다 infectious 혱 전염성의 disease 몡 질병 toxic 혱 유독한 build up 쌓이다, 축적되다 organ 몡 장기, (인체 내의) 기관
<문제> maintain 동 유지하다 based on ~에 기반하여 last 동 지속되다 혱 마지막의 cure 동 치료하다

What makes a baby a boy or a girl? For most animals, it is DNA alone. But this is not true for some reptiles like alligators and turtles. In addition to DNA, temperature decides their _____(A)_____!

Most alligators and turtles lay eggs in the sand. The gender of the babies is determined by the temperature around the eggs. (①) One example is the American alligator. (②) When the temperature of the nest is higher than 34°C, the babies will be mostly males. (③) And if the temperature is lower than 30°C, most will be females. (④) The hotter it is, the more female babies will be born. (⑤)

So what happens if the Earth keeps getting hotter? Then maybe there will only be _____(B)_____!

Read & Learn

Q. 만약 온도가 31~33°C라면 새끼 악어의 성별은 어떻게 될까요?

a. 수컷이 더 많이 태어난다.   b. 암컷이 더 많이 태어난다.
c. 암컷과 수컷이 고르게 태어난다.   d. 알이 부화하지 않는다.

정답은 'c. 암컷과 수컷이 고르게 태어난다.'에요. 31~33°C는 악어가 살기 좋은 적당한 온도이기 때문에 암수가 고르게 태어난답니다.

1 이 글의 주제로 가장 적절한 것은?

① 파충류의 다양한 서식지

② 파충류의 알이 부화하는 온도

③ 암수를 구별하기 어려운 동물들

④ 기온 상승으로 인한 생태계의 변화

⑤ 기온에 따라 성별이 정해지는 동물들

2 이 글의 빈칸 (A)에 들어갈 말을 글에서 찾아 쓰시오.

_____

3 이 글의 흐름으로 보아, 다음 문장이 들어가기에 가장 적절한 곳은?

> On the other hand, the opposite is true for turtles.

①   ②   ③   ④   ⑤

4 이 글의 빈칸 (B)에 들어갈 말로 가장 적절한 것은?

① male alligators and turtles

② female alligators and male turtles

③ male and female alligators

④ male alligators and female turtles

⑤ male and female turtles

Words

reptile 명 파충류 alligator 명 (미국, 중국의) 악어 turtle 명 거북(이) temperature 명 온도, 기온 lay 동 (알을) 낳다; 두다 gender 명 성별 determine 동 결정하다; 알아내다 nest 명 둥지 mostly 부 대부분, 주로 male 명 수컷, 남성 형 수컷[남성]의 female 명 암컷, 여성 형 암컷[여성]의 be born 태어나다 <문제> opposite 명 반대 형 다른 편의, 건너편의

How about having a burger and a soda after school?

OK, I'd love to.

Did you understand the above conversation right away? If so, you probably understand how convenient emojis are. They let us deliver our thoughts and feelings without typing words. They can even help us communicate with people who speak a different language.

However, not every emoji has the same meaning to everyone. For example, a smiling face with tears is called a LOL (Laugh Out Loud) emoji in Western countries. It means you're laughing so hard that you eventually cry. But people from the Middle East understand the same emoji very differently. They see it as a face filled with sadness!

To understand these differences, some people study _____ in different cultures. They are emoji translators! These translators research how people use each emoji based on their cultural background.

Read & Learn

이게 뭐지, 이모지?!

나라별로 의미가 다른 이모지! 어떤 것들이 있는지 알아볼까요?

👌 : 우리나라에서는 '알겠다'라는 의미로 쓰이지만, 브라질과 터키에서는 '욕설'을 의미해요.
😇 : 우리나라에서는 '착한 사람, 천사'의 의미이지만, 중국에서는 '협박', '죽음'을 의미해요.
👋 : 우리나라에서는 '인사'를 뜻하지만, 중국에서는 '결별'을 의미해요.

서술형

1 Why are emojis helpful? Write two answers in Korean.

(1) _____

(2) _____

2 Where would each conversation take place? Write 'Western country' or 'Middle East country'.

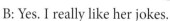

Conversations Using the LOL Emoji

A: I'm worried about my puppy.
He was sick yesterday. 😂

B: Oh, that sounds bad.

A: I think Ava is so funny. 😂

B: Yes. I really like her jokes.

(1) _____ (2) _____

심화형

3 Which is the best choice for the blank?

① the problems emojis have solved

② the words used instead of emojis

③ the emojis that have smiling faces

④ the various meanings emojis have

⑤ the reasons emojis became popular

4 Complete the sentence with the following words.

translators	laugh	communicate	cultures	travel

People can _____ with each other easily using emojis, but their meaning can vary among people from different _____ .

Words

conversation 명 대화 **right away** 곧바로, 즉시 **convenient** 형 편리한 **emoji** 명 이모지, 이모티콘 **deliver** 동 전달하다, 배달하다
type 동 입력하다, 타자 치다 명 형태, 종류 **communicate** 동 의사소통하다 **language** 명 언어 **laugh out loud** 큰 소리로 웃다
Middle East 중동 **filled with** ~으로 가득 찬 **translator** 명 번역가, 통역사 **research** 동 연구하다 명 연구, 조사
based on ~에 근거하여 **background** 명 배경 <문제> **joke** 명 농담 **solve** 동 해결하다 **instead of** ~ 대신 **vary** 동 다르다, 달라지다

1 짝지어진 단어의 관계가 나머지와 <u>다른</u> 것은?

① discover – discovery   ② know – knowledge   ③ infectious – infection

④ deliver – delivery   ⑤ combine – combination

[2-4] 다음 밑줄 친 단어와 가장 비슷한 의미의 단어를 알맞게 연결하시오.

2 The new dictionary is very <u>convenient</u> for doing homework.   •   • ⓐ determine

3 Chris searched the Internet to <u>decide</u> what to eat for lunch.   •   • ⓑ useful

4 Minho always studies hard to <u>maintain</u> his high grades.   •   • ⓒ keep

[5-6] 다음 영영 풀이에 해당하는 단어를 보기에서 골라 쓰시오.

보기	replace	store	communicate	vary

5 to share thoughts, feelings, or ideas with others   _____

6 to keep something for future use   _____

[7-8] 다음 빈칸에 들어갈 단어나 표현을 보기에서 골라 쓰시오.

보기	effective	based on	instead of	mysterious

7 The TV show deals with _____ and unsolved events in history.

8 George did the presentation _____ me because I was sick.

[9-10] 다음 밑줄 친 단어나 표현에 유의하여 각 문장의 해석을 쓰시오.

9 A dead battery, however, will bounce and <u>fall over</u>.

→ _____

10 The hotter it is, the more female babies will <u>be born</u>.

→ _____

그거 들어봤니?

신기한 동물의 세계 Q&A

수달도 손을 잡는다, 펭귄도 프러포즈할 때 선물한다, 홍학은 원래 하얀색이다?!
동물에 대한 흥미로운 이야기를 전해드려요!

Q. 바다수달은 서로 손을 잡고 잔다?

A. 물속에서 팔을 허우적거리다 서로의 손을 꼭 잡는 수달. 참 귀엽죠? 애니메이션에서나 볼 법한 장면이라고 생각하겠지만, 실제로 수달은 잠을 잘 때 물살에 떠내려가지 않기 위해 손을 잡는답니다. 신기하게도 자기 가족이나 배우자의 손만 잡는다고 해요. 너무 작아서 손을 잡을 수 없는 아기 수달들의 경우 엄마 배 위에 올라탄답니다.

Q. 젠투펭귄은 프러포즈할 때 예쁜 자갈을 선물한다?

A. "나랑 결혼해줄래~" 동물들의 세계에서도 로맨틱한 프러포즈가 존재한답니다! 그 주인공 중 하나는 바로 젠투펭귄인데요. 프러포즈할 때 수컷 펭귄이 해안가에서 예쁜 자갈을 골라 암컷의 발아래 둬요. 암컷이 자갈을 받아주면 승낙! 무시하면 거절이랍니다. 왜 자갈을 선물하냐고요? 젠투펭귄은 둥지를 만들 때 자갈을 쌓아 올려요. 자갈이 곧 부의 상징인 셈이죠! 소중한 자갈을 선물하며 프러포즈하는 펭귄, 정말 달달하네요.

Q. 분홍색 홍학은 원래 하얀색이었다?

A. 예쁜 분홍빛 털과 쭉 뻗은 다리를 자랑하는 홍학! 그런데 아기 홍학은 흰색 깃털을 가지고 태어난다고 해요. 그렇다면 어떻게 분홍색 깃털을 갖게 되는 걸까요? 홍학의 최애 음식인 새우나 게에는 아스타신이라는 붉은 색소가 들어있어요. 이 색소가 깃털 조직에 쌓이면서 분홍빛을 띠게 되죠. 그래서 먹이를 얼마만큼 먹느냐에 따라 분홍빛의 진한 정도가 달라진답니다.

HackersBook.com

UNIT 06

▲ 지문 음성 바로 듣기

There is a place where lightning strikes almost every day. It is the Catatumbo River of Venezuela.

Along the Catatumbo River, lightning occurs 260 days a year on average. During the rainy season, around October, it strikes up to 28 times per minute. And this can go on for 10 hours each day. The lightning is so intense that it can be seen from 400 kilometers away. In fact, sailors who traveled along the nearby lake—Lake Maracaibo—used it as a lighthouse to guide their boats. That's why Catatumbo lightning is also known as "Maracaibo's Lighthouse!"

Why does the area get so much lightning? Interestingly, the reason is still not known. However, scientists believe one reason may be the location. The river is surrounded by the Andes Mountains. At night, the warm air from the river meets the cold air from the mountains. This creates the perfect conditions for lightning.

Read & Learn

번개를 모으는
자유의 여신상

베네수엘라뿐만 아니라, 뉴욕에도 무한 번개 지옥이 있어요. 뉴욕을 지키는 자유의 여신상은 지난 130여 년 동안 매년 600번 넘게 번개를 맞아왔다고 해요. 2010년에 자유의 여신상에 번개가 내려꽂히는 순간이 최초로 포착되었는데, 이 사진에서 자유의 여신상은 마치 번개의 신 토르처럼 보인답니다.

1 이 글의 주제로 가장 적절한 것은?

① the effect of lightning on nature

② the best place to avoid lightning

③ the danger of Catatumbo lightning

④ how the Catatumbo River was created

⑤ a lot of lightning at the Catatumbo River

2 이 글의 밑줄 친 intense와 의미가 가장 비슷한 것은?

① close　　　　　② brief　　　　　③ fast

④ powerful　　　⑤ random

3 이 글을 읽고 답할 수 없는 질문은?

① 카타툼보강이 있는 나라는 어디인가?

② 카타툼보 번개는 하루에 몇 시간 동안 지속될 수 있는가?

③ 카타툼보 번개는 왜 '마라카이보의 등대'로 알려져 있는가?

④ 카타툼보 번개는 언제부터 시작되었는가?

⑤ 카타툼보강을 둘러싸고 있는 것은 무엇인가?

4 이 글의 내용으로 보아, 다음 빈칸에 들어갈 말을 글에서 찾아 쓰시오.

> The Catatumbo River is a place where ＿＿＿＿＿＿＿＿ occurs a lot.
> According to scientists, it may be caused by the ＿＿＿＿＿＿＿＿ of
> the river because warm and cold ＿＿＿＿＿＿＿＿ combine there.

Words

lightning 몡번개　strike 동치다　Venezuela 몡베네수엘라　along 전~을 따라서　occur 동발생하다　on average 평균적으로
rainy season 우기　up to ~까지　intense 휑강렬한　in fact 실제로, 사실은　sailor 몡선원　lighthouse 몡등대　guide 동안내하다
location 몡위치　surround 동둘러싸다　conditions 몡환경; (단수형) 상태; 조건　<문제> brief 휑짧은　random 휑무작위의
combine 동결합하다, 조합하다

Adam and Lisa have an interesting hobby. ⓐ They go looking for valuable things buried underground.

One day in 2019, ⓑ they were on a farm, searching for _____ . Adam was investigating the field with his metal detector. Suddenly, it started beeping. "What is it?" Lisa asked. It was a silver coin. Lisa searched the nearby area, and she also found one. Soon, ⓒ they found another, and another, and another. After digging around for hours, they had discovered over 2,000 coins.

Adam and Lisa took their discovery to an expert. Surprisingly, the coins were more than 1,000 years old. And there was even better news. The expert said ⓓ they were worth seven million dollars! ⓔ Their story soon spread, and many people started hunting for _____ .

1 이 글의 밑줄 친 ⓐ~ⓔ 중, 가리키는 대상이 나머지 넷과 <u>다른</u> 것은?

① ⓐ   ② ⓑ   ③ ⓒ   ④ ⓓ   ⑤ ⓔ

2 이 글의 빈칸에 공통으로 들어갈 말로 가장 적절한 것은?

① information   ② treasure   ③ equipment

④ mail   ⑤ evidence

3 이 글의 내용과 일치하면 T, 그렇지 않으면 F를 쓰시오.

(1) Adam과 Lisa의 취미는 땅속에 묻힌 물건들을 찾는 것이다. _____

(2) Adam과 Lisa가 찾은 은화는 가치가 거의 없는 것이었다. _____

4 다음 중, Adam과 Lisa의 사례와 가장 어울리는 말은?

① "남의 것을 욕심내다가 오히려 큰 낭패를 봤어."

② "기대한 것 이상의 엄청난 행운을 만났어."

③ "다른 사람을 위해 가치 있는 일을 하게 되었어."

④ "한 가지 일에만 몰두해서 다른 것을 망쳤어."

⑤ "단순한 취미생활을 넘어 한 분야의 전문가가 되었어."

5 다음 영영 풀이에 해당하는 단어를 글에서 찾아 쓰시오.

someone who has great knowledge of a subject

_____

Words

look for ~을 찾다   valuable 형 귀중한, 가치 있는   bury 동 묻다   underground 부 땅속에 형 지하의   search for ~을 찾다
investigate 동 살피다, 조사하다   metal detector 금속 탐지기   beep 동 삐 소리를 내다   dig 동 파다   discovery 명 발견(물)
expert 명 전문가   be worth ~의[할] 가치가 있다   million 명 백만   spread 동 퍼지다, 펼치다 (spread-spread-spread)
hunt 동 찾다; 사냥하다   <문제> treasure 명 보물   equipment 명 장비   evidence 명 증거   knowledge 명 지식   subject 명 주제

What comes to mind when you hear "love game"? You might think of a complicated relationship between lovers. But "love game" is a term in tennis. It means winning without giving a single point to the opponent. In other words, the player who loses _____. This is because *love* means "zero points" in tennis. So when a game begins, players start at love—love (0—0).

There is an interesting story about where the word *love* in tennis came from. (A) When tennis first started in France, scores were written on a scoreboard. (B) So instead of zero, they called it *l'oeuf*, meaning "egg". (C) Some witty French people found that a zero on the board looked like an egg. And *l'oeuf* sounds like *love* in English. Eventually, after tennis became popular in England, people started to call a score of zero *love*.

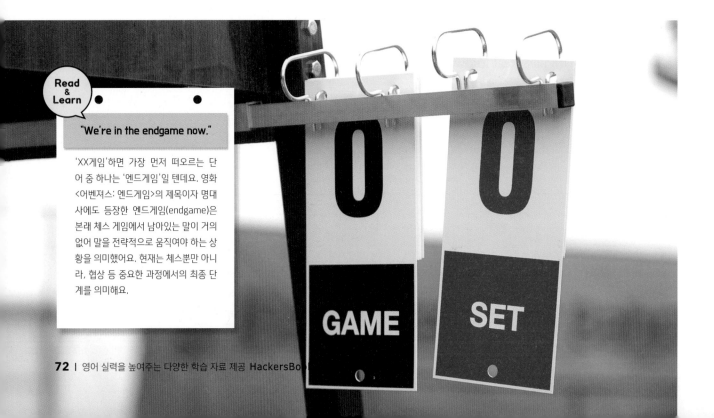

Read & Learn

"We're in the endgame now."

'XX게임'하면 가장 먼저 떠오르는 단어 중 하나는 '엔드게임'일 텐데요. 영화 <어벤져스: 엔드게임>의 제목이자 명대사에도 등장한 엔드게임(endgame)은 본래 체스 게임에서 남아있는 말이 거의 없어 말을 전략적으로 움직여야 하는 상황을 의미했어요. 현재는 체스뿐만 아니라, 협상 등 중요한 과정에서의 최종 단계를 의미해요.

1 이 글의 제목으로 가장 적절한 것은?

① How Tennis Started in France

② The Origin of a Term in Tennis

③ How to Count Points in a Tennis Game

④ Love: A Word with Many Different Meanings

⑤ What People Call Zero in France and England

2 이 글의 빈칸에 들어갈 말로 가장 적절한 것은?

① makes mistakes ② has a lack of skill

③ scores no points ④ receives a warning

⑤ doesn't get any support

3 이 글의 문장 (A)~(C)를 순서에 맞게 배열한 것으로 가장 적절한 것은?

① (A) – (B) – (C) ② (A) – (C) – (B)

③ (B) – (A) – (C) ④ (B) – (C) – (A)

⑤ (C) – (B) – (A)

(서술형)

4 테니스에서 *love*의 의미와 그 의미를 가지게 된 이유를 우리말로 쓰시오.

(1) *love*의 의미: ＿＿＿＿＿＿＿＿

(2) 이유: ＿＿＿＿＿＿＿＿＿＿＿＿＿＿

Words

come to mind (생각이) 떠오르다 complicated 혱복잡한 relationship 몡관계 term 몡용어 opponent 몡상대(방)
score 몡점수, 득점 통(점수를) 기록하다 scoreboard 몡점수판 witty 혱재치 있는 eventually 뿐마침내, 결국 <문제> origin 몡기원
count 통세다 receive 통받다 warning 몡경고 support 몡지원 통지원하다, 지지하다

It's April 10. You find an unopened bottle of milk in the refrigerator. On the bottle, it says "Sell by April 2." Is it OK to drink the milk? <u>Actually, it is.</u> ³

The sell-by date tells stores how long they can display the product for sale. (a) What you really need to check is the use-by date. (b) This is the last day you can safely eat the ⁶ food. (c) Usually, the use-by date is a few days or weeks later than the sell-by date. (d) So you can still eat food that is past its sell-by date, as long as it is before the use-by date. ⁹ (e) But eating too much food isn't good for your body.

Unfortunately, it's not always easy to distinguish these dates. _____, people often waste food. In fact, ¹² it was reported in 2017 that more than 80% of Americans throw away perfectly good food. What a waste!

SELL BY ▲
APR 02 20
21:43 1501

Whole Milk

Read & Learn

식품별 소비기한, 정확히 알고 먹어요!

소비기한은 생각보다 훨씬 길다는 사실, 알고 계셨나요? 식빵의 유통기한은 보통 3일로 짧은 편이지만, 소비기한은 23일이에요. 달걀의 소비기한은 45일로, 한 달이 넘는 기간 동안 먹을 수 있어요. 우유의 소비기한은 달걀보다도 훨씬 더 긴데, 무려 60일이나 된답니다. 하지만 아무리 소비기한이 남은 식품이라도 상한 냄새가 나거나, 곰팡이가 피었다면 절대로 먹어선 안 돼요!

1 Among (a)~(e), which sentence does NOT fit in the context?

① (a)　　　　② (b)　　　　③ (c)　　　　④ (d)　　　　⑤ (e)

2 What is the meaning of the underlined <u>Actually, it is</u>? Choose the correct one.

> You can drink the milk because it is not past its (sell-by date / use-by date).

(심화형)

3 Write T if the statement is true or F if it is false.

(1) The food cannot be sold after its sell-by date.　　　　———————

(2) In 2017, food in good condition was thrown away by more than 80%
of Americans.　　　　———————

4 Which is the best choice for the blank?

① However　　　　② Moreover　　　　③ In short

④ For example　　　　⑤ As a result

5 Complete the sentences with the following words.

> distinguish　　eat　　report　　waste　　sell

> Stores cannot display food after the sell-by date, but it is fine to _____
> food until the use-by date. However, it is hard to _____ between
> the sell-by date and the use-by date, so many people _____ food by
> throwing it away.

Words

bottle 圆병　**refrigerator** 圆냉장고　**say** 동~이라고 쓰여 있다　**sell-by date** 유통기한　**display** 동진열하다, 전시하다　**use-by date** 소비기한
safely 부안전하게　**past** 전지나서 형과거의, 지나간　**as long as** ~인[하는] 한　**unfortunately** 부불행히도　**distinguish** 동구분하다, 구별하다
waste 동낭비하다 圆낭비　**report** 동보고하다, 알리다　**throw away** 버리다

Review Test

정답 및 해설 p.87

1 다음 밑줄 친 단어와 가장 비슷한 의미의 단어는?

> Jim overcame his <u>opponent</u> and won the boxing match.

① friend   ② criminal   ③ rival   ④ referee   ⑤ director

[2-4] 다음 영영 풀이에 해당하는 단어를 보기 에서 골라 뜻과 함께 쓰시오.

보기	bury	investigate	careful	witty

		단어	뜻
2	being clever and humorous	_____	_____
3	to put something in the ground	_____	_____
4	to try to find out information about something	_____	_____

[5-8] 다음 빈칸에 들어갈 단어나 표현을 보기 에서 골라 쓰시오.

보기	search for	distinguish	keep away	receive	support

5 The scientists will _____ life on other planets with the spaceship.

6 It is difficult to _____ my two puppies because they look similar.

7 Brad said he sent me an e-mail, but I didn't _____ it.

8 My parents always _____ and encourage me to do the right thing.

[9-10] 다음 밑줄 친 단어나 표현에 유의하여 각 문장의 해석을 쓰시오.

9 The expert said they <u>were worth</u> seven million dollars!

→ _____

10 So you can still eat food that is past its sell-by date, <u>as long as</u> it is before the use-by date.

→ _____

Fun Fun 한 Break

Homemade 천연 팩 만들기

집에 있는 재료로 간단히 만들 수 있는 홈메이드 천연 팩으로 촉촉한 피부를 만들어볼까요?

녹차 팩 만들기

잠깐! 녹차의 효능이 뭐예요?

녹차에는 비타민 A와 C가 풍부해서 피부 탄력과 진정에 좋답니다. 녹차에 있는 비타민 A는 피부를 건강한 상태로 유지해주고, 비타민 C는 기미나 주근깨가 생기지 않게 도움을 줘요.

준비물: 녹차 가루 1스푼, 우유 1스푼, 꿀 1스푼
소요 시간: 1-2분
촉촉함: ★★★★★   난이도: ★★

> **TIP!** 팩을 냉장고에 넣어 시원하게 만들어 사용하면 더욱 효과가 좋아요.

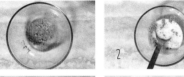

Step 1 : 녹차 가루 1스푼을 볼에 넣어요.
Step 2 : 우유 1스푼을 넣고 녹차 가루가 잘 풀릴 때까지 섞어줘요.
Step 3 : 잘 섞었다면, 꿀 1스푼을 넣고 섞어줘요.
Step 4 : 화장 솜을 넣은 빈 용기를 준비하세요.
Step 5 : 화장 솜 위에 섞은 내용물을 부어줘요. 이렇게 완성된 녹차 팩을 얼굴에 붙이고 10분 뒤 물로 헹구어내세요.

요거트 팩 만들기

잠깐! 요거트의 효능이 뭐예요?

요거트에는 비타민 B와 단백질이 들어 있어 피부에 탄력과 윤기를 더한답니다. 미백 효과도 커서 요거트 팩을 꾸준히 한다면 맑은 피부를 가질 수 있어요. 또한, 요거트에 있는 지방은 피부의 각질층을 부드럽게 해줘서 자극 없이 각질을 제거할 수 있어요.

준비물: 플레인 요거트 1개, 밀가루 1스푼, 꿀 1스푼
소요 시간: 1-2분
화사함: ★★★★★   난이도: ★

Step 1: 플레인 요거트를 볼에 넣어요.
Step 2: 밀가루 1스푼을 넣어요.
Step 3: 밀가루가 잘 풀어졌다면, 꿀 1스푼을 넣어요. 꿀이 없다면, 율무나 녹차 가루를 넣어도 좋아요.
Step 4: 넣은 꿀이 잘 섞이도록 저어줘요.
Step 5: 얼굴 전체에 골고루 발라주고 15분 뒤 미지근한 물로 가볍게 닦아줘요!

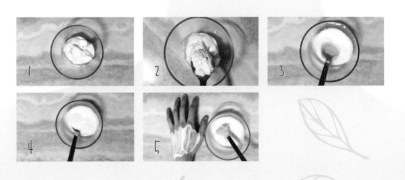

HackersBook.com

UNIT 07

Hand warmers are helpful on cold winter days. If you shake them, they produce heat to keep you warm. But did you ever think about how they work?

A hand warmer is a small packet that is filled with iron powder. (A) This reaction releases heat energy. (B) If you open the package, the iron in the packet is exposed to air and begins to rust. (C) It is usually sealed in a plastic package. If you shake the hand warmer, the reaction occurs faster. When all of the iron is rusted, the hand warmer no longer gives off heat and begins to cool down.

If you want to use the hand warmer again later, there's a way to stop the reaction for a while. Just put it in a container before the heat goes away. However, make sure that no air gets inside. Otherwise, the reaction won't stop until all of the iron becomes rusted.

Read & Learn

귤껍질 너, 내 핫팩이 되어라!
귤껍질로 핫팩을 만들 수 있다는 사실, 알고 계셨나요? 귤껍질을 모아 천 주머니에 넣고 전자레인지에 40초만 돌려주면 완성이에요. 귤껍질의 표면에는 기름이 있어 온도가 빠르게 상승하고, 껍질의 하얀 부분인 '귤락'에 있는 섬유소가 그 열기를 1~2시간 동안 보전 해준다고 해요. 따뜻함이 오래가는 귤껍질 핫팩, 향기로운 귤 향기는 덤이에요!

1 이 글의 주제로 가장 적절한 것은?

① the reaction of iron with hot air

② how a hand warmer makes heat

③ a safe way to use a hand warmer

④ how to create your own hand warmer

⑤ why you should shake a hand warmer

2 이 글의 문장 (A)~(C)를 순서에 맞게 배열한 것으로 가장 적절한 것은?

① (A) – (B) – (C)　　　② (A) – (C) – (B)　　　③ (B) – (A) – (C)

④ (B) – (C) – (A)　　　⑤ (C) – (B) – (A)

3 이 글의 내용과 일치하지 <u>않는</u> 것을 <u>모두</u> 고른 것은?

> (A) 손난로 안에 든 철이 녹슬면서 열이 발생한다.
> (B) 손난로를 흔들면 공기와의 접촉을 줄일 수 있다.
> (C) 손난로가 식은 후 용기에 보관해두면 나중에 다시 사용할 수 있다.
> (D) 손난로를 보관하는 용기에 공기가 들어가면 철이 녹슨다.

① (A), (C)　　　② (A), (D)　　　③ (B), (C)

④ (B), (D)　　　⑤ (C), (D)

4 이 글의 내용으로 보아, 다음 빈칸에 들어갈 말을 글에서 찾아 쓰시오.

> A hand warmer is a small packet that contains _____ powder. When the powder is exposed to air, it starts to _____ and produces heat. Placing a hand warmer in a container can _____ this reaction for some time.

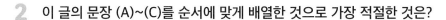

Words

hand warmer 손난로, 핫팩　helpful 혱 도움이 되는　packet 몡 봉지, 꾸러미　iron 몡 철(분)　powder 몡 가루　reaction 몡 반응
release 통 방출하다, 풀어주다　package 몡 포장　be exposed to ~에 노출되다　rust 통 녹슬다, 녹이 슬게 하다 몡 녹　seal 통 밀봉하다, 밀폐하다
plastic 혱 비닐의, 플라스틱의　occur 통 일어나다, 발생하다　no longer 더 이상 ~않는　give off (열·빛 등을) 방출하다　container 몡 용기, 그릇
otherwise 뭄 그렇지 않으면　<문제> place 통 두다 몡 장소

After a big festival, there's usually trash all over the ground. How can we get people to throw trash into a bin? Voting with trash can be one way! 3

For example, two trash cans are placed at an event, and each represents a different answer to one question. If the question is "What is the best superpower?", one trash can 6 could say "Invisibility." And the other could say "Flying." Then, people can vote by throwing their trash into the bin they agree with. The bins are clear containers, so everyone 9 can see how many other people voted for each option.

These voting trash cans actually work well. At one festival held in the Netherlands, more than 30,000 people picked 12 up trash and voted. This is a fun and easy way to keep the environment clean.

1 이 글의 제목으로 가장 적절한 것은?

① How to Motivate People to Vote

② Recycling Trash from Big Events

③ Keep the Ground Clean by Voting!

④ Efforts to Install Trash Cans in the Street

⑤ An Eco-friendly Festival in the Netherlands

2 이 글에서 투표용 쓰레기통에 관해 언급되지 <u>않은</u> 것을 <u>모두</u> 고르시오.

① 크기 　　　　② 설치 목적 　　　　③ 이용 방법

④ 이용 시간 　　　⑤ 이용 사례

3 투표용 쓰레기통에 관한 이 글의 내용과 일치하면 T, 그렇지 않으면 F를 쓰시오.

(1) 두 개의 쓰레기통이 한 가지 질문에 대해 각각 다른 답변을 제시한다. ＿＿＿＿＿

(2) 최고의 초능력을 묻는 투표에서는 '날기'가 '투명인간'보다 더 많은
　　표를 얻었다. ＿＿＿＿＿

(3) 네덜란드에는 30,000개 이상이 설치되어 큰 효과를 얻었다. ＿＿＿＿＿

4 이 글의 내용으로 보아, 다음 빈칸에 들어갈 말을 글에서 찾아 쓰시오.

Some bins placed at festivals let people vote with their ＿＿＿＿＿＿. These types of bins help to protect the ＿＿＿＿＿＿.

Words

festival 몡축제　trash 몡쓰레기 (trash can 쓰레기통)　bin 몡쓰레기통　vote 통투표하다 몡투표　represent 통나타내다, 대표하다
superpower 몡초능력　invisibility 몡투명인간; 눈에 보이지 않음　agree with ~에 동의하다　option 몡선택(지)
hold 통열다, 개최하다; 잡다 (hold-held-held)　Netherlands 몡네덜란드　pick up 줍다, 집다　environment 몡환경
<문제> motivate 통동기를 부여하다　recycle 통재활용하다　effort 몡노력, 수고　install 통설치하다　eco-friendly 휑친환경적인

A "hat trick" is a term used in sports like soccer or ice hockey. It means a player scores three times in a single game. When this happens in ice hockey, fans sometimes throw their hats on the ice to celebrate it. But why is it *hats*?

The term hat trick originally comes from a traditional English sport, cricket. Cricket is similar to baseball. It's a match between a *bowler and a batsman. The bowler throws the ball, and the batsman hits it. For the first time in 1858, a bowler defeated three batsmen with only three throws. This was a rare accomplishment since it's hard to get even one batsman out. So, to congratulate him, fans bought a hat and gave it to him as a gift. And this is how the term hat trick came about. An excellent "trick" was worth receiving a "hat"!

*bowler (크리켓) 투수

1 이 글의 주제로 가장 적절한 것은?

① the origin of the term hat trick

② sports that are based on cricket

③ the meaning of a hat in cricket

④ great players who recorded a hat trick

⑤ the rules of a traditional English sport

2 다음 질문에 대한 답이 되도록 빈칸에 들어갈 말을 글에서 찾아 쓰시오.

Q. How do ice hockey fans celebrate a hat trick?

A. They sometimes _____ _____ _____ on the ice.

(서술형)

3 이 글의 밑줄 친 This가 의미하는 내용을 우리말로 쓰시오.

_____

4 이 글의 내용으로 보아, 빈칸에 들어갈 말을 글에서 찾아 쓰시오.

In a cricket match in 1858, a bowler (1) _____ three batsmen with just three throws.

⌄

The bowler received a (2) _____ from his fans as a gift.

⌄

Since then, when a player scores (3) _____ _____ in one game, people call it a "hat trick."

Words

hat trick 해트트릭 term 몡용어 ice hockey 아이스하키 throw 통던지다 몡투구 celebrate 통축하하다 originally 뮈원래
come from ~에서 유래하다 traditional 혱전통적인 cricket 몡크리켓 match 몡경기, 시합 batsman 몡타자
defeat 통이기다, 패배시키다 rare 혱드문, 희귀한 accomplishment 몡업적 congratulate 통축하하다 come about 생기다, 일어나다
excellent 혱훌륭한 trick 몡재주, 기교; 속임수 be worth ~할[의] 가치가 있다

What animals live in the Arctic? Most people think of polar bears, seals, and reindeer. But surprisingly, ⓐ <u>some frogs</u> live there, too!

*Wood frogs, which are found across North America, even live in the Arctic. This is possible because ⓑ <u>they</u> can survive the freezing temperatures there. When winter comes, wood frogs freeze. ⓒ <u>Their</u> breathing as well as their brain and heart activity stops completely. This lasts for months, so they _____. However, when spring comes, they revive!

When wood frogs start to freeze, their bodies produce a special antifreeze substance. This prevents one-third of the water in their bodies from freezing. If their bodies weren't able to produce it, ⓓ <u>they</u> would freeze to death. Nowadays, medical experts are studying this amazing ability of wood frogs. Someday, ⓔ <u>they</u> may find a way to freeze and unfreeze a person!

*wood frog 송장 개구리

1 What is the main topic of the passage?

① how long wood frogs live

② effects of weather on frogs

③ how to protect wood frogs

④ wood frogs' ability to survive

⑤ why frogs sleep during the winter

2 Among ⓐ~ⓔ, which one refers to something different?

① ⓐ   ② ⓑ   ③ ⓒ   ④ ⓓ   ⑤ ⓔ

심화형

3 Which is the best choice for the blank?

① seem dead   ② move slowly

③ become sick   ④ need some food

⑤ wake up in the winter

4 Complete the sentences with the following words.

breathing	sleeping	freezing	unfreezing

Wood frogs stop _____ as the temperatures drop below zero.
However, they revive in spring. This is because they can stop their bodies
from fully _____ with a special substance.

Words

the Arctic 북극 polar bear 북극곰 seal 圐 물개 reindeer 圐 순록 survive 圐 견뎌내다, 살아남다 freezing 圐 꽁꽁 얼게 추운, 영하의
breathing 圐 호흡 brain 圐 뇌 heart 圐 심장 completely 圐 완전히 last 圐 지속되다 revive 圐 되살아나다 antifreeze 圐 동결 방지
substance 圐 물질 freeze to death 얼어 죽다 nowadays 圐 요즘에 medical 圐 의료의 expert 圐 전문가 unfreeze 圐 녹이다
<문제> effect 圐 영향, 효과 fully 圐 완전히, 충분히

Review Test

정답 및 해설 p.88

1 다음 영영 풀이에 해당하는 단어는?

> something that you achieved after hard work

① chemistry   ② characteristic   ③ accomplishment
④ equipment   ⑤ pronunciation

2 다음 밑줄 친 단어와 가장 반대되는 의미의 단어는?

> It is rare to see snow in warm places like Egypt.

① random   ② common   ③ harmful   ④ exciting   ⑤ lonely

[3-4] 다음 밑줄 친 단어와 가장 비슷한 의미의 단어는?

3 This travel book will be underlined{useful} as I prepare for my trip to Japan.

① clear   ② boring   ③ helpful   ④ original   ⑤ colorful

4 Technicians are going to place the air conditioner against the wall.

① put   ② sell   ③ spread   ④ review   ⑤ absorb

[5-8] 다음 빈칸에 들어갈 단어나 표현을 보기 에서 골라 쓰시오.

보기	revive	give off	agree with	originate	motivate

5 I _____ my brother's opinion most of the time.

6 With enough water and sunlight, the dying flower will _____.

7 The stove will _____ heat if I turn it on.

8 The coach _____d the players to work hard until the competition.

[9-10] 다음 밑줄 친 단어나 표현에 유의하여 각 문장의 해석을 쓰시오.

9 The term hat trick originally comes from a traditional English sport, cricket.

→ _____

10 If their bodies weren't able to produce it, they would freeze to death.

→ _____

해외 축구
4대 리그 대사전

아는 만큼 보인다! 전 세계인의 이목이 집중되는 해외 축구
4대 리그에 대해 속속들이 알아볼까요?

Premier League

⚽ '손세이셔널' 손흥민의 무대
영국 프리미어리그

프리미어리그는 해외 축구 4대 리그 중 한국인에게 가장 익숙한 리그일 거예요. 손흥민 선수를 비롯하여 한국의 내로라하는 많은 선수들이 프리미어리그의 무대를 밟았어요. 리버풀, 맨체스터 유나이티드, 토트넘 등 프리미어리그 소속 팀들이 유럽 최강 축구팀을 결정하는 대회인 UEFA 챔피언스리그 진출권을 거의 독점하고 있답니다.

SERIE A

⚽ 세계 최고 리그의 영광을 되찾으려 하는
이탈리아 세리에 A

이탈리아 프로 축구의 최상위 리그인 세리에 A는 1988년부터 1998년까지 (딱 한 번 빼고!) 세리에 A의 소속 클럽이 UEFA 챔피언스리그 결승에 진출하는 기록을 세울 정도로 압도적인 실력으로 전성기를 누렸어요. 하지만 2006년에 승부 조작 사건이 일어나면서 빛나는 명성에 오점을 남기고 말았죠. 지금은 세계적인 축구 스타들을 영입하며 재도약의 기회를 엿보고 있답니다.

BUNDES LIGA

⚽ 세계에서 가장 관중이 많은 축구 리그
독일 분데스리가

역대 아시아 최고의 축구 선수로 손꼽히는 차범근 전 감독이 주름잡았던 분데스리가! 유럽 최고 수준의 축구 인프라를 가지고 있는 분데스리가는 대부분의 경기가 매진일 정도로 많은 관중에게 사랑을 받고 있어요. 아마 그 이유 중에는 다른 리그에 비해 낮은 티켓값도 있을 텐데요. 이는 분데스리가에 개인이 구단을 소유할 수 없고 상업적으로 이용할 수 없다는 독특한 규정이 있기 때문이랍니다.

⚽ 세계 최고 선수들의 활약을 볼 수 있는
스페인 라리가

라리가는 여러 차례 UEFA 챔피언스리그와 유로파리그를 우승할 정도로 4대 리그 중 손꼽히는 실력을 자랑합니다. 특히, 레알 마드리드 CF와 FC 바르셀로나의 라이벌전인 '엘 클라시코'에는 언제나 팬들의 이목이 집중된답니다. 세계 최고 축구 스타들의 활약과 함께 스페인의 도시 마드리드와 바르셀로나의 치열한 지역 대결을 볼 수 있기 때문이에요.

HackersBook.com

UNIT 08

© Oral-B

© 3M

© The North Face

The brand logos above have one thing in common. Do you see it? They all use the same *typeface—Helvetica!

Though you may not have noticed, Helvetica is used in 3 many corporate logos, posters, and websites. That's why it is also known as the world's most _____ font. Helvetica has a uniform appearance. Each letter is almost 6 the same width and height. This makes the font easy to read. In addition, Helvetica is neutral and simple. Most other fonts are designed to give you a certain feeling about the 9 text. However, Helvetica is not supposed to stand out or call attention to itself. So, designers can use it in a variety of creative ways. No matter what they do, it fits right in! For 12 these reasons, many designers love to use Helvetica.

*typeface 서체

**Ultra Light
Thin
Light
Roman
Medium
Bold
Heavy
Black**

Helvetica

1 이 글의 제목으로 가장 적절한 것은?

① How Famous Fonts Are Designed

② Why Helvetica Is Commonly Used

③ Helvetica: The World's First Typeface

④ Different Fonts, Different Impressions

⑤ The Importance of Logos for Companies

2 이 글에서 설명하는 헬베티카 서체의 특징을 바르게 나타낸 것은?

①   ②   ③   ④   ⑤

3 이 글의 빈칸에 들어갈 말로 가장 적절한 것은?

① recent   ② popular   ③ expensive

④ beautiful   ⑤ detailed

4 다음 중, 밑줄 친 these reasons에 해당하는 내용을 모두 고른 것은?

> (A) 모양이 균일해 읽기 쉬움.
> (B) 사용 비용이 저렴함.
> (C) 다양한 방식으로 사용될 수 있음.
> (D) 독특한 인상을 줌.

① (A), (C)   ② (A), (D)   ③ (B), (C)

④ (B), (D)   ⑤ (C), (D)

Words

brand 명 브랜드, 상표   logo 명 로고, 상징   have ~ in common ~의 공통점이 있다, ~을 공통적으로 가지다   corporate 형 기업의
be known as ~으로 알려지다   font 명 서체   uniform 형 균일한   appearance 명 모양, 외모   width 명 폭   height 명 높이
neutral 형 중성적인, 중립적인   certain 형 특정한; 확실한   be supposed to ~하기로 되어 있다   stand out 눈에 띄다
call attention to ~에 주의를 끌다   a variety of 다양한, 여러 가지의   creative 형 창의적인   fit in 들어맞다, 어울리다
<문제> commonly 부 흔히, 보통   impression 명 인상   importance 명 중요성   detailed 형 정밀한, 상세한

The start of the new year is usually celebrated with a countdown, but some countries do more to celebrate. In Denmark, people get ready to jump right after the countdown. They stand on chairs, sofas, or tables. When the clock strikes 12, everyone jumps down! This means they are jumping into the new year.

The Philippines also has a unique New Year's tradition with coins. (①) Coins represent wealth in the coming year because round things are symbols of fortune in the Philippines. (②) On December 31, people scatter coins inside their homes. (③) Then, at midnight, the children shake their pockets filled with the coins. (④) This is because the loud noise scares bad luck away. (⑤) The more coins they shake, the louder the noise is and the better their year will be.

1 이 글의 주제로 가장 적절한 것은?

① ways to celebrate the new year

② changes in New Year's traditions

③ symbols of luck around the world

④ the origin of the New Year countdown

⑤ common practices in different countries

2 이 글의 흐름으로 보아, 다음 문장이 들어가기에 가장 적절한 곳은?

These are later picked up by children, who put them in their pockets.

① ② ③ ④ ⑤

3 이 글의 내용과 일치하면 T, 그렇지 않으면 F를 쓰시오.

(1) 덴마크에서는 새해를 맞아 의자, 식탁 등 새 가구를 사는 풍습이 있다. _____

(2) 필리핀에서 둥근 물건은 행운을 상징한다. _____

(3) 12월 31일에 필리핀 사람들은 동전을 집 안에 뿌려 놓는다. _____

4 이 글의 내용으로 보아, 다음 빈칸에 들어갈 말을 글에서 찾아 쓰시오.

New Year's Traditions

	Denmark	**The Philippines**
What People Do	(1) _____ from chairs, sofas, or tables	collect coins and (2) _____ pockets containing them
What It Means	entering the coming year	turning away (3) _____ _____

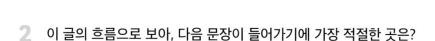

Words

celebrate ⑧기념하다 countdown ⑲카운트다운 Denmark ⑲덴마크 right ⑨즉시, 곧 strike ⑧(시간을) 알리다; 파업하다; 치다

Philippines ⑲필리핀 tradition ⑲전통 represent ⑧상징하다, 대표하다 wealth ⑲부, 재산 symbol ⑲상징

fortune ⑲행운; 부, 재산 scatter ⑧(홑)뿌리다 midnight ⑲자정 filled with ~으로 가득 찬 noise ⑲소음

scare away (겁을 주어) 쫓아버리다 <문제> practice ⑲관행, 관습 enter ⑧들어가다; 시작하다 turn away 쫓아버리다, 물리치다

Think about your last breath. Did you use your nose or your mouth? Breathing through your nose is much more beneficial than through your mouth. First of all, the tiny hairs in your nose trap dust and dirt, so they don't enter the lungs. In addition, a special chemical produced in the nose kills viruses and expands blood vessels. This allows the blood to absorb more oxygen. As a result, you can think and exercise better, since the brain and muscles are well supplied with oxygen.

On the other hand, when you use your mouth to breathe, a lot of issues arise. Mainly, <u>it</u> makes the inside of the mouth

very dry. This can produce bad breath and *cavities. Furthermore, mouth breathing during childhood can result in uneven teeth and a longer face.

*cavity 충치 (구멍)

Read & Learn

궁금한 맛 이야기 Y ▷ 왜 코감기에 걸리면 맛이 잘 안 느껴질까?

쓴 약이 싫어 코를 막고 마셔본 적이 있나요? 코를 막고 음식을 먹으면 맛이 덜 느껴지는데, 그 이유는 우리가 느끼는 맛의 75%가 후각에 의해 결정되기 때문이에요. 즉 냄새를 맡지 못하면 맛도 덜 느끼게 되는 것이지요. 따라서 코를 막고 사과와 감자, 또는 오렌지 주스와 포도 주스를 먹으면 맛을 구별하기 어렵답니다.

1 이 글의 주제를 가장 잘 나타내는 문장을 글에서 찾아 쓰시오.

_____

2 코로 숨을 쉴 때 일어나는 반응을 다음과 같이 나타낼 때, 괄호 안에서 알맞은 말을 골라 표시하시오.

> 코 안에서 화학 물질이 분비된다.
> ⌄
> 화학 물질이 바이러스를 죽이고 혈관을 (1) (팽창 / 수축)시킨다.
> ⌄
> 혈액이 더 (2) (많은 / 적은) 산소를 흡수한다.

(서술형)

3 이 글의 밑줄 친 it이 의미하는 내용을 우리말로 쓰시오.

_____

4 이 글의 내용과 일치하지 <u>않는</u> 것은?

Breathing through your nose	Breathing through your mouth
① Dust cannot get into the lungs.	③ The mouth becomes dry inside.
② The ability to think or exercise is improved.	④ Bad breath and cavities can occur.
	⑤ Teeth are not straight and the face gets short.

Words

breath 몡호흡; 입김 (breathe 동숨 쉬다) beneficial 혱유익한 first of all 우선 tiny 혱작은 trap 동가두다 dust 몡티끌, 먼지
dirt 몡먼지, 흙 lung 몡폐 chemical 몡화학 물질 virus 몡바이러스 expand 동팽창시키다, 확장시키다 blood vessel 혈관
absorb 동흡수하다 oxygen 몡산소 as a result 결과적으로 muscle 몡근육 be supplied with ~을 공급받다 issue 몡문제; 주제
arise 동발생하다, 생기다 mainly 뷘주로, 대부분 furthermore 뷘게다가 childhood 몡어린 시절 result in ~을 야기하다
uneven 혱고르지 않은, 울퉁불퉁한

Some people are diligently brushing the ice with brooms. Are they janitors? No, they're players on a curling team!

Every curling team has two players who are called ³ sweepers. They sweep in front of the curling stone to heat up the ice and reduce *friction. By doing so, they can control the direction and speed of the stone. If they sweep ⁶ hard, the stone moves faster and straighter. On the other hand, if they sweep softly or don't sweep at all, the stone will slow down and curve more. The captain of the team guides ⁹ the sweepers. If the ice needs more sweeping, the captain will yell "Hard!" If it needs less, the captain says "Whoa!" By following the captain's directions, the team tries to place the ¹² stone as close to the target as possible and win the game.

*friction 마찰

Read & Learn

세상에서 가장 단단한 돌로 만든 컬링 스톤
컬링 스톤은 '에일서 크레이그(Ailsa Craig)'라는 스코틀랜드의 무인도에서만 채굴할 수 있는 화강암을 사용해서 만들어요. 이 암석은 푸른빛이 감돌아 '블루혼(Blue Hone)'이라고도 불리는데, 다른 암석들에 비해 매우 단단하다는 특성이 있어요. 그 때문에 한 경기가 2~3시간씩 이어지고, 스톤끼리 부딪히는 일도 많은 컬링에 가장 적합한 암석이랍니다.

1 What is the main topic of the passage?

① why curling is played on ice

② the different types of curling stones

③ how sweeping affects the game in curling

④ the importance of a curling team's captain

⑤ how players on a curling team give signals

2 Which CANNOT be answered based on the passage?

① How many sweepers are in a curling team?

② Why do sweepers sweep the ice?

③ When does a curling stone move faster?

④ Who can be the captain of the curling team?

⑤ Where should a curling stone be to win the game?

3 What will happen when the captain yells "Hard!" and "Whoa!"? Choose the correct one.

	"Hard!"	**"Whoa!"**
How sweepers react	They sweep (1) (more / less).	They sweep (2) (more / less).
How the stone moves	It moves (3) (faster / slower).	It moves (4) (faster / slower).

4 Complete the sentences with words from the passage.

In curling, sweepers sweep the ice to _____ the movement of the stone. The captain _____ the sweepers by yelling directions to them. The team that places its stone closest to the _____ wins the game.

Words

diligently 튀 부지런히 broom 똉 빗자루 janitor 똉 청소부; 문지기 curling 똉 컬링 sweeper 똉 스위퍼; 청소부 (sweep 튕 쓸어내다)
heat up 데우다, 열을 가하다 reduce 튕 줄이다 control 튕 조절하다, 제어하다 direction 똉 방향; 지시, 명령 not ~ at all 전혀 ~하지 않는
curve 튕 휘다 똉 곡선 captain 똉 주장, 선장 guide 튕 지도하다, 안내하다 똉 (여행) 안내인 yell 튕 소리치다 target 똉 목표(물), 대상
<문제> affect 튕 영향을 주다 signal 똉 신호 react 튕 반응하다

[1-2] 다음 영영 풀이에 해당하는 단어는?

1   how someone or something looks

① role   ② activity   ③ appearance   ④ signal   ⑤ depth

2   very small pieces of dirt that are like a powder

① symbol   ② mummy   ③ dust   ④ fat   ⑤ bottle

[3-5] 다음 빈칸에 들어갈 단어를 [보기] 에서 골라 쓰시오.

보기	represent enter fortune supply font

3   The white and blue colors in the national flag _____ peace.

4   You cannot _____ the museum without a ticket.

5   The man had the _____ to win a million dollar prize.

[6-8] 자연스러운 대화가 되도록 빈칸에 들어갈 단어를 [보기] 에서 골라 쓰시오.

보기	impression detailed wealth uneven

6   A: Could you give me some tips to do well in my interview?
       B: You should smile to make a great _____.

7   A: How did you hurt yourself?
       B: I fell down on the _____ road while I was running!

8   A: This oven has _____ instructions, so you can easily follow them.
       B: That's convenient!

[9-10] 다음 밑줄 친 단어나 표현에 유의하여 각 문장의 해석을 쓰시오.

9   The brand logos above have one thing in common.

→ _____

10   This is because the loud noise scares bad luck away.

→ _____

맛과 영양을 동시에 챙기는
초간단 요리 레시피

비타민C 가득!
자두 에이드

준비물 : 자두 3개, 레몬 1개, 과일과 같은 양의 설탕, 베이킹소다, 유리병, 탄산수

만드는 방법

STEP 1 베이킹소다를 섞은 물로 자두와 레몬을 깨끗이 씻는다.
STEP 2 물기와 씨를 제거한 자두와 레몬을 얇게 썬다.
STEP 3 얇게 썬 자두와 레몬을 설탕에 버무려 유리병에 담는다.
STEP 4 3일 정도 숙성한 후, 컵에 완성된 자두청 두 스푼을 넣고 시원한 탄산수를 부어 잘
저어주면 자두 에이드 완성!

📢 **TIP** 자두청을 숙성시킬 때 틈틈이 설탕과 레몬,
자두를 섞어주면 더 골고루 숙성된다.

준비물 : 배추 3장, 부침 가루 1컵, 물 1컵, 달걀 1개, 소금/깨/고춧가루 약간, 간장 2큰술, 고추 1개, 식용유

만드는 방법

STEP 1 흐르는 물에 배추를 씻어준다. 그리고 배추전 위에 올릴 고추를 작게 썰어준다.
STEP 2 빈 그릇에 부침 가루와 물, 달걀을 섞은 후, 소금으로 간을 하고 묽은 반죽을 만들어준다.
STEP 3 잘 달궈진 팬에 식용유를 두르고, 배춧잎에 반죽을 묻혀 노릇하게 부친다. 썰어둔 고추도
한두 개 올려준다.
STEP 4 취향껏 간장에 고춧가루나 깨를 약간 넣은 후 배추전을 살짝 찍어 먹는다!

칼슘과
식이섬유 듬뿍!
배추전

 📢 **TIP** 배추전을 배추 결에 따라
세로로 찢어 먹어야 더 맛있다!

HackersBook.com

UNIT 09

Parts of an old satellite crash into a spacecraft. The spacecraft breaks into pieces. All of a sudden, the astronauts are thrown from the spacecraft and float away in space.

Unfortunately, this is really possible. There are about 500,000 pieces of junk floating around in space. (①) They move at speeds of 7 to 10 kilometers per second. (②) When satellites are damaged, the Internet and broadcasting services may not work. (③) Space pollution could have an even worse impact; you could be hit by space junk! (④) In 1969, some space junk from an old Russian satellite fell to the Earth. (⑤) It crashed into a Japanese ship, and five sailors were injured. Clearly, space junk is not just a problem in space.

1 이 글의 주제로 가장 적절한 것은?

① 인공위성의 역할

② 우주 쓰레기의 위험성

③ 우주 쓰레기를 줄이는 새로운 기술

④ 소행성 충돌이 지구에 미치는 영향

⑤ 우주 탐사 시 비행사들이 겪는 어려움

2 이 글의 흐름으로 보아, 다음 문장이 들어가기에 가장 적절한 곳은?

> At this speed, a piece that is as tiny as a pea can completely destroy a satellite or a spacecraft.

①   ②   ③   ④   ⑤

3 이 글의 내용과 일치하는 것은?

① 우주에는 약 50만 개의 폐인공위성이 있다.

② 우주 쓰레기는 보통 한곳에 모여있다.

③ 인공위성이 손상되면 방송에도 영향이 생길 수 있다.

④ 우주 쓰레기가 지구까지 도달하는 것은 불가능하다.

⑤ 폐인공위성이 추락하여 비행기와 충돌한 적이 있다.

4 이 글의 내용으로 보아, 다음 빈칸에 들어갈 말을 글에서 찾아 쓰시오.

> Space _____ floating around can have a serious impact. It can not only cause damage to satellites or spacecraft but also be a _____ on the Earth.

Words

satellite 몡위성 crash into ~과 충돌하다 spacecraft 몡우주선 (복수형: spacecraft) all of a sudden 갑자기 astronaut 몡우주 비행사
throw 통(내)던지다 (throw-threw-thrown) float 통떠다니다 possible 혱일어날 수 있는, 가능한 junk 몡쓰레기, 쓸모 없는 물건
damage 통손상을 입히다 몡손상, 피해 broadcasting 몡방송 pollution 몡오염, 공해 impact 몡영향, 충격
injure 통부상을 입히다 clearly 뷔분명히, 의심할 여지 없이 <문제> pea 몡완두콩 completely 뷔완전히 destroy 통파괴하다

In Japan, there is a traditional competition called *Naki Sumo*, or the crying baby contest. The main participants are babies from 6 to 18 months of age. The contest is held in ³ a sumo wrestling ring. Two sumo wrestlers help the babies compete by trying to make ⓐ them cry.

This unusual custom began almost 400 years ago. At that ⁶ time, people thought the sound of crying babies chased away evil spirits. ⓑ They also believed the ceremony brought good fortune and health. ⁹

The competition begins with two sumo wrestlers holding babies in their arms. These wrestlers try to make their babies cry by using any playful method. ⓒ They swing the babies or ¹² make loud noises and scary faces. The baby who cries first, loudest, or longest becomes the winner!

Read & Learn 세계 각국의 이색 대회

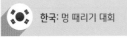 한국: 멍 때리기 대회

1시간 30분 동안 아무런 생각도 하지 않고 가장 안정적인 심장 박동 수를 유지한 채 멍을 잘~ 때리면 우승!

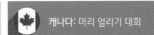 캐나다: 머리 얼리기 대회

영하 30℃의 날씨, 머리를 온천수에 담갔다 빼서 꽁꽁 언 모습을 SNS에 사진으로 찍어 올린다. 가장 인기가 많은 사진이 우승!

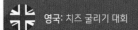 영국: 치즈 굴리기 대회

높은 언덕에서 굴러 내려가는 치즈를 쫓아 수많은 사람들이 뛰어 내려간다. 이들 중 가장 먼저 치즈를 잡으면 우승!

1 이 글에서 *Naki Sumo*의 목적으로 언급된 것을 <u>모두</u> 고르시오.

① 마을의 풍요를 기원하기 위해서

② 행운과 건강을 빌기 위해서

③ 스모 경기의 전통을 유지하기 위해서

④ 악령을 쫓아내기 위해서

⑤ 태어난 아기들을 축복하기 위해서

2 이 글의 밑줄 친 ⓐ, ⓑ, ⓒ가 가리키는 것을 글에서 찾아 쓰시오.

ⓐ: _____   ⓑ: _____   ⓒ: _____

3 *Naki Sumo*에 관한 이 글의 내용과 일치하지 <u>않는</u> 것은?

① 일본의 전통적인 대회이다.

② 참가하는 아기의 나이가 정해져 있다.

③ 스모 경기장에서 진행된다.

④ 스모 선수들이 아기를 안은 채 경기가 시작한다.

⑤ 가장 늦게 우는 아기가 승자가 된다.

(서술형)

4 스모 선수가 아기를 울리기 위해 사용하는 방법을 우리말로 쓰시오.

_____

5 다음 영영 풀이에 해당하는 단어를 글에서 찾아 쓰시오.

a practice that people have been doing for a long time

_____

Words

traditional 웹전통의, 전통적인 competition 웹대회, 경쟁 (compete 동경쟁하다) contest 웹대회 participant 웹참가자
sumo wrestling 스모(일본의 전통 씨름) ring 웹(원형의) 경기장; 반지 unusual 웹독특한, 흔치 않은
custom 웹풍습, 관습; (복수형) 세관(관세청에 딸려 있는 정부 기관) chase away 쫓아내다 evil spirit 악령, 귀신 ceremony 웹의식
hold (a person) in one's arms (~를 팔에) 안다 playful 웹장난스러운 method 웹방법 swing 동흔들다 scary 웹무서운

It's almost impossible to sing underwater. _____, musician Laila Skovmand developed a way to do it. First, she takes a deep breath and goes underwater. Then, she lets a bit of air come out of her lungs to form an air bubble. She keeps the air bubble in her mouth and sings through it.

Laila also formed a band with four other musicians. They created instruments that can be played underwater and planned to put on a concert. It took many years to prepare. The members had to train themselves to perform in a glass water tank. For example, they practiced holding their breaths. Playing instruments, such as the drums, requires more energy and oxygen, so some members had to do a lot of breathing exercises.

In 2018, the band successfully gave a performance. The music may sound strange at first, but it's fascinating!

1 이 글의 빈칸에 들어갈 말로 가장 적절한 것은?

① Moreover   ② For example   ③ Therefore

④ However   ⑤ In other words

2 이 글의 밑줄 친 put on과 의미가 가장 비슷한 것은?

① watch   ② finish   ③ hold

④ cancel   ⑤ attend

3 이 글의 내용과 일치하면 T, 그렇지 않으면 F를 쓰시오.

(1) Laila는 물속에서 숨을 쉴 수 있는 방법을 개발했다.   _____

(2) Laila의 밴드 멤버들은 수조 안에서 연주를 할 수 있도록 훈련했다.   _____

(3) 드럼 연주자는 호흡 훈련을 더 많이 해야 했다.   _____

• 심화형

4 Laila의 밴드가 한 공연에 관한 설명으로 일치하는 것을 모두 고르시오.

참여 인원	① Laila를 포함한 총 4명의 음악가들
준비 과정	② 몇 달 동안 진행되었음. ③ 수중 연주가 가능한 악기를 제작함. ④ 물속에서 숨을 참는 것을 익힘.
특징	⑤ 일반적인 연주와 동일한 소리가 남.

Words

impossible 톙 불가능한   underwater 톗 물속에서   musician 톞 음악가, 뮤지션   take a deep breath 숨을 깊게 들이쉬다, 심호흡을 하다

a bit of 조금의   lung 톞 폐   form 톛 만들어내다, 형성하다; 결성하다   bubble 톞 방울, 거품   instrument 톞 악기; 기구

put on (연극 등을) 공연하다, 상연하다   prepare 톛 준비하다   train 톛 단련하다, 훈련하다   perform 톛 공연하다, 연주하다; 수행하다

(performance 톞 공연)   water tank 수조, 물탱크   practice 톛 연습하다   hold one's breath 숨을 참다   require 톛 필요로 하다, 요구하다

exercise 톞 훈련; 운동 톛 훈련하다; 운동하다   fascinating 톙 매력적인   <문제> cancel 톛 취소하다   attend 톛 참석하다

You may have a goose-down or duck-down jacket in your closet for winter. But you probably don't have a chicken-down jacket. Have you ever wondered why?

Actually, it's impossible to make padded jackets with chicken feathers. (a) This is because chickens don't have down. (b) "Down" refers to the thin, light feathers that many birds have under their protective outer feathers. (c) Some birds have colorful feathers to attract other birds' attention. (d) It traps air, preventing heat from escaping and blocking cold air from entering. (e) That's why we use down for padded jackets.

For birds that go in the water like ducks and geese, down is necessary _____. Without it, their body temperature would drop while they're in cold ponds. On the other hand, chickens rarely go in the water, so they don't need down. Instead, they only have strong, tough feathers.

Read & Learn

패딩 속 털도 생각하는 친환경적 패딩
최근 동물 학대가 발생할 위험 없이 패딩 충전재를 만들 수 있는 다양한 방안이 연구되고 있어요. 그중에서도 말린 꽃을 충전재로 사용한 플라워 패딩은 동물뿐만 아니라 환경오염도 고려한 친환경적인 패딩으로 각광받고 있어요. 이 패딩은 쉽게 분해되는 야생화와 신소재를 사용해서 의류 제작 과정에서 발생하는 화학물질과 이산화탄소 배출량을 줄였다고 해요.

1 What is the best title for the passage?

① Tips for Buying a Down Jacket

② Down: The Strongest Feathers of Birds

③ The Roles of Chickens' Protective Feathers

④ Why You Can't Make Chicken-down Jackets

⑤ The Similarities of Chickens, Ducks, and Geese

2 Among (a)~(e), which sentence does NOT fit in the context?

① (a)　　　② (b)　　　③ (c)　　　④ (d)　　　⑤ (e)

3 Which is the best choice for the blank?

① to swim faster　　　　② to dry their bodies

③ to float on water　　　④ to keep their bodies warm

⑤ to protect themselves from insects

4 Complete the table with words from the passage.

What is down?	• It is birds' feathers that are under the outer ones. • It (1) _____ air, and it can be used in padded jackets.
What birds have down?	• Ducks and geese have down to maintain their (2) _____ _____ while they're in the water. • (3) _____ have strong feathers instead of down.

Words

goose-down 圐 거위털 (**down** 圐 다운, (새의) 솜털)　**padded jacket** 패딩　**feather** 圐 깃털　**refer to** ~을 가리키다, 지칭하다

thin 圐 얇은　**protective** 圐 보호용의　**outer** 圐 바깥쪽의　**colorful** 圐 형형색색의　**attract** 圐 주의를 끌다　**trap** 圐 가두다

prevent 圐 막다, 예방하다　**escape** 圐 빠져나가다, 달아나다　**block** 圐 막다　**necessary** 圐 필요한　**pond** 圐 연못

rarely 圐 거의[좀처럼] ~하지 않는, 드물게　**tough** 圐 억센; 힘든　<문제> **role** 圐 역할　**similarity** 圐 유사점, 유사성

Review Test

1 단어의 성격이 나머지와 다른 것은?

① experiment   ② participant   ③ attract   ④ instrument   ⑤ astronaut

2 짝지어진 단어의 관계가 나머지와 다른 것은?

① pollute – pollution   ② perform – performance   ③ produce – production
④ compete – competition   ⑤ similar – similarity

[3-4] 다음 괄호 안에서 알맞은 단어를 골라 표시하시오.

3 The doors of the car were (damaged / survived) because of the accident.

4 The farmer (trapped / released) the fox that was taking his chickens.

[5-8] 다음 빈칸에 들어갈 단어를 보기 에서 골라 쓰시오.

| 보기 | require   method   escape   completely   material   wisely |

5 A student ID card is _____d to get a discount.

6 Group work is a good _____ to teach cooperation.

7 The movie character tried to _____ the prison but he failed.

8 The singer's concert is _____ sold out, so there are no seats for us.

[9-10] 다음 밑줄 친 단어나 표현에 유의하여 각 문장의 해석을 쓰시오.

9 For example, they practiced <u>holding their breaths</u>.

→ _____

10 "Down" <u>refers to</u> the thin, light feathers that many birds have under their protective outer feathers.

→ _____

우주복은 1인용 지구?!

우주는 대기가 없고 온도 차가 어마어마하기 때문에 사람이 1분도 견디기 힘든 곳인데요.
우주복은 내부 조건을 지구와 비슷하게 만들어서 혹독한 환경으로부터 우주인의 몸을 보호해준답니다.
우주인을 위한 '1인용 지구' 역할을 하는 우주복이 어떤 기능들을 갖추고 있는지 함께 살펴볼까요?

헬멧

흔히 '우주인'이라 하면 가장 먼저
헬멧을 떠올리곤 하죠. 금속으로
코팅된 금빛 헬멧은 우주에 있는
유성체나 자외선, 적외선으로부터
보호해줘요.

슈트

우주인이 입는 겉옷인 슈트는 무려
100킬로그램이나 나간답니다. 여러
겹으로 되어 있어 영하 270도에서
영상 300도를 오르내리는 우주의
엄청난 온도 차를 견딜 수 있게
해줘요.

생명유지장치

우주복 안을 사람이 살 수 있는
환경으로 만들어주는 장치예요.
숨 쉬는 데 필요한 산소를 공급하고,
온도와 습도를 조절해요.

압력 장갑

장갑의 손가락 끝 부분은 감각을
느낄 수 있도록 고무로 되어있어요.

압력 장화

장화 안쪽은 실리콘, 바깥은 튼튼한
금속 섬유로 되어 있어 우주 어디서든
잘 걸을 수 있어요.

연결줄

우주인과 우주 정거장을 연결해주는
역할을 해요. 이 줄이 없다면
우주인이 우주 공간에서 표류할
수도 있다는 사실!

HackersBook.com

UNIT 10

Two guys bump their fists with a smile and say, "What's up, bro?" This greeting is called a fist bump. It became popular because of one baseball player in the 1950s. He often ³ caught colds after shaking hands with fans. ____(A)____, he started giving fist bumps instead of handshakes. Did it actually help? ⁶

Surprisingly, the answer is "yes." In fact, the fist bump is even recommended by some doctors. In an experiment, it was found that fist bumps transferred 20 times fewer ⁹ germs than handshakes because the hands have less contact. ____(B)____, germs on the back of your hand are less likely to get into your mouth and nose. Maybe one day, ¹² everyone will be greeting each other with fist bumps!

Read & Learn

막수 대신 할 수 있는 인사법에는 무엇이 있을까?

1. 팔꿈치 부딪치기(Elbow Bump)

팔꿈치를 부딪쳐 인사를 나눠요!

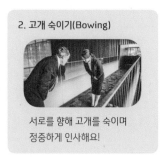

2. 고개 숙이기(Bowing)

서로를 향해 고개를 숙이며 정중하게 인사해요!

3. 발 부딪치기(Foot Tap)

손 대신 발을 부딪쳐 반가움을 표현해요!

1 이 글의 제목으로 가장 적절한 것은?

① A Healthier Form of Greeting

② Can Handshakes Transfer Germs?

③ A New Greeting among Baseball Players

④ Your Hands Actually Have Many Germs

⑤ Fist Bump: A Gesture with Different Meanings

2 이 글의 빈칸 (A)와 (B)에 들어갈 말로 가장 적절한 것은?

	(A)		(B)
①	However	……	So
②	Therefore	……	However
③	Therefore	……	Moreover
④	For example	……	Instead
⑤	For example	……	Therefore

3 이 글의 내용과 일치하면 T, 그렇지 않으면 F를 쓰시오.

(1) 피스트 범프는 과거 야구 팬들 사이에서 시작된 인사법이었다. _____

(2) 손등에 있는 세균은 입과 코로 들어가기 쉽다. _____

4 이 글의 밑줄 친 부분의 이유를 다음과 같이 나타낼 때, 빈칸에 들어갈 말로 가장 적절한 것은?

피스트 범프는 _____ 때문이다.

① 재미있기

② 위생적이기

③ 의사들이 만들었기

④ 과거에도 유행했던 인사법이기

⑤ 여러 사람과 빠르게 할 수 있기

Words

bump 동부딪치다 fist 명주먹 greeting 명인사 (greet 동~에게 인사하다) catch a cold 감기에 걸리다 shake hands 악수하다
(handshake 명악수) recommend 동권장하다, 추천하다 experiment 명실험 transfer 동옮기다, 전염시키다 germ 명세균, 미생물
contact 명접촉; 연락 back of one's hand 손등 be likely to ~할 가능성이 있다 <문제> gesture 명동작, 제스처

Have you ever stayed up all night because of worries? What did you do to get rid of them? Some people let dolls get rid of their worries. These are worry dolls. They are ³ small figures that can be easily made from paper and wool.

Here is how to make and use a worry doll. Cut out a piece of paper in a rectangular shape and draw a doll's face on ⁶ the top. Stick toothpicks to the paper to make its arms and legs. Dress the doll with colorful threads. (a) Then, tell your doll about something that is bothering you. (b) Finally, put ⁹ it under your pillow and go to sleep. (c) If you don't get enough sleep, you may be very tired during the day. (d) The worry doll will take away your concerns during the night. ¹²
(e) When you wake up, you will be worry-free and at ease!

Read & Learn

날씨는 날씨 인형에게 맡기세요!
일본의 '테루테루보즈'는 새하얀 천으로 만들어진 '날씨 인형'이에요. '테루(照る)'는 '(날씨가) 개다', '보즈(坊主)'는 '대머리'라는 뜻으로, '활짝 갠 날씨를 기원하는 대머리 인형'이라는 뜻이죠. 단순한 생김새만큼이나 만들기 쉬운 테루테루보즈, 함께 만들어볼까요?

① 하얀 천을 돌돌 뭉쳐 동그란 공을 만든 후, 다른 천으로 뭉친 공을 감싼다.
② 실로 공 주변을 묶어 머리와 몸통을 만들고 머리에 얼굴을 그린다.
③ 정수리에 실을 연결해 창밖에 매단다.

1 이 글의 제목으로 가장 적절한 것은?

① Don't Worry about Small Things

② How to Fall Asleep Early at Night

③ Worry Dolls Help You Feel Better

④ What Prevents You from Sleeping?

⑤ Various Ways to Make Worry Dolls

2 이 글에서 설명하는 걱정 인형의 모습으로 가장 적절한 것은?

① ② ③ ④ ⑤

3 이 글의 (a)~(e) 중, 전체 흐름과 관계없는 문장은?

① (a)　　　② (b)　　　③ (c)　　　④ (d)　　　⑤ (e)

(서술형)

4 걱정 인형의 사용법을 다음과 같이 나타낼 때, 빈칸에 들어갈 내용을 우리말로 쓰시오.

> 인형을 만든다.
>
> ⌄
>
> _____
>
> ⌄
>
> 인형을 베개 아래에 두고 잠에 든다.

Words

stay up 깨어 있다　**get rid of** ~을 없애다, 제거하다　**figure** 뗑 모형 (장난감)　**wool** 뗑 털실　**rectangular** 혱 직사각형의　**stick** 툉 붙이다; 찌르다

toothpick 뗑 이쑤시개　**thread** 뗑 실　**bother** 툉 신경 쓰이게 하다, 괴롭히다　**take away** 없애다　**concern** 뗑 걱정, 염려

worry-free 혱 걱정이 없는, (마음이) 태평한　**at ease** 마음이 편안한　<문제> **various** 혱 다양한

These days, people often enjoy avocados in many foods like salads and sandwiches. Avocados contain healthy fats and lots of vitamins, so they are good for your body. But ironically, they aren't good for the environment. 3

Avocados need much more water to grow than other crops. This is because they have underdeveloped, hairless roots. 6 These roots cannot absorb water very well. So, producing a single avocado usually requires a lot of water—about 70 liters. In comparison, oranges need 22 liters and tomatoes 9 only need around 5 liters.

As a result, avocados have caused a lack of _____ in many places. In fact, in Chile's Petorca region, one of the 12 country's largest producers of avocados, residents have to get water from water trucks. Avocado farms use so much water that there isn't enough water left for homes! 15

Read & Learn

악어가죽을 닮은 과일, 아보카도

중남미가 원산지인 아보카도가 처음 유럽에 전파되었을 때, 사람들은 아보카도의 모양이 서양배(pear)와 닮았다며 '아보카도 배'라고 불렀어요. 이후 이를 잘못 들은 사람들이 아보카도를 '악어 배(alligator pear)'라고 부르게 되었는데, 이들은 아보카도의 울퉁불퉁한 껍데기가 악어가죽처럼 생겨 그 이름이 유래되었다고 생각했어요. 이렇게 여러 이름으로 불린 아보카도는 1900년대에 이르러 한 사업가의 적극적인 마케팅 덕분에 '아보카도'라는 본명이 널리 알려지게 되었답니다.

1 이 글의 제목으로 가장 적절한 것은?

① The Lack of Avocado Production

② How to Grow Fruits without Water

③ Avocados Are Good for Your Health

④ Difficulties That Many Avocado Farms Have

⑤ The Problem with Avocados: Too Much Water Is Used

2 이 글의 빈칸에 들어갈 알맞은 말을 글에서 찾아 쓰시오.

_____

3 이 글의 내용과 일치하면 T, 그렇지 않으면 F를 쓰시오.

(1) 아보카도의 뿌리는 털이 많고 튼튼해서 물을 많이 흡수한다. _____

(2) 토마토는 오렌지보다 재배하는 데 더 많은 물이 필요하다. _____

(3) 페토르카는 칠레의 주요 아보카도 생산지이다. _____

(서술형)

4 페토르카 지역의 주민들이 급수 트럭으로부터 물을 구해야 하는 이유를 우리말로 쓰시오.

_____

Words

avocado 몡 아보카도 contain 동 함유하다, 포함하다 fat 몡 지방 vitamin 몡 비타민 ironically 튀 역설적으로 environment 몡 환경 crop 몡 작물 underdeveloped 혱 덜 진화된; 저개발의 hairless 혱 털이 없는 in comparison 그에 비해, 비교해 보면 cause 동 초래하다, 야기하다 lack 몡 부족 Chile 몡 칠레 region 몡 지역 producer 몡 생산지, 생산자, 제작자 (production 몡 생산, 제작) resident 몡 주민 <문제> difficulty 몡 어려움

UNIT 10

4

★★☆
138 words

Once upon a time, there was a kingdom called Wise West, which was ruled by Queen Clever. ⓐ <u>She</u> had a daughter, Elizabeth, who would become queen someday. But first, the Queen had to be sure Elizabeth could rule the kingdom as wisely as ⓑ <u>her</u>. So, the Queen gave ⓒ <u>her</u> a riddle.

(A) The princess answered confidently. "Everyone wants to be smarter than others, so we seek this. But we actually become humble when we know more, as we learn there is no end to learning. Therefore, the answer must be _____."

(B) "That is the correct answer!" said ⓓ <u>the Queen</u> proudly. She could now trust her daughter to become a wise queen, just like ⓔ <u>herself</u>.

(C) She asked, "Everyone wants more of this to feel special, but the more you have of it, the less special you feel. What is it?"

HackersBook.com

1 What is the best order for paragraphs (A)~(C)?

① (A) – (B) – (C)   ② (A) – (C) – (B)   ③ (B) – (A) – (C)

④ (C) – (A) – (B)   ⑤ (C) – (B) – (A)

2 Among ⓐ~ⓔ, which one refers to something different?

① ⓐ   ② ⓑ   ③ ⓒ   ④ ⓓ   ⑤ ⓔ

3 Which is the best choice for the blank?

① appearance   ② knowledge   ③ passion

④ fame   ⑤ wealth

4 Find and write the word with the following meaning.

> to have the official power to control a country and the people who live there

_____

(서술형)

5 Why did Queen Clever give a riddle to the princess? Write the answer in Korean.

_____

Words

once upon a time 옛날 옛적에   kingdom 몡 왕국   wise 혱 현명한, 지혜로운   rule 동 다스리다, 통치하다 몡 규칙   someday 뷰 언젠가
riddle 몡 수수께끼   confidently 뷰 자신 있게, 확신을 갖고   smart 혱 똑똑한; 멋있는   seek 동 추구하다, 찾다   actually 뷰 사실은
humble 혱 겸손한   correct 혱 정확한, 옳은   proudly 뷰 자랑스럽게   <문제> knowledge 몡 지식   passion 몡 열정   fame 몡 명성
wealth 몡 부   official 혱 공식적인

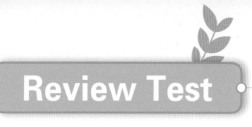

Review Test

1 단어의 성격이 나머지와 다른 것은?

① riddle   ② disease   ③ muscle   ④ humble   ⑤ bubble

2 다음 밑줄 친 단어와 가장 비슷한 의미의 단어는?

> I would <u>recommend</u> the new restaurant on 7th street.

① purchase   ② research   ③ visit   ④ explain   ⑤ suggest

[3-4] 다음 영영 풀이에 해당하는 단어는?

3   right about something based on accurate facts

① proud   ② playful   ③ calm   ④ correct   ⑤ gentle

4   showing great knowledge and understanding of the world

① wise   ② honest   ③ unique   ④ polite   ⑤ creative

[5-8] 다음 빈칸에 들어갈 단어나 표현을 보기 에서 골라 쓰시오.

보기	contact stay up contain get rid of concern

5   The math test is causing _____ for Adam.

6   I can _____ my negative thoughts by doing yoga.

7   This orange juice _____s a lot of vitamins, but it has a lot of sugar, too.

8   Sarah doesn't like to have physical _____ with others on the subway.

[9-10] 다음 밑줄 친 단어나 표현에 유의하여 각 문장의 해석을 쓰시오.

9   He often <u>caught colds</u> after shaking hands with fans.

→ _____

10 In <u>comparison</u>, oranges need 22 liters and tomatoes only need around 5 liters.

→ _____

나라별 다양한 인사법

인사할 때 서양에서는 포옹이나 비쥬를 하고, 아시아에서는 고개를 숙이죠.
그 밖에도 문화별로 다양한 인사법이 있는데, 한번 살펴볼까요?

태국의 전통 인사법 '와이'

'와이'는 태국인들의 일상적인 인사법이에요. (영어의 'Why'랑은 다르니 헷갈리지 마세요!) 불교식으로 두 손을 가슴에 모으고 고개를 숙이며 인사말을 건네는데요. 남자는 "사와디캅", 여자는 "사와디카"라고 인사한답니다. 존중의 의미를 담은 '와이' 인사를 할 때는 순서도 매우 중요해요. 나이가 어린 사람이 먼저 인사를 하고, 연장자가 답례합니다. 상대방이 나이가 많거나 신분이 높을수록 고개는 더 숙이고 손은 더 올려 인사해야 해요.

뉴질랜드 마오리족의 전통 인사법 '홍이'

뉴질랜드의 원주민인 마오리족은 인사할 때 서로의 코를 각각 다른 편으로 두 번 맞대는 인사를 나눠요. 이 인사법은 '홍이'라 불리는데요. 서로 이마와 코를 맞댄 채로 악수를 한 뒤 "키이 오라"라는 인사말을 건네며 코를 두 번 비벼요. 왜 코를 비비냐고요? 이 행위는 서로의 영혼을 공유한다는 의미를 담고 있거든요. 여기서 잠깐! 코는 반드시 두 번만 비벼야 해요. 세 번 비비게 되면 청혼의 의미가 된답니다.

중동의 이슬람식 인사말 '앗 살람 알라이쿰'

우리나라에서는 "안녕하세요"라며 안부를 묻듯이, 이슬람 사회에서는 "앗 살람 알라이쿰"이라는 인사말을 건네요. '앗'은 '신', '살람'은 '평화'라는 뜻인데요. '당신께 신의 평화가 있기를'이라는 의미가 담겨 있는 인사말로, 상대방의 안녕과 평화를 기원하는 의미예요. 인사를 받게 되면, "와알라이쿰 앗살람(당신에게도 신의 평안이 있기를)"이라고 대답하는 것도 잊지 마세요!

Photo Credits

MEMO

MEMO

Smart, Skillful, and Fun Reading

HACKERS

READING SMART

LEVEL 2

초판 6쇄 발행 2024년 12월 2일
초판 1쇄 발행 2021년 10월 1일

지은이	해커스 어학연구소
펴낸곳	㈜해커스 어학연구소
펴낸이	해커스 어학연구소 출판팀
주소	서울특별시 서초구 강남대로61길 23 ㈜해커스 어학연구소
고객센터	02-537-5000
교재 관련 문의	publishing@hackers.com
	해커스북 사이트(HackersBook.com) 고객센터 Q&A 게시판
동영상강의	star.Hackers.com
ISBN	978-89-6542-438-3 (53740)
Serial Number	01-06-01

중고등영어 1위,
해커스북 HackersBook.com

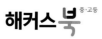

· 지문 전체를 담았다! 생생한 음성으로 리스닝도 연습할 수 있는 **지문 MP3**
· 교재 어휘를 언제 어디서나 들으면서 외우는 **미니 암기장 MP3**

한경비즈니스 선정 2020 한국품질만족도 교육(온·오프라인 중·고등영어) 부문 1위 해커스

내신 점수 상승의 기적!

기출로 적중 해커스 중학영문법

최신 내신 기출
완벽 분석

전국 중학교 내신
기출 문제를 분석해
뽑아낸 문법 POINT 반영

중간/기말/서술형
실전문제

실제 시험에 나올 문제를
미리 풀어보며
내신 완벽 대비

풍부한 문제풀이
워크북

학습 내용의
충분한 반복 훈련으로
확실한 실력 향상

HACKERS
READING SMART

LEVEL

2

해설집

HACKERS

HACKERS
READING
SMART
LEVEL
2

해설집

HACKERS

UNIT 01

1

본문 해석

❶ "패션 유행은 반복된다." ❷ 당신은 이 말을 들어본 적이 있는가? ❸ 비록 당신이 이 말을 들어본 적이 없다고 하더라도, 아마 이것을 경험해봤을 것이다.

❹ 예를 들어, 와이드 팬츠는 1990년대에 인기 있는 아이템이었다. ❺ 하지만 10년 후에, 그것은 여전히 유행이기에는 너무 오래되었다. ❻ 사람들은 그것들에 싫증이 나게 됐고, 그들은 스키니 진을 선호하기 시작했다. ❼ 그 후, 또 다른 10년 후에, 와이드 팬츠가 특히 젊은 사람들 사이에서 다시 인기 있게 되기 시작했다. ❽ 그들에게는, 와이드 팬츠가 새로웠는데, 왜냐하면 이전에 그것을 입어본 적이 없었기 때문이다.

❾ 오늘날에도, 많은 사람들이 와이드 팬츠를 입는 것을 즐긴다. ❿ 반면에, 스키니 진은 인기를 잃었다. ⓫ 이제, 이 청바지는 다시 유행이 되기 위해 10년에서 20년을 기다려야 할 것이다!

❶ "Fashion trends / repeat." / ❷ Have you ever heard / this saying? /
　　패션 유행은　　반복된다　　　　당신은 들어본 적이 있는가　　이 말을

❸ Even if you haven't, / you have probably experienced this. /
　비록 당신이 그런 적이 없다고 하더라도　당신은 아마 이것을 경험해봤을 것이다

❹ For example, / wide pants were a popular item / in the 1990s. /
　　예를 들어　　　와이드 팬츠는 인기 있는 아이템이었다　　　　1990년대에

❺ But / after 10 years, / they were too old / to still be trendy. / ❻ People
하지만　10년 후에　　　　그것들은 너무 오래되었다　여전히 유행이기에는　　　사람들은

became sick of them, / and they began / to prefer skinny jeans. / ❼ Then, /
그것들에 싫증이 나게 됐다　　그리고 그들은 시작했다　스키니 진을 선호하기　　　그 후

after another decade, / wide pants started / to become popular again, /
또 다른 10년 후에　　　　와이드 팬츠가 시작했다　　다시 인기 있게 되기

especially among young people. / (⑤ ❽ To them, / wide pants were new /
특히 젊은 사람들 사이에서　　　　　　　그들에게는　　와이드 팬츠가 새로웠다

because they had never worn them before. /)
왜냐하면 그들은 그것들을 이전에 입어본 적이 없었기 때문에

❾ Even today, / many people enjoy / wearing wide pants. / ❿ On the
　　오늘날에도　　많은 사람들이 즐긴다　와이드 팬츠를 입는 것을　　　반면에

other hand, / skinny jeans have lost their popularity. / ⓫ Now, / these
　　　　　　스키니 진은 인기를 잃었다　　　　　　　이제　　　이

jeans will have to wait / 10 to 20 years / to become stylish again! /
청바지는 기다려야 할 것이다　　10년에서 20년을　　다시 유행이 되기 위해서

구문 해설

❷ 「Have/Has + 주어 + p.p. ~?」의 현재완료 시제가 쓰인 의문문으로, 과거의 [경험]을 물을 때 쓴다. 현재완료 시제가 과거의 경험을 나타낼 때는 주로 ever, never, before 등이 함께 쓰인다.

❸ **Even if** you haven't (heard this saying), you have probably experienced this.
→ Even if는 부사절을 이끄는 접속사로, '비록 ~하더라도'라는 의미이다.
→ haven't 뒤에는 앞 문장에서 언급된 heard this saying이 생략되어 있다. 반복되는 말은 생략하는 경우가 많다.

❺ But after 10 years, they were **too old to** still **be** trendy.
→ 「too + 형용사/부사 + to-v」는 '~하기에는 너무 …하다' 또는 '너무 …해서 ~할 수 없다'라는 의미이다.
= 「so + 형용사/부사 + that + 주어 + can't + 동사원형」 *ex.* they were **so old that they couldn't** still **be** trendy

❻ began to prefer는 '선호하기 시작했다'라고 해석한다. begin은 목적어로 to부정사와 동명사 모두 쓸 수 있다.
ex. People **began preferring** smaller homes. (사람들은 더 작은 집을 선호하기 시작했다.)

1 이 글의 제목으로 가장 적절한 것은?

① How to Have Your Own Style 당신만의 스타일을 갖는 방법
② Fashion Items with Timeless Popularity 시대를 초월한 인기를 지닌 패션 아이템들
③ Old Fashion Items Can Be Trendy Again 오래된 패션 아이템들이 다시 유행이 될 수 있다
④ Fashion Trends Are Changing More Quickly 패션 유행은 더 빠르게 변하고 있다
⑤ Fashion: An Effective Way to Show Your Personality
패션: 당신의 성격을 보여주는 효과적인 방법

2 이 글의 흐름으로 보아, 다음 문장이 들어가기에 가장 적절한 곳은?

> To them, wide pants were new because they had never worn them before.
> 그들에게는, 와이드 팬츠가 새로웠는데, 왜냐하면 이전에 그것을 입어본 적이 없었기 때문이다.

①　　　　　②　　　　　③　　　　　④　　　　　⑤ ✓

3 와이드 팬츠와 스키니 진 중 각 시대별로 인기를 얻은 패션 아이템이 무엇인지 쓰시오.

- 1990년대: ___와이드 팬츠___
- 2000년대: ___스키니 진___
- 2010년대: ___와이드 팬츠___

4 이 글의 빈칸에 들어갈 말로 가장 적절한 것은?

① are a necessary item 필요한 아이템이다
② have become too expensive 너무 비싸졌다
③ aren't comfortable to wear 입기에 편하지 않다
④ have lost their popularity 인기를 잃었다 ✓
⑤ have appeared with a new design 새로운 디자인으로 나왔다

1 와이드 팬츠와 같이 예전에 유행했던 패션 아이템이 시간이 지나 다시 유행하는 경우를 설명하는 글이므로, 제목으로 ③ '오래된 패션 아이템들이 다시 유행이 될 수 있다'가 가장 적절하다.

2 주어진 문장은 문장 ❼에서 언급된 젊은 사람들 사이에서 와이드 팬츠가 인기를 얻게 된 이유에 해당하므로, 문장 ❼ 뒤에 오는 것이 자연스럽다. 따라서 ⑤가 가장 적절하다.

3 문장 ❹에서 1990년대에 와이드 팬츠가 인기 있는 아이템이었다고 했고, 문장 ❺-❻을 통해 10년 후인 2000년대에는 스키니 진이, 문장 ❼을 통해 또 다른 10년 후인 2010년대에는 와이드 팬츠가 다시 인기를 얻었다는 것을 알 수 있다.

4 빈칸 뒤에서 스키니 진이 다시 유행하려면 10년에서 20년을 기다려야 할 것이라고 했으므로, 빈칸에는 ④ '인기를 잃었다'가 가장 적절하다.

정답　**1** ③　**2** ⑤　**3** 와이드 팬츠, 스키니 진, 와이드 팬츠　**4** ④

❼ started to become은 '~하게 되기 시작했다'라고 해석한다. start는 목적어로 to부정사와 동명사 모두 쓸 수 있다.
ex. She **started becoming** a famous star online. (그녀는 온라인에서 유명한 스타가 되기 시작했다.)

❽ had never worn은 과거완료 시제(had p.p.)로, 이 문장에서는 과거의 특정 시점보다 더 이전에 발생한 일을 나타낸다. 그들에게 와이드 팬츠가 새로웠던 시점보다 더 이전에 그것을 입어본 적이 없었다는 의미이다.

❾ 「enjoy + v-ing」는 '~하는 것을 즐기다'라는 의미이다. enjoy는 목적어로 동명사를 쓴다.

❿ have lost는 현재완료 시제(have p.p.)로, 이 문장에서는 과거에 시작된 일이 현재에 끝난 [완료]를 나타낸다. 스키니 진이 현재는 인기를 잃었다는 의미이다.

⓫ will have to는 '~해야 할 것이다'라는 의미로, 미래의 의무를 나타낸다. 조동사는 한 번에 하나만 쓰므로, 조동사 뒤에서 must 대신 have to를, can 대신 be able to를 쓴다. ex. You **must be able to** answer questions. (당신은 질문에 대답할 수 있어야 합니다.)

본문 해석

❶ 오늘날, 가장 흔한 반려동물은 고양이, 개, 물고기, 그리고 햄스터이다. ❷ 하지만 몇몇 사람들은 훨씬 더 색다른 동물들을 그들의 집으로 맞이한다.

❸ 한 예시가 슈가 글라이더이다. ❹ 그것은 다람쥐처럼 보이지만, 공중에서 미끄러지듯 날 수 있다. ❺ 그것은 날아다니는 것과 당신의 손가락에 매달리는 것을 좋아한다. ❻ 동시에, 슈가 글라이더는 매우 쉽게 외로워진다. ❼ 만약 그것들이 자주 혼자 남겨지면, 심지어 아프게 될 수도 있다. ❽ 그래서, 만약 슈가 글라이더를 입양하기를 원한다면, 두 마리를 얻는 것이 낫다.

❾ 또 다른 독특한 반려동물은 별로 사교적이지 않다. ❿ 그것은 레드아이 크로커다일 스킨크이다. ⓫ 이 도마뱀은 <드래곤 길들이기>에 나온 용 투슬리스처럼 보이지만, 훨씬 더 작다. ⓬ 그것은 겨우 약 20센티미터 길이이다. ⓭ 슈가 글라이더와 달리, 스킨크는 매우 수줍음이 많고 예민하다. ⓮ 만약 당신이 그것들을 만지면, 스트레스를 받고 심지어 죽은 척할지도 모른다!

❶ Today, / the most common pets / are cats, dogs, fish, and hamsters. /
오늘날　　　가장 흔한 반려동물은　　　고양이, 개, 물고기, 그리고 햄스터이다

❷ But some people welcome / much stranger animals / into their
하지만 몇몇 사람들은 맞이한다　　　훨씬 더 색다른 동물들을　　　그들의 집으로
homes. /

❸ One example is the sugar glider. / ❹ It looks like a squirrel, / but it is
한 예시가 슈가 글라이더이다　　　그것은 다람쥐처럼 보인다　　　하지만 그것은
able to glide in the air. / ❺ It likes / flying and hanging on your fingers. /
공중에서 미끄러지듯 날 수 있다　　그것은 좋아한다　　날아다니는 것과 당신의 손가락에 매달리는 것을

❻ At the same time, / sugar gliders get lonely / very easily. / ❼ If they
동시에　　　슈가 글라이더는 외로워진다　　매우 쉽게　　만약 그것들이
are left alone / often, / they can even become sick. / ❽ So, / if you want
혼자 남겨지면　　자주　　그것들은 심지어 아프게 될 수도 있다　　그래서　만약 당신이 원한다면
to adopt a sugar glider, / you had better get two. /
슈가 글라이더를 입양하기를　　당신은 두 마리를 얻는 것이 낫다

❾ Another unique pet / is not so sociable. / ❿ It is the red-eyed
또 다른 독특한 반려동물은　　별로 사교적이지 않다　　　그것은 레드아이
crocodile skink. / ⓫ This lizard looks like / the dragon Toothless from
크로커다일 스킨크이다　　이 도마뱀은 ~처럼 보인다　<드래곤 길들이기>에 나온 용 투슬리스
How to Train Your Dragon, / but it is much smaller. / ⓬ It's only about
　　　　　　　　　　　하지만 그것은 훨씬 더 작다　　　그것은 겨우 약
20 centimeters long. / ⓭ Unlike sugar gliders, / skinks are very shy and
20센티미터 길이이다　　　슈가 글라이더와 달리　　스킨크는 매우 수줍음이 많고
sensitive. / ⓮ If you touch them, / they might become stressed / and even
예민하다　　만약 당신이 그것들을 만지면　그것들은 스트레스를 받게 될지도 모른다 그리고 심지어
play dead! /
죽은 척할지도 모른다

구문 해설

❶ 「the + 형용사/부사의 최상급」은 '가장 ~한/하게'라는 의미이다. 여기서는 형용사 common의 최상급인 most common이 쓰였다.

❷ But some people welcome **much** *stranger* animals (than cats, dogs, fish, and hamsters) into their homes.
→ 부사 much는 '훨씬'이라는 의미로 비교급을 강조할 수 있다. 이 문장에서는 형용사의 비교급 stranger를 강조하고 있다.
cf. 비교급 강조 부사: much, even, still, far, a lot　*ex.* Tom is **far** faster than Simon. (Tom은 Simon보다 훨씬 더 빠르다.)
→ 「비교급(-er) + than」은 '~보다 더 …한/하게'라는 의미로, 이 문장에서 much stranger animals는 '(고양이, 개, 물고기, 그리고 햄스터보다) 훨씬 더 색다른 동물들'이라고 해석한다. 문맥상 비교 대상이 명백한 경우 than 이하를 생략할 수 있다.

❹ It **looks like** a squirrel, but it *is able to* glide in the air.
→ 「look like + 명사」는 '~처럼 보이다'라는 의미이다. 이때 like는 '~과 같은'이라는 의미의 전치사이다.
→ be able to는 '~할 수 있다'라는 의미로 가능성을 나타낸다. 여기서는 is able to 뒤에 동사원형 glide가 쓰여 '날 수 있다'라고 해석한다.
= 「can + 동사원형」　*ex.* it **can glide** in the air

1 이 글의 제목으로 가장 적절한 것은?

① Animals That Cannot Be Pets 반려동물이 될 수 없는 동물들
② Unusual Pets to Have at Home 집에서 기를 수 있는 특이한 반려동물들 ✓
③ Common Characteristics of Pets 반려동물의 흔한 특징들
④ Pets: An Important Part of Our Lives 반려동물: 우리 삶의 중요한 부분
⑤ Examples of Pets That Are Easy to Raise 기르기 쉬운 반려동물의 예시들

2 이 글의 빈칸에 들어갈 말로 가장 적절한 것은?

① like quiet places 조용한 장소를 좋아한다
② have a short life 수명이 짧다
③ only need a little food 약간의 먹이만을 필요로 한다
④ get lonely very easily 매우 쉽게 외로워진다 ✓
⑤ usually fight each other 보통 서로 싸운다

3 다음 대화의 빈칸에 들어갈 말을 글에서 찾아 쓰시오. (단, 주어진 철자로 시작하여 쓰시오.)

> What kind of personality does your red-eyed crocodile skink have?
> 네 레드아이 크로커다일 스킨크는 성격이 어때?

> It is (1) shy[sensitive] and (2) sensitive[shy].
> 그건 (1) 수줍음이 많고[예민하고] (2) 예민해[수줍음이 많아].

Joel
> Oh, then it isn't (3) sociable , is it?
> 오, 그러면 그건 (3) 사교적이지는 않네, 그렇지?

> Not really.
> 별로 그렇지는 않지.
Sophie

4 이 글의 내용과 일치하지 <u>않는</u> 것을 골라 바르게 고쳐 쓰시오.

슈가 글라이더	① 다람쥐를 닮았고, ② 사람의 손가락에 매달리는 것을 좋아한다. 또한, ③ 한 마리를 입양하는 것이 좋다. ✓
레드아이 크로커다일 스킨크	④ 용을 닮았고, ⑤ 사람의 손이 닿으면 스트레스를 받는다.

_____③_____ → _____두 마리_____

문제 해설

1 집에서 기를 수 있는 색다른 반려동물의 예로 슈가 글라이더와 레드아이 크로커다일 스킨크를 소개하는 글이므로, 제목으로 ② '집에서 기를 수 있는 특이한 반려동물들'이 가장 적절하다.

2 빈칸 뒤에서 슈가 글라이더는 자주 혼자 남겨지면 아프게 될 수도 있어서 두 마리를 입양하는 것이 낫다고 했으므로, 빈칸에는 ④ '매우 쉽게 외로워진다'가 가장 적절하다.

3 문장 ⑬에서 레드아이 크로커다일 스킨크는 매우 수줍음이 많고 예민하다고 했으며, 문장 ⑨에서 별로 사교적이지 않다고 했다.

4 ③: 문장 ⑧에서 슈가 글라이더를 입양하기를 원한다면 두 마리를 얻는 것이 낫다고 했다.
①은 문장 ❹에, ②는 문장 ❺에, ④는 문장 ⑪에, ⑤는 문장 ⑭에 언급되어 있다.

정답 **1** ② **2** ④ **3** (1) shy[sensitive] (2) sensitive[shy] (3) sociable **4** ③, 두 마리

---

❺ likes flying and hanging은 '날아다니는 것과 매달리는 것을 좋아한다'라고 해석한다. like는 목적어로 동명사와 to부정사 모두 쓸 수 있다.
  ex. The animal **likes to fly** and **hang** from the ceiling. (그 동물은 날아다니는 것과 천장에 매달리는 것을 좋아한다.)

❻ 「get + 형용사」는 '~하게 되다'라는 의미이다. 이때 lonely는 부사가 아닌 형용사로, 「명사 + -ly」는 형용사가 된다.
  ex. friendly(친근한), lovely(사랑스러운)

❽ So, if you **want to adopt** a sugar glider, you *had better* get two.
  → 「want + to-v」는 '~하기를 원하다'라는 의미이다. want는 목적어로 to부정사를 쓴다.
  → had better는 '~하는 것이 낫다'라는 의미로 충고나 권유를 나타낸다. had better 뒤에는 동사원형을 쓴다. 여기서는 get이 쓰여 '얻는 것이 낫다'라고 해석한다. *cf.* had better not: ~하지 않는 것이 낫다 *ex.* You **had better not** eat it. (당신은 그것을 먹지 않는 것이 낫다.)

⑭ 조동사 might는 '~할지도 모른다'라는 의미로, may보다 불확실한 추측을 나타낸다. 이 문장에서는 might 뒤에 동사원형 become과 play가 접속사 and로 연결되어 쓰였다.

본문 해석

❶ 대부분의 학생들은 도보로 또는 버스나 지하철을 타고 학교에 간다. ❷ 하지만 Sun Peaks 학교의 학생들은 다른 방법을 이용한다.

❸ 그 학교는 높이가 1,255미터인 스키장 꼭대기에 위치해 있다. ❹ 학교로 가는 길은 보통 눈으로 덮여 있다. ❺ 그래서 그들은 학교에 가기 위해 스키 리프트를 탄다! ❻ 그리고, 학생들은 수업 후에 스키를 타고 산비탈을 내려간다. ❼ 금요일마다, 그들은 눈 덮인 산에서 야외 활동을 하며 시간을 보낸다.

❽ Sun Peaks가 설립되기 전에는, 근처에 학교가 없었다. ❾ 학생들이 가장 가까운 학교에 가는 데 2시간이 걸렸다. ❿ 그래서 지역의 학부모들은 그들만의 학교를 짓기 위해 함께 노력했다. ⓫ 그들은 지역 사회로부터 자금을 모았다. ⓬ 결과적으로, 75,000달러 이상이 모였다. ⓭ 그들의 노력 덕분에, 아이들은 이제 그들의 마을에서 배울 수 있다. ⓮ 게다가, 그들은 언제든지 스키 타는 것을 즐길 수 있다!

❶ Most students go to school / on foot, by bus, or by subway. /
대부분의 학생들은 학교에 간다 　　 도보로, 버스로, 또는 지하철로

❷ But the students / at Sun Peaks School / use a different method. /
하지만 학생들은 　 Sun Peaks 학교의 　　 다른 방법을 이용한다

❸ The school is located / at the top of a ski slope / that is 1,255 meters
그 학교는 위치해 있다 　　 스키장 꼭대기에 　　　 높이가 1,255미터인

high. / ❹ The way to the school / is usually covered with snow. / ❺ So
　　　 학교로 가는 길은 　　　 보통 눈으로 덮여 있다 　　　　 그래서

ⓐ they take a ski lift / to get to school! / ❻ Then, / the students ski down
그들은 스키 리프트를 탄다 　 학교에 가기 위해 　　 그리고 　 학생들은 스키를 타고 산비탈을

the slope / after class. / ❼ On Fridays, / ⓑ they spend time / in the snowy
내려간다 　　 수업 후에 　　 금요일마다 　　 그들은 시간을 보낸다 　 눈 덮인 산에서

mountains / doing outdoor activities. /
　　　　　 야외 활동을 하는 데

❽ Before Sun Peaks was founded, / there was no school / nearby. /
Sun Peaks가 설립되기 전에 　　　　 학교가 없었다 　　　 근처에

❾ It took students / two hours / to get to the closest one. / ❿ So / local
학생들에게 걸렸다 　 2시간이 　 가장 가까운 곳(학교)에 가는 데 　　 그래서

parents worked together / to build their own school. / ⓫ ⓒ They raised
지역의 학부모들은 함께 노력했다 　 그들만의 학교를 짓기 위해 　　　 그들은 자금을 모았다

funds / from the local community. / ⓬ As a result, / over 75,000 dollars
　　　 지역 사회로부터 　　　　　 결과적으로 　 75,000달러 이상이 모였다

was collected. / ⓭ Thanks to ⓓ their efforts, / the children can now
　　　　　 그들의 노력 덕분에 　　　 아이들은 이제 배울 수 있다

learn / in their town. / ⓮ Plus, / ⓔ they can enjoy skiing / anytime! /
　　　 그들의 마을에서 　　 게다가 　 그들은 스키 타는 것을 즐길 수 있다 　 언제든지

구문 해설

❶ 세 가지 이상의 단어를 나열할 때는 콤마와 함께 마지막 단어 앞에 or[and]를 써서 「A, B, or[and] C」로 나타낸다.

❸ The school is located at the top of a ski slope [**that** is 1,255 meters high].

→ [ ]는 앞에 온 선행사 a ski slope를 수식하는 주격 관계대명사절이다. 주격 관계대명사 that은 관계대명사절 안에서 주어 역할을 하며, 사람, 사물, 동물을 모두 선행사로 가질 수 있다.

❹ be covered with는 '~으로 덮여 있다'라는 의미의 수동태 표현이다.

❺ to get to school은 '학교에 가기 위해'라는 의미로, [목적]을 나타내는 to부정사의 부사적 용법으로 쓰였다.

❼ On Fridays, they **spend time** in the snowy mountains **doing** outdoor activities.

→ 「spend + 시간/돈 + v-ing」는 '~하는 데 …의 시간/돈을 보내다[쓰다]'라는 의미이다.

cf. 「spend + 시간/돈 + on + 명사」 *ex.* Tom **spent two hours on his homework**. (Tom은 그의 숙제에 두 시간을 썼다.)

문제 해설

1 이 글의 제목으로 가장 적절한 것은?

① A Training School for Skiers 스키 타는 사람들을 위한 훈련 학교
② A School on a Ski Mountain 스키용 산지 위의 학교 ✓
③ A Ski Slope Built by Local Residents 지역 주민들에 의해 지어진 스키장
④ Efforts to Open Ski Classes in a Town 마을에 스키 강좌를 개설하기 위한 노력
⑤ Popular Winter Activities among Students 학생들 사이에서 인기 있는 겨울 활동들

2 이 글의 밑줄 친 ⓐ~ⓔ 중, 가리키는 대상이 같은 것끼리 짝지어진 것은?

① ⓐ, ⓒ   ② ⓐ, ⓓ   ③ ⓑ, ⓒ
④ ⓑ, ⓔ ✓   ⑤ ⓒ, ⓔ

3 이 글의 빈칸에 들어갈 말로 가장 적절한 것은?

① to buy new ski equipment 새로운 스키 장비를 사기 위해
② to move to a different town 다른 마을로 이사 가기 위해
③ to build their own school 그들만의 학교를 짓기 위해 ✓
④ to repair the ski slope in town 마을의 스키장을 수리하기 위해
⑤ to get a school bus for their children 그들의 아이들을 위한 스쿨 버스를 구하기 위해

4 Sun Peaks 학교에 관한 이 글의 내용과 일치하지 <u>않는</u> 것은?

① 등굣길은 보통 눈으로 덮여 있다.
② 학생들은 스키 리프트를 타고 등교한다.
③ 학생들은 금요일마다 야외 활동을 한다.
④ 설립 이전에는 인근에 다른 학교가 없었다.
⑤ 학생들이 등교하는 데 2시간이 걸린다. ✓

정답 1 ②   2 ④   3 ③   4 ⑤

---

1 스키장 꼭대기에 위치한 Sun Peaks 학교를 소개하는 글이므로, 제목으로 ② '스키용 산지 위의 학교'가 가장 적절하다.

2 ⓐ, ⓑ, ⓔ는 Sun Peaks 학교의 학생들을 가리키고, ⓒ, ⓓ는 학부모들을 가리킨다.

3 빈칸 앞에서 Sun Peaks 학교가 설립되기 전에는 근처에 학교가 없었다고 했고, 빈칸 뒤에서 학부모들이 지역 사회로부터 자금을 모은 결과 아이들은 이제 그들의 마을에서 배울 수 있다고 했다. 따라서 빈칸에는 ③ '그들만의 학교를 짓기 위해'가 가장 적절하다.

4 ⑤: 문장 ❽-❾에서 Sun Peaks 학교가 설립되기 전에는 학생들이 가장 가까운 학교에 가는 데 2시간이 걸렸다고 했지만, Sun Peaks 학교에 가는 데 걸리는 시간에 대한 언급은 없다. ①은 문장 ❹에, ②는 문장 ❺에, ③은 문장 ❼에, ④는 문장 ❽에 언급되어 있다.

---

❽ Before는 '~ 전에'라는 의미로, 부사절을 이끄는 접속사로 쓰여 뒤에 「주어 + 동사」의 절이 왔다.
    cf. 「전치사 before + 명사」 *ex.* Do your homework **before** dinner. (저녁 식사 전에 숙제를 해라.)

❾ **It took students two hours to get to** *the closest* one.
   → 「it takes + (사람) + 시간 + to-v」는 '(사람이) ~하는 데 …의 시간이 걸리다'라는 의미이다. 이 문장에서는 동사 take의 과거형 took가 쓰여 '학생들이 가는 데 2시간이 걸렸다'라고 해석한다.
   → 「the + 형용사/부사의 최상급」은 '가장 ~한/하게'라는 의미이다. 여기서는 형용사 close의 최상급인 closest가 쓰였다.
   → 부정대명사 one은 앞에서 언급한 명사와 같은 종류의 불특정한 다른 대상을 가리킨다. 이 문장에서는 앞에 나온 school과 같은 종류의 불특정한 대상을 가리킨다.

❿ to build their own school은 '그들만의 학교를 짓기 위해'라는 의미로, [목적]을 나타내는 to부정사의 부사적 용법으로 쓰였다.

⓬ 금액·시간·거리·무게 등을 나타내는 표현은 단수 취급하므로, 75,000 dollars 뒤에 단수동사 was가 쓰였다.

본문 해석

① 당신은 머그잔에 뜨거운 차를 붓는다. ② 갑자기, 그 컵은 색이 바뀐다. ③ 무슨 일이 일어나고 있는 것일까?

④ 그 컵은 열에 민감한 특수한 잉크로 칠해져 있다. ⑤ 그것은 온도에 따라 서서히 색이 바뀐다. ⑥ 예를 들어, 주황색 컵은 그것의 온도가 15도 이하로 떨어진다면 갈색인 상태로 바뀔 것이다. ⑦ 그리고, 그것은 40도 이상에서는 노란색이 될 것이다. ⑧ 이것은 보기에 즐거울 뿐만 아니라 유용하기도 하다. ⑨ 만약 컵이 노란색이라면, 당신은 그것이 뜨겁다고 알 것이고 더 조심스러워질 것이다. ⑩ 따라서, 당신은 화상을 입는 것을 피할 수 있다. ⑪ 게다가, 그 잉크는 아기의 상태를 보여주기 위해 아기 옷에 사용될 수 있다. ⑫ 만약 옷의 색이 바뀐다면, 부모는 아기가 열이 있을지도 모른다는 것을 알 수 있을 것이다.

① You pour hot tea / in a mug. / ② Suddenly, / the cup changes
　당신은 뜨거운 차를 붓는다　　머그잔에　　　　　　갑자기　　　　그 컵은 색이 바뀐다

color. / ③ What is going on? /
　　　　　무슨 일이 일어나고 있는 것일까

④ The cup is painted / with a special ink / that is sensitive to heat. /
　그 컵은 칠해져 있다　　　특수한 잉크로　　　　열에 민감한

⑤ It gradually changes color / depending on the (A) temperature. /
　그것은 서서히 색이 바뀐다　　　　　온도에 따라

⑥ For example, / an orange cup will turn brown / if its temperature
　예를 들어　　　주황색 컵은 갈색인 상태로 바뀔 것이다　　　만약 그것의 온도가

drops / below 15°C. / ⑦ Then, / it will become yellow / above 40°C. /
떨어진다면　15도 이하로　　그리고　그것은 노란색이 될 것이다　　40도 이상에서는

⑧ This is not only fun / to see / but also (B) useful. / ⑨ If the cup is yellow, /
　이것은 즐거울 뿐만 아니라　보기에　유용하기도 하다　　　　만약 컵이 노란색이라면

you'll know / it is hot / and be more careful. / ⑩ Therefore, / you can
당신은 알 것이다　그것이 뜨겁다고　그리고 더 조심스러워질 것이다　　따라서　　당신은

avoid / getting burns. / ⑪ (C) In addition, / the ink can be used / in baby
피할 수 있다　화상을 입는 것을　　게다가　　　그 잉크는 사용될 수 있다　아기 옷에

clothes / to show the baby's condition. / ⑫ If the clothes change color, /
　아기의 상태를 보여주기 위해　　　　만약 옷이 색이 바뀐다면

the parents can see / their baby may have a fever. /
부모는 알 수 있을 것이다　　그들의 아기가 열이 있을지도 모른다는 것을

구문 해설

④ The cup is painted with a special ink [that is sensitive to heat].
→ [ ]는 앞에 온 선행사 a special ink를 수식하는 주격 관계대명사절이다.

⑥ For example, an orange cup will **turn brown** *if* its temperature *drops* below 15°C.
→ 「turn + 형용사」는 '~한 상태로 바뀌다, ~하게 바뀌다'라는 의미이다.
→ 조건을 나타내는 if절(만약 ~한다면)에서는 미래를 나타낼 때도 현재 시제(drops)를 쓴다.

⑦ 「become + 형용사」는 '~하게 되다'라는 의미이다.

⑧ This is **not only fun** *to see* **but also useful**.
→ 「not only A but also B」는 'A뿐만 아니라 B도'라는 의미이다. 이 문장에서는 '보기에 즐거울 뿐만 아니라 유용하기도 하다'라고 해석한다.
= 「B as well as A」 *ex.* This is useful **as well as** fun to see.
→ to see는 '보기에'라는 의미로, to부정사의 부사적 용법으로 쓰여 형용사 fun을 수식하고 있다.

1 What color will the underlined an orange cup become in each condition?
Write the answers in English. 밑줄 친 an orange cup은 각 조건에서 어떤 색이 되는가? 영어로 쓰시오.
- 10°C: _____brown_____ 섭씨 10도: 갈색
- 45°C: _____yellow_____ 섭씨 45도: 노란색

2 Which is the best choice for blanks (A) and (B)? 빈칸 (A)와 (B)에 들어갈 말로 가장 적절한 것은?

(A)		(B)
① place	......	familiar 장소 … 친숙한
② place	......	pretty 장소 … 예쁜
✓③ temperature	......	useful 온도 … 유용한
④ temperature	......	natural 온도 … 자연스러운
⑤ time	......	environmental 시간 … 환경적인

3 Which is the best choice for the blank (C)? 빈칸 (C)에 들어갈 말로 가장 적절한 것은?
① So 그래서 ✓② In addition 게다가 ③ However 하지만
④ For example 예를 들어 ⑤ In short 요컨대

4 Complete the answers with words from the passage. 이 글에서 알맞은 말을 찾아 대답을 완성하시오.

Q. What are the benefits of heat-sensitive ink? 열에 민감한 잉크의 장점은 무엇인가?

A. (1) It helps people avoid _____burns_____. 그것은 사람들이 화상을 피하는 데 도움이 된다.
(2) It lets parents know if their baby has a _____fever_____.
그것은 부모가 그들의 아기에게 열이 있는지 알게 해준다.

정답 **1** brown, yellow **2** ③ **3** ② **4** (1) burns (2) fever

---

1 문장 ❻에서 주황색 컵이 15도 이하가 되면 갈색으로 바뀐다고 했고, 문장 ❼에서 40도 이상에서는 노란색이 된다고 했다.

2 (A) 빈칸 앞에서 컵에 칠해진 잉크가 열에 민감하다고 했고, 빈칸 뒤에서 15도 이하와 40도 이상에서 각각 갈색, 노란색으로 변하는 경우를 예로 들고 있으므로, 빈칸 (A)에는 '온도'가 가장 적절하다.
(B) 빈칸 뒤에서 색이 바뀌는 것을 보고 화상을 입는 것을 피하거나 아기의 상태를 알 수 있다고 했으므로, 빈칸 (B)에는 '유용한'이 가장 적절하다.

3 빈칸 앞에서 화상을 피할 수 있다는 장점을 설명한 뒤, 빈칸이 있는 문장에서 아기 옷에 사용되어 아기의 상태를 보여줄 수 있다는 또 다른 장점을 설명하고 있으므로, 빈칸 (C)에는 ② '게다가'가 가장 적절하다.

4 (1) 문장 ❿에서 잉크가 칠해진 컵의 색이 바뀌면 화상을 입는 것을 피할 수 있다고 했다.
(2) 문장 ⓬에서 잉크가 사용된 아기 옷의 색이 바뀌면 아기에게 열이 있는지 부모가 알 수 있다고 했다.

---

❾ If the cup is yellow, you'**ll know** [(that) it is hot] and **be** more careful.
→ 조동사 will 뒤에 동사원형 know와 be가 접속사 and로 연결되어 쓰였다.
→ [ ]는 'll(=will) know의 목적어 역할을 하는 명사절로, 명사절 접속사 that이 생략되어 있다.

❿ 「avoid + v-ing」는 '~하는 것을 피하다'라는 의미이다. avoid는 목적어로 동명사를 쓴다.

⓫ In addition, the ink **can be used** in baby clothes *to show the baby's condition*.
→ can be used는 '사용될 수 있다'라는 의미이다. 조동사 뒤에는 동사원형이 오므로, 조동사가 있는 수동태는 「조동사 + be p.p.」가 된다.
→ to show 이하는 '아기의 상태를 보여주기 위해'라는 의미로, [목적]을 나타내는 to부정사의 부사적 용법으로 쓰였다.

⓬ If the clothes change color, the parents can see [(that) their baby **may** have a fever].
→ [ ]는 can see의 목적어 역할을 하는 명사절로, 명사절 접속사 that이 생략되어 있다.
→ 조동사 may는 '~할지도 모른다, ~할 수도 있다'라는 의미로 약한 추측을 나타낸다. *cf.* may: ~해도 된다 [허가]

본문 해석

❶ Jane은 판매원으로부터 전화를 받았다. ❷ 그가 휴대폰에 대한 좋은 거래를 제안하고 있어서, Jane은 그것을 사기 위해 그에게 돈을 보냈다. ❸ 하지만 그녀는 나중에 그것이 신용 사기였다는 것을 알아차렸다. ❹ 다행히도, 그 통화는 그녀의 휴대폰 앱을 통해 녹음되었었다. ❺ 그 앱은 범인의 목소리를 이용해 그가 어떻게 생겼는지 알아냈는데, 이것은 경찰이 결국 그를 잡도록 도왔다.

❻ 머지 않아, 이것은 Speech2Face와 함께 현실에서 일어날지도 모른다. ❼ 이 새로운 기술은 사람들의 목소리로 외모를 알아낸다. ❽ 그것은 얼굴과 목소리 간의 패턴을 찾기 위해 수백만 명의 사람들의 말을 분석하는 인공지능(AI)을 가지고 있다. ❾ 그것은 목소리를 들으면, 언어, 발음, 음의 높이, 그리고 속도를 빠르게 분석한다. (❿ 인공지능은 또한 많은 방면에서 사람들의 삶의 질을 향상시킬 수 있다.) ⓫ 인공지능은 그 후 그 사람의 성별, 인종, 그리고 나이를 알아내어, 얼굴 특징이 담긴 이미지를 만들어 내기까지 한다.

❶ Jane received a call / from a salesperson. / ❷ He was offering a great
Jane은 전화를 받았다　　　판매원으로부터　　　　그는 좋은 거래를 제안하고 있었다

deal / on a cell phone, / so Jane sent him money / to purchase it. / ❸ But
휴대폰에 대한　　　그래서 Jane은 그에게 돈을 보냈다　그것을 사기 위해　　하지만

she later realized / that it was a scam. / ❹ Fortunately, / the call had been
그녀는 나중에 알아차렸다　그것이 신용 사기였다는 것을　다행히도　　　그 통화는 녹음되었었다

recorded / through an app / on her phone. / ❺ The app guessed / what
앱을 통해　　　　그녀의 휴대폰에 있는　　　그 앱은 알아냈다　　무엇을

the criminal looked like / using his voice, / which helped the police catch
범인이 어떻게 생겼는지　　　그의 목소리를 이용해서　그런데 이것은 경찰이 그를 잡도록 도왔다

him / eventually. /
　　결국

❻ Sooner or later, / this might happen in real life / with Speech2Face. /
머지 않아　　　　　이것은 현실에서 일어날지도 모른다　　Speech2Face와 함께

❼ This new technology / guesses people's appearance / by their voice. /
이 새로운 기술은　　　사람들의 외모를 알아낸다　　　그들의 목소리로

❽ It has artificial intelligence (AI) / that analyzes the speech of millions
그것은 인공지능(AI)을 가지고 있다　　　수백만 명의 사람들의 말을 분석하는

of people / to find patterns / between faces and voices. / ❾ When it hears
패턴을 찾기 위해　　얼굴과 목소리 간의　　　그것이 목소리를

a voice, / it quickly analyzes / the language, pronunciation, pitch, and
들으면　　　그것은 빠르게 분석한다　언어, 발음, 음의 높이, 그리고 속도를

speed. / (d) (❿ AI can also improve the quality of people's lives / in many
인공지능은 또한 사람들의 삶의 질을 향상시킬 수 있다　　　많은 방면에서

ways. /) ⓫ The AI then determines / the person's gender, ethnicity, and
그 인공지능은 그 후 알아낸다　　　그 사람의 성별, 인종, 그리고 나이를

age, / and even produces / an image of his or her facial features. /
그리고 심지어 만들어 낸다　그 또는 그녀의 얼굴의 특징이 담긴 이미지를

구문 해설

❷ 「send + 간접목적어 + 직접목적어」는 '~에게 …을 보내다'라는 의미이다.
= 「send + 직접목적어 + to + 간접목적어」 *ex.* Jane **sent money to him** to purchase it

❸ But she later realized [that it was a scam].
→ [ ]는 realized의 목적어 역할을 하는 명사절이다. 이때 명사절 접속사 that은 생략할 수 있다.

❹ Fortunately, the call **had been** *recorded* through an app on her phone.
→ had been은 과거완료 시제(had p.p.)로, 이 문장에서는 과거의 특정 시점보다 더 이전에 발생한 일을 나타낸다. 그녀가 신용 사기였다는 것을 알아차린 시점보다 더 이전에 통화가 녹음되었었다는 의미이다.
→ 수동태가 과거완료 시제로 쓰였다. 과거완료 시제는 had 뒤에 과거분사(p.p.)가 오므로, 과거완료 시제의 수동태는 「had been + p.p.」가 된다.
→ 전치사 through는 '~을 통해, 관통하여'라는 의미이다.

1 이 글의 제목으로 가장 적절한 것은?

① Can AI Commit Crimes in the Future? 미래에 인공지능이 범죄를 저지를 수 있을까?
✓ ② AI Guessing Appearance from the Voice 목소리로부터 외모를 알아내는 인공지능
③ Development of a Voice Recording Program 목소리 녹음 프로그램의 개발
④ A Device That Can Be Controlled by Your Voice 목소리로 제어될 수 있는 장치
⑤ A New Technology to Protect Your Information 당신의 정보를 보호해줄 신기술

2 이 글의 (a)~(e) 중, 전체 흐름과 관계없는 문장은?

① (a)　　② (b)　　③ (c)　　✓ ④ (d)　　⑤ (e)

3 이 글의 밑줄 친 this가 의미하는 것은?

① 앱(app)을 통해 범죄 기록을 확인하는 것
② 음성을 변조하여 다른 사람을 속이는 것
③ 녹음된 음성을 복제하고 합성하는 것
④ 음성 인식 기능으로 물건을 구매하는 것
✓ ⑤ 음성을 통해 범인을 식별하여 잡는 것

4 이 글에서 Speech2Face의 기능으로 언급되지 않은 것은?

Speech2Face의 AI는 사람의 ① 언어, ② 발음, ✓ ③ 성량 등을 분석하여 ④ 인종, ⑤ 나이 등에 대한 정보를 판단할 수 있습니다.

---

1 목소리만으로 사람의 얼굴을 알아내는 Speech2Face라는 신기술을 소개하는 글이므로, 제목으로 ② '목소리로부터 외모를 알아내는 인공지능'이 가장 적절하다.

2 Speech2Face가 인공지능을 통해 사람들의 목소리를 분석해서 외모에 대한 정보를 알아낸다는 내용 중에, '인공지능은 또한 많은 방면에서 사람들의 삶의 질을 향상시킬 수 있다'라는 내용의 (d)는 전체 흐름과 관계없다.

3 문장 ⑤에 언급된 내용을 의미한다. 음성을 통해 범인을 식별하여 잡는 것(= this)이, 머지않아 Speech2Face라는 기술로 인해 현실에서 일어날지도 모른다는 의미이다.

4 ③: 성량에 대한 언급은 없다.
①, ②는 문장 ❾에, ④, ⑤는 문장 ⓫에 언급되어 있다.

---

❺ The app guessed [what the criminal looked like] using his voice{**, which** *helped the police catch* him eventually}.
→ [ ]는 「의문사 + 주어 + 동사」의 간접의문문으로, guessed의 목적어 역할을 하고 있다.
→ { }는 계속적 용법의 관계대명사절로, '그런데 (선행사는) ~하다'라고 해석한다. 이때 관계대명사 앞에는 항상 콤마를 쓴다. 여기서는 앞 문장 전체를 선행사로 가져 '그런데 이것(그 앱이 범인의 목소리를 이용해 그가 어떻게 생겼는지 알아내는 것)은 ~하다'라고 해석한다.
→ 「help + 목적어 + 동사원형」은 '~가 …하도록 돕다'라는 의미이다. = 「help + 목적어 + to-v」 *ex.* **helped the police to catch** him

❽ It has artificial intelligence (AI) [that analyzes the speech ~ **to find patterns** *between faces and voices*].
→ [ ]는 앞에 온 선행사 artificial intelligence (AI)를 수식하는 주격 관계대명사절이다.
→ to find patterns는 '패턴을 찾기 위해'라는 의미로, [목적]을 나타내는 to부정사의 부사적 용법으로 쓰였다.
→ 「between A and B」는 'A와 B 간의, 사이에'라는 의미이다.

본문 해석

❶ "Gina가 골라인까지 온 힘을 다해 달립니다. ❷ 그녀가 6점을 얻습니다!"라고 아나운서가 소리치고, Gina는 최우수 선수상을 받는다. ❸ Gina는 12주 된 푸들이며 퍼피볼 선수이다. ❹ 퍼피볼은 미식축구 리그의 결승전인 슈퍼볼을 모방한 연례행사다. ❺ 선수들은 12주에서 21주 사이의 강아지들이다. ❻ 그것들은 장난감과 간식을 위해 몸싸움을 한다. ❼ 그러다가, 만약 그것들 중 하나가 장난감을 가지고 골라인을 넘으면, 점수를 얻는다. ❽ 경기에는 어떤 부상이든 치료할 수의사뿐만 아니라, 인간 심판이 있는데, 그는 거친 플레이를 막는다. ❾ 중간 휴식 시간에는, 마치 슈퍼볼에서 유명 가수들이 하는 것처럼, 새끼 고양이들이 공연을 한다.

❿ 많은 사람이 퍼피볼을 보는 것을 즐긴다. ⓫ 하지만, 이것은 오락만을 위한 것은 아니다. ⓬ 모든 강아지가 보호소 출신이다. ⓭ 그 행사는 그것들이 좋은 가정을 찾도록 도와주는 방법이다.

---

❶ "Gina runs / all the way / to the goal line. / ❷ She gets six points!" /
Gina가 달립니다   온 힘을 다해   골라인까지   그녀가 6점을 얻습니다

the announcer shouts, / and Gina wins the MVP award. /
아나운서가 소리친다   그리고 Gina는 MVP(최우수 선수)상을 받는다

❸ Gina is a 12-week-old poodle / and a player in the Puppy Bowl. /
Gina는 12주 된 푸들이다   그리고 퍼피볼의 선수이다

❹ The Puppy Bowl is an annual event / that imitates the Super Bowl, /
퍼피볼은 연례행사다   슈퍼볼을 모방한

an American football league's championship game. / ❺ The players are
미식축구 리그의 결승전인   선수들은 강아지들이다

puppies / between 12 and 21 weeks old. / ❻ They wrestle / for toys and
12주에서 21주 사이인   그것들은 몸싸움을 한다   장난감과 간식을

treats. / ❼ Then, / if one of them carries a toy / across the goal line, / it
위해   그러다가   만약 그것들 중 하나가 장난감을 가져가면   골라인을 넘어서   그것은

scores a point. / ❽ The game has a human referee, / who prevents rough
점수를 얻는다   그 경기에는 인간 심판이 있다   그런데 그는 거친 플레이를

play, / as well as a vet / to treat any injuries. / ❾ At halftime, / kittens put
막는다   수의사뿐만 아니라   어떤 부상이든 치료할   중간 휴식 시간에는   새끼 고양이들이

on a show, / just like famous singers do / during the Super Bowl. /
공연을 한다   마치 유명 가수들이 하는 것처럼   슈퍼볼에서

❿ Many people enjoy / watching the Puppy Bowl. / ⓫ However, / it
많은 사람이 즐긴다   퍼피볼을 보는 것을   하지만   이것은

isn't only for entertainment. / ⓬ All the puppies come from shelters. /
오락만을 위한 것은 아니다   모든 강아지들이 보호소 출신이다

⓭ The event is a way / to help them find good homes. /
그 행사는 방법이다   그것들이 좋은 가정을 찾도록 도와주는

구문 해설

❹ The Puppy Bowl is an annual event [that imitates **the Super Bowl, an American football league's championship game**].
→ [ ]는 앞에 온 선행사 an annual event를 수식하는 주격 관계대명사절이다.
→ the Super Bowl과 an American football league's championship game은 콤마로 연결된 동격 관계로, '미식축구 리그의 결승전인 슈퍼볼'이라고 해석한다.

❺ 「between A and B」는 'A와 B 사이에'라는 의미이다.

❼ Then, if **one of them** carries a toy *across* the goal line, it scores a point.
→ 「one of + 복수명사」는 '~ 중 하나'라는 의미이다. 「one of + 복수명사」는 단수 취급하므로, 뒤에 단수동사 carries가 쓰였다.
→ 전치사 across는 '~을 넘어서, 건너서'라는 의미이다.

❽ The game has *a human referee*[**, who** prevents rough play], *as well as a vet* to treat any injuries.
→ [ ]는 앞에 온 a human referee를 선행사로 가지는 계속적 용법의 관계대명사절로, '그런데 그(인간 심판)는 ~한다'라고 해석한다.

1 이 글의 주제로 가장 적절한 것은?

① 동물 보호 단체의 기금 마련 활동
② 강아지와 고양이가 대결하는 경기
✔③ 강아지들이 선수로 출전하는 대회
④ 미식축구 선수들을 위한 특별 공연
⑤ 강아지와 주인이 함께 참여하는 스포츠

2 다음 중, 퍼피볼에서 볼 수 있는 대상이 <u>아닌</u> 것을 <u>모두</u> 고르시오.

① 아나운서　　　② 심판　　　✔③ 인기 가수
✔④ 감독　　　⑤ 수의사

3 이 글의 빈칸에 들어갈 말로 가장 적절한 것은?

① win special awards 특별한 보상을 받는다
✔② come from shelters 보호소 출신이다
③ receive donations 기부금을 받는다
④ get training every day 매일 훈련을 받는다
⑤ are professional players 전문적인 선수이다

4 퍼피볼에 관한 이 글의 내용과 일치하지 <u>않는</u> 것은?

① 매년 개최되는 행사이다.
② 미식축구 경기를 모방한 것이다.
③ 생후 21주가 지난 강아지는 참여할 수 없다.
✔④ 상대 팀의 장난감을 획득하면 득점한다.
⑤ 중간 휴식 시간에는 쇼가 펼쳐진다.

1 강아지들이 선수로 출전해 미식축구처럼 경기를 치르는 퍼피볼을 소개하는 글이므로, 주제로 ③이 가장 적절하다.

2 ③: 문장 ❾에서 새끼 고양이들이 유명 가수가 슈퍼볼에서 그렇듯 공연을 한다고는 했으나, 인기 가수가 퍼피볼에 참여한다는 것에 대한 언급은 없다.
④: 감독에 대한 언급은 없다.
①은 문장 ❷에, ②, ⑤는 문장 ❽에 언급되어 있다.

3 빈칸 앞에서 퍼피볼이 오락만을 위한 것은 아니라고 했고, 빈칸 뒤에서 행사가 강아지들이 좋은 가정을 찾도록 도와주는 방법이라고 했다. 따라서 빈칸에는 ② '보호소 출신이다'가 가장 적절하다.

4 ④: 문장 ❼에서 강아지가 장난감을 가지고 골라인을 넘으면 점수를 얻는다고 했다.
①, ②는 문장 ❹에, ③은 문장 ❺에, ⑤는 ❾에 언급되어 있다.

정답 1 ③　2 ③, ④　3 ②　4 ④

→ 「B as well as A」는 'A뿐만 아니라 B도'라는 의미이다.
　= 「not only A but also B」 *ex.* The game has **not only** a vet ~ **but also** a human referee
→ to treat any injuries는 '어떤 부상이든 치료할'이라는 의미로, to부정사의 형용사적 용법으로 쓰여 a vet을 수식하고 있다.

❾ 대동사 do는 동사(구)의 반복을 피하기 위해 사용된다. 여기서는 앞에 나온 put on a show를 대신하고 있다. 동사의 수와 시제에 따라 do, does, did로 쓸 수 있다.　*ex.* I run faster than my sister **does**. (나는 나의 언니가 달리는 것보다 더 빠르게 달린다.)

❿ 「enjoy + v-ing」는 '~하는 것을 즐기다'라는 의미이다.

⓭ The event is a way **to *help them find*** good homes.
→ to help 이하는 '그것들이 좋은 가정을 찾도록 도와주는'이라는 의미로, to부정사의 형용사적 용법으로 쓰여 a way를 수식하고 있다. 형용사적 용법의 to부정사는 앞에 온 명사 또는 대명사를 수식한다.
→ 「help + 목적어 + 동사원형」은 '~가 …하는 것을 돕다'라는 의미이다.　= 「help + 목적어 + to-v」

UNIT 02
3

본문 해석

❶ 산에 가면, 당신은 사람들이 버린 플라스틱 물병들을 종종 발견한다. ❷ 불행하게도, 이 병들은 환경을 오염시킬 뿐만 아니라, 산불을 초래하기도 한다.

❸ 햇빛이 쨍쨍한 날, 투명한 플라스틱 병은 돋보기의 역할을 할 수 있다. ❹ 햇빛이 병을 통과해 지나갈 때, 안에 있는 물은 빛을 한 곳으로 모은다. (❺ 물은 일반적으로 100도에서 끓지만, 산 정상에서는 100도 이하에서 끓는다.) ❻ 이 지점의 온도는 빠르게 상승하여 300도만큼 뜨거워질 수 있다. ❼ 이것은 쉽게 물건에 불을 낼 수 있다. ❽ 실제로, 신문지를 가지고 한 실험에서, 이 방법으로 2분 이내에 불이 붙었다.

❾ 문제는 산에서 더 심각할 수 있는데, 왜냐하면 쉽게 불에 타는 잎과 나무가 많이 있기 때문이다. ❿ 따라서, 당신은 반드시 산에 물건들을 두고 가지 않아야 한다. ⓫ 이것은 엄청난 재난을 야기할 수 있다.

❶ When you go to the mountains, / you often find / plastic water
당신이 산에 가면　　당신은 종종 발견한다　플라스틱 물병들을
bottles / people have abandoned. / ❷ Unfortunately, / these bottles / not
사람들이 버린　　불행하게도　　이 병들은
only pollute the environment / but also cause forest fires. /
환경을 오염시킬 뿐만 아니라　　산불을 초래하기도 한다
❸ On a sunny day, / clear plastic bottles can act / as magnifying
햇빛이 쨍쨍한 날　투명한 플라스틱 병은 역할을 할 수 있다　돋보기로서의
glasses. / ❹ When sunlight passes through the bottle, / the water inside
햇빛이 병을 통과해 지나갈 때　　그것 안에 있는 물은
it / focuses the light / in one spot. / (c) (❺ Water generally boils at
빛을 모은다　　한 곳으로　　물은 일반적으로 100도에서 끓는다
100°C, / but it boils below 100°C / on the top of a mountain. /) ❻ The
그러나 그것은 100도 이하에서 끓는다 산의 정상에서는
temperature at this point / increases quickly / and can get as hot as
이 지점의 온도는　　빠르게 상승한다　그리고 300도만큼 뜨거워질 수 있다
300°C. / ❼ This can easily set things on fire. / ❽ In fact, / in one experiment
이것은 쉽게 물건들에 불을 낼 수 있다　　실제로　신문지를 가지고 한 실험에서
with newspapers, / they caught fire / in less than two minutes / this way. /
그것에 불이 붙었다　2분 이내에　　이 방법으로
❾ The problem could be worse / in the mountains / because there are
그 문제는 더 심각할 수 있다　　산에서　왜냐하면 많은 잎들과
many leaves and trees / that burn easily. / ❿ So, / you should make sure /
나무들이 있기 때문에　쉽게 불에 타는　따라서 당신은 반드시 해야 한다
not to leave things behind / in the mountains. / ⓫ This can result in /
물건들을 두고 가지 않는 것을　　산에　이것은 ~을 야기할 수 있다
huge disasters. /
엄청난 재난들

구문 해설

❶ When you go to the mountains, you often find plastic water bottles [(which/that) people **have abandoned**].
→ [ ]는 앞에 온 선행사 plastic water bottles를 수식하는 목적격 관계대명사절로, 목적격 관계대명사 which/that이 생략되어 있다.
→ have abandoned는 현재완료 시제(have p.p.)로, 이 문장에서는 과거에 시작된 일이 현재까지 영향을 미쳐 발생한 [결과]를 나타낸다. 사람들이 과거부터 플라스틱 물병을 버린 결과로 플라스틱 병들을 산에서 발견한다는 의미이다.

❷ Unfortunately, these bottles **not only pollute** the environment **but also cause** forest fires.
→ 「not only A but also B」는 'A뿐만 아니라 B도'라는 의미로, 여기서는 '오염시킬 뿐만 아니라 초래하기도 한다'라고 해석한다.
= 「B as well as A」 *ex.* Unfortunately, these bottles **cause** forest fires **as well as pollute** the environment.

❻ The temperature at this point increases quickly and can **get *as hot as* 300°C**.
→ 「get + 형용사」는 '~해지다, ~하게 되다'라는 의미이다.
→ 「as + 형용사/부사 + as」는 '~만큼 …한/하게'라는 의미이다. 이 문장에서는 '300도만큼 뜨거운'이라고 해석한다.

1 이 글의 빈칸에 들어갈 말로 가장 적절한 것은?

① block the light 빛을 차단한다　　✔② cause forest fires 산불을 초래한다

③ melt in hot weather 더운 날씨에 녹는다　④ are poisonous to trees 나무에 유독하다

⑤ contain harmful chemicals 해로운 화학 물질이 들어 있다

2 이 글의 (a)~(e) 중, 전체 흐름과 관계없는 문장은?

① (a)　　　② (b)　　✔③ (c)　　　④ (d)　　　⑤ (e)

3 이 글에서 설명하는 햇빛과 물병의 모습으로 가장 적절한 것은?

① 　② 　③ 　✔④ 　⑤

4 이 글의 밑줄 친 this way에 관한 내용과 일치하는 것은?

① 물병과 렌즈를 이용한 방법이다.

② 물병에 햇빛을 비추어 빛을 분산시킨다.

③ 물병 전체의 온도가 매우 높아진다.

✔④ 물병이 돋보기 같은 역할을 한다.

⑤ 주변에 잎이나 나무가 있으면 효과가 약해진다.

정답　1 ②　2 ③　3 ④　4 ④

1 빈칸 뒤의 단락에서 물병의 물이 돋보기 역할을 해서 화재를 일으킬 수 있다고 했다. 따라서 빈칸에는 ② '산불을 초래한다'가 가장 적절하다.

2 물병의 물이 빛을 한 곳으로 모으면 온도가 빠르게 상승해 화재를 야기할 수 있다는 내용 중에, '물은 일반적으로 100도에서 끓지만, 산 정상에서는 100도 이하에서 끓는다'라는 내용의 (c)는 전체 흐름과 관계없다.

3 문장 ❹에서 햇빛이 물병을 통과할 때, 안에 있는 물이 빛을 한 곳으로 모은다고 했다. 따라서 햇빛과 물병의 모습으로 ④가 가장 적절하다.

4 ④: 문장 ❸에 언급되어 있다.

① : 문장 ❽에서 (물병과) 신문지를 이용한 실험이라고 했다.

② : 문장 ❹에서 물병의 물이 빛을 한 곳으로 모은다고 했다.

③ : 문장 ❻에서 빛이 모이는 지점의 온도가 상승한다고 했다.

⑤ : 문장 ❾에서 쉽게 불에 타는 잎과 나무가 많은 산에서 문제가 더 심각할 수 있다고 했다.

---

❾ The problem could be **worse** in the mountains *because* there are many leaves and trees [that burn easily].

→ worse는 '더 심각한'이라는 의미로, 이 문장에서는 형용사 bad의 비교급으로 쓰였다.

　cf. bad(심각한)/badly(심하게)/ill(아픈) - worse [비교급] - worst [최상급]

→ because는 부사절을 이끄는 접속사로, '~ 때문에'라는 의미이다.

→ [ ]는 앞에 온 선행사 many leaves and trees를 수식하는 주격 관계대명사절이다.

❿ So, you should **make sure** *not **to leave*** things behind in the mountains.

→ 「make sure + to-v」은 '반드시[확실히] ~하다, ~하는 것을 확실히 하다'라는 의미이다.

　= 「make sure + that절」　*ex.* So, you should **make sure that** you do not leave things behind in the mountains.

→ to부정사의 부정형은 to 앞에 not을 붙여서 나타낸다.　*ex.* He decided **not to stay** home. (그는 집에 머물지 않기로 결정했다.)

UNIT 02

4

본문 해석

❶ 이스터 에그는 영화, TV 프로그램, 그리고 컴퓨터 게임에 숨겨진 메시지나 기능이다. ❷ 자, 당신은 여기서 알아차린 것이 있는가? ❸ 이 문단에 있는 각 문장의 첫 글자를 가져와 봐라. ❹ 그것들이 어떤 단어가 되는지 봐라. ❺ 당신은 방금 이스터 에그를 발견했다.

❻ 여기 당신이 '즐길' 수도 있을 다른 예시들이 있다. ❼ 만약 당신이 아이폰을 가지고 있다면, "이봐, Siri야. ❽ 나에게 비트를 줘!"라고 한번 말해봐라. ❾ Siri는 당신을 위해 비트박스를 할 것이다. ❿ 구글에서는, 검색 창에 'Atari Breakout(아타리 탈옥)'을 입력하고 'I'm Feeling Lucky(나는 운이 좋은 것 같아' 버튼을 클릭해라. ⓫ 그러면 당신은 벽돌 깨기 게임을 즐길 수 있다!

⓬ 이스터 에그는 재미있고 흥미롭다. ⓭ 하지만 그것들 중 몇몇은 찾기 너무 어려워서 찾는 데 몇 년이 걸릴 수 있다. ⓮ 한 비디오 게임에서는, 예를 들어, 플레이어가 이스터 에그를 발견하는 데 26년이 걸렸다!

❶ Easter eggs are hidden messages or features / in films, TV shows,
이스터 에그는 숨겨진 메시지나 기능이다   영화, TV 프로그램, 그리고

and computer games. / ❷ Now, / do you notice any here? / ❸ Just take /
컴퓨터 게임에   자   당신은 여기서 알아차린 것이 있는가   가져와 보아라

the first letter of each sentence / in this paragraph. / ❹ Observe / what
각 문장의 첫 글자를   이 문단에 있는   보아라   그것들이

they spell. / ❺ You've just found an Easter egg. /
어떤 단어가 되는지 당신은 방금 이스터 에그를 발견했다

❻ Here are some other examples / you might "enjoy." / ❼ If you have
여기 다른 예시들이 있다   당신이 '즐길' 수도 있을   만약 당신이 아이폰을

an iPhone, / try saying / "Hey, Siri. / ❽ Give me a beat!" / ❾ Siri will
가지고 있다면   한번 말해보아라   이봐 Siri야   나에게 비트를 줘   Siri는 당신을

beatbox for you. / ❿ In Google, / type "Atari Breakout" / in the search
위해 비트박스를 할 것이다 구글에서는   'Atari Breakout'을 입력하라   검색 창에

bar / and click on / the "I'm Feeling Lucky" button. / ⓫ Then / you can
그리고 클릭해라   'I'm Feeling Lucky' 버튼을   그러면   당신은

enjoy a brick-breaking game! /
벽돌을 깨는 게임을 즐길 수 있다

⓬ Easter eggs are fun and interesting. / ⓭ But some of them / are so
이스터 에그들은 재미있고 흥미롭다   하지만 그것들 중 몇몇은   찾기에

hard to find / that it can take years / to do so. / ⓮ In one video game, /
너무 어려워서   몇 년이 걸릴 수 있다   그렇게 하는 데   한 비디오 게임에서는

for example, / it took 26 years / for players / to find an Easter egg! /
예를 들어   26년이 걸렸다   플레이어들이   이스터 에그를 발견하는 데

구문 해설

❶ Easter eggs are hidden messages or features in **films, TV shows, and computer games**.
→ 세 가지 이상의 단어를 나열할 때는 콤마와 함께 마지막 단어 앞에 and[or]를 써서 「A, B, and[or] C」로 나타낸다.

❹ Observe [what they spell].
→ [ ]는 「의문사 + 주어 + 동사」의 간접의문문으로, Observe의 목적어 역할을 하고 있다.

❺ 've(=have) found는 현재완료 시제(have p.p.)로, 이 문장에서는 과거에 시작된 일이 현재에 끝난 [완료]를 나타낸다. 현재완료 시제로 완료를 나타낼 때는 주로 just, already, yet, lately, recently 등이 함께 쓰인다.

❻ Here are some other examples [(which/that) you **might** "enjoy."]
→ [ ]는 앞에 온 선행사 some other examples를 수식하는 목적격 관계대명사절로, 목적격 관계대명사 which/that이 생략되어 있다.
→ 조동사 might는 '~할 수도 있다, ~할지도 모른다'라는 의미로, may보다 불확실한 추측을 나타낸다.

1 What is the purpose of the passage? 이 글의 목적으로 가장 적절한 것은?

① to show how Easter eggs are made 이스터 에그가 어떻게 만들어지는지 보여주기 위해서
② to recommend some fun online games 재미있는 몇몇 온라인 게임을 추천하기 위해서
③ to emphasize the useful features of Google 구글의 유용한 기능을 강조하기 위해서
④ to introduce Easter eggs and give examples 이스터 에그를 소개하고 예를 들기 위해서
⑤ to explain why Easter eggs are widely loved 이스터 에그가 왜 널리 사랑받는지 설명하기 위해서

2 Complete each sentence with ONE word from the passage.
이 글에서 알맞은 한 단어를 찾아 각 문장을 완성하시오.

- Daniel didn't ____notice____ that I was behind him.
  Daniel은 내가 그의 뒤에 있었음을 알아차리지 못했다.
- She handed me a ____notice____ about the trip.
  그녀는 여행에 관한 안내문을 내게 건네주었다.

3 What are the Easter eggs in the iPhone and Google? Write the answers in Korean.
아이폰과 구글의 이스터 에그는 무엇인가? 우리말로 쓰시오.
(1) iPhone: _____Siri가 비트박스를 한다._____
(2) Google: _____벽돌 깨기 게임을 즐길 수 있다._____

4 Which is the best choice for the blank? 빈칸에 들어갈 말로 가장 적절한 것은?

① however 하지만   ② for example 예를 들어
③ instead 대신에   ④ fortunately 다행히도
⑤ in other words 다시 말해서

정답 **1** ④   **2** notice   **3** (1) Siri가 비트박스를 한다. (2) 벽돌 깨기 게임을 즐길 수 있다.
4 ②

문제 해설

1 이스터 에그가 무엇인지 설명하고 그것의 예시들을 소개하는 글이므로, 목적으로 ④ '이스터 에그를 소개하고 예를 들기 위해서'가 가장 적절하다.

2 빈칸에 공통으로 들어갈 알맞은 단어는 '알아차리다; 안내문'이라는 뜻을 가진 notice이다.

3 이스터 에그의 사례로, 문장 ❼-❾에서 아이폰에서 Siri가 비트박스를 한다고 했고, 문장 ❿-⓫에서 구글에서 벽돌 깨기 게임을 즐길 수 있다고 했다.

4 빈칸 앞에서 어떤 이스터 에그는 찾기 너무 어려워서 찾는 데 몇 년이 걸릴 수 있다고 했고, 빈칸이 있는 문장에서 이스터 에그를 발견하는 데 26년이 걸린 한 비디오 게임의 사례를 소개했다. 따라서 빈칸에는 ② '예를 들어'가 가장 적절하다.

❼ 「try + v-ing」는 '(시험 삼아) ~해보다'라는 의미이다.
  cf. 「try + to-v」: ~하기 위해 노력하다   *ex.* **Try to remember** my birthday. (내 생일을 기억하기 위해 노력해봐.)

⓭ But some of them are **so hard** *to find* **that** it can take years to do so.
  → 「so + 형용사/부사 + that절」은 '너무/매우 ~해서 …하다'라는 의미이다. 이 문장에서는 형용사 hard와 함께 쓰여 '너무 어려워서 그렇게 하는 데 몇 년이 걸릴 수 있다'라고 해석한다.
  → to find는 '찾기에'라는 의미로, to부정사의 부사적 용법으로 쓰여 형용사 hard를 수식하고 있다.
  → 「it takes + (사람) + 시간 + to-v」는 '(사람이) ~하는 데 …의 시간이 걸리다'라는 의미이다. 이 문장에서는 조동사 can과 함께 can take가 쓰여 '그렇게 하는 데 몇 년이 걸릴 수 있다'라고 해석한다.

⓮ 「it takes + 시간 + for + 사람(목적격) + to-v」는 '사람이 ~하는 데 …의 시간이 걸리다'라는 의미이다. 이때 「for + 사람(목적격)」은 to부정사의 의미상 주어로, to부정사(to find)가 나타내는 동작의 주체이다.

본문 해석

❶ 가끔 우리 몸은 안 좋은 냄새가 나는데, 특히 우리가 땀을 흘릴 때 그렇다. ❷ 하지만, 어떤 사람들은 다른 사람들보다 더 강한 냄새를 가지고 있다. ❸ 과학자들은 이것에 대한 한 가지 이유가 유전자라고 말한다. ❹ 체취 유전자에는 GG, GA, 그리고 AA의 세 가지 유형이 있다. ❺ GG형의 사람들은 가장 강한 냄새를 가지고 있다. ❻ GA형의 사람들은 더 약한 냄새를 가지고 있고, AA 유전자를 가진 사람들이 냄새가 가장 적게 난다. ❼ 그래서, 만약 당신이 강한 체취를 가지고 있다면, 당신은 GG 유전자를 가지고 있을지도 모른다. ❽ 체취를 처리하기 위해 당신이 할 수 있는 몇 가지가 있다. ❾ 예를 들어, 많은 과일을 먹는 것은 독소를 제거함으로써 체취를 줄일 수 있다. ❿ 또한, 귀 뒤를 자주 씻어라, 그러면 냄새가 훨씬 덜 날 것이다. ⓫ 많은 피지와 때가 그곳에 쌓이고 나서, 안 좋은 냄새를 유발한다.

❶ Sometimes / our bodies smell bad, / especially when we sweat. /
가끔　　　　우리 몸은 안 좋은 냄새가 난다　　특히 우리가 땀을 흘릴 때

❷ However, / some people have a stronger scent / than others. /
하지만　　어떤 사람들은 더 강한 냄새를 가지고 있다　　다른 사람들보다

❸ Scientists say / one reason for this / is genes. / ❹ There are three
과학자들은 말한다　이것에 대한 한 가지 이유가　유전자라고　세 가지 유형이 있다

types / of body odor genes: / GG, GA, and AA. / ❺ People with type GG /
　　　체취 유전자에는　　　GG, GA, 그리고 AA　　GG형의 사람들은

have the strongest smell. / ❻ Those with type GA / have a weaker scent, /
가장 강한 냄새를 가지고 있다　　GA형의 사람들은　　　더 약한 냄새를 가지고 있다

and people with AA genes / smell the least. / ❼ So, / if you have a strong
그리고 AA 유전자를 가진 사람들이　냄새가 가장 적게 난다　그래서　만약 당신이 강한 체취를

odor, / you may have the GG gene. /
가지고 있다면　당신은 GG 유전자를 가지고 있을지도 모른다

❽ There are a few things / you can do / to deal with body odor. /
몇 가지가 있다　　　　　　당신이 할 수 있는　체취를 처리하기 위해

❾ For example, / eating lots of fruit / can reduce body smells / by removing
예를 들어　　　많은 과일을 먹는 것은　　체취를 줄일 수 있다　　독소를 제거함으로써

toxins. / ❿ Also, / wash behind your ears / frequently, / and you'll smell
　　　또한　당신의 귀 뒤를 씻어라　　자주　　그러면 당신은 냄새가

much less. / ⓫ Lots of sebum and dirt / build up there, / causing a bad
훨씬 덜 날 것이다　많은 피지와 때가　　　그곳에 쌓인다　　그리고 나서 안 좋은

smell. /
냄새를 유발한다

구문 해설

❶ 「smell + 형용사」는 '~한 냄새가 나다'라는 의미이다.

❸ Scientists say [(that) one reason for this is genes].
　→ [ ]는 say의 목적어 역할을 하는 명사절로, 명사절 접속사 that이 생략되어 있다.

❻ least는 형용사 little의 최상급이다.　*cf.* little(적은) - less [비교급] - least [최상급]

❽ There are **a few** things [(that) you can do *to deal with body odor*].
　→ a few는 '몇 가지의, 약간의, 조금 있는'이라는 의미로, 뒤에 오는 셀 수 있는 명사의 복수형(things)을 수식한다.
　　cf. 「few + 셀 수 있는 명사의 복수형」: 거의 없는 ~　*ex.* There are **few apples** in the bowl. (그릇에 사과가 거의 없다.)
　→ [ ]는 앞에 온 선행사 a few things를 수식하는 목적격 관계대명사절로, 이 문장에서는 목적격 관계대명사 that이 생략되어 있다.
　→ to deal with body odor는 '체취를 처리하기 위해'라는 의미로, [목적]을 나타내는 to부정사의 부사적 용법으로 쓰였다.

1 이 글의 밑줄 친 this가 의미하는 내용을 우리말로 쓰시오.

어떤 사람들이 다른 사람들보다 더 강한 냄새를 가지고 있는 것

2 이 글의 빈칸에 들어갈 말로 가장 적절한 것은?

① However 하지만 ② Therefore 따라서
③ For example 예를 들어 ④ On the other hand 반면에
⑤ In short 요컨대

3 이 글의 내용과 일치하면 T, 그렇지 않으면 F를 쓰시오.

(1) GA형의 유전자를 가진 사람들은 AA형의 유전자를 가진 사람들보다 체취가 덜 난다. ..... F
(2) 생선을 많이 섭취하면 몸 안의 독소가 제거되어 체취를 줄일 수 있다. ..... F
(3) 체취를 유발하는 원인 중 하나는 피지이다. ..... T

4 이 글의 내용으로 보아, 다음 빈칸에 들어갈 말을 글에서 찾아 쓰시오.

Strong Body Odor 강한 체취

Cause 원인	**Solution** 해결책
According to scientists, a difference in (1) ___genes___ is one reason.	Eating (2) ___fruit___ and cleaning behind the (3) ___ears___ can reduce the smell.

과학자들에 따르면, (1) 유전자의 차이가 한 가지 이유이다.　(2) 과일을 먹는 것과 (3) 귀 뒤를 씻는 것이 냄새를 줄일 수 있다.

1 문장 ❷에 언급된 내용을 의미한다. 어떤 사람들이 다른 사람들보다 더 강한 냄새를 가지고 있는 것(= this)의 한 가지 이유가 유전자라고 과학자들이 말한다는 의미이다.

2 빈칸 앞에서 체취를 처리하기 위해 할 수 있는 것들이 있다고 했고, 빈칸이 있는 문장에서 과일을 많이 먹는 것이 체취를 줄일 수 있다고 예를 들었다. 따라서 빈칸에는 ③ '예를 들어'가 가장 적절하다.

3 (1) 문장 ❻에서 AA 유전자를 가진 사람들이 냄새가 가장 적게 난다고 했다.
(2) 문장 ❾에서 과일을 많이 먹으면 독소를 제거해 체취를 줄일 수 있다고는 했지만, 생선을 많이 섭취하는 것에 대한 언급은 없다.
(3) 문장 ⓫에서 많은 피지가 쌓이면 안 좋은 냄새를 유발한다고 했으므로, 피지가 체취를 유발하는 원인 중 하나임을 알 수 있다.

4 문제 해석 참고

정답 **1** 어떤 사람들이 다른 사람들보다 더 강한 냄새를 가지고 있는 것　**2** ③
3 (1) F (2) F (3) T　**4** (1) genes (2) fruit (3) ears

❾ For example, **eating lots of fruit** can reduce body smells *by removing* toxins.
→ eating lots of fruit는 문장의 주어 역할을 하는 동명사구이다.
→ 「by + v-ing」는 '~함으로써, ~해서'라는 의미로 수단이나 방법을 나타낸다.

❿ Also, [wash behind your ears frequently], **and** you'll smell much less.
→ [ ]는 동사원형 wash로 시작하는 명령문으로, 「명령문, and …」는 '~해라, 그러면 …할 것이다'라는 의미이다. 이 문장에서는 '귀 뒤를 자주 씻어라, 그러면 냄새가 훨씬 덜 날 것이다'라고 해석한다.
cf. 「명령문, or …」: ~해라, 그렇지 않으면 …할 것이다
ex. Wash behind your ears frequently, **or** you'll smell much more. (귀 뒤를 자주 씻어라, 그렇지 않으면 냄새가 훨씬 더 날 것이다.)

⓫ causing a bad smell은 '그러고 나서 안 좋은 냄새를 유발한다'라는 의미로, [연속동작]을 나타내는 분사구문이다. 분사구문은 부사절에서 접속사와 주어를 생략한 후, 동사를 v-ing로 바꿔 만든다.
= 「접속사 + 주어 + 동사」　*ex.* Lots of sebum and dirt build up there, **and they cause** a bad smell.

본문 해석

❶ 매년, 할리우드의 영화 제작자들과 연기자들은 오스카와 골든 글로브 같은 시상식을 위해 모인다. ❷ 그들은 그들의 노고에 대한 상을 받아서 기뻐한다. ❸ 하지만, 아무도 참석하기를 원하지 않는 한 시상식이 있다. ❹ 그것은 골든 라즈베리 시상식, 즉 래지스이다. ❺ 이 시상식에서는, 최악의 영화와 연기자에게 상이 주어진다.

❻ 보통, 래지스는 오스카 시상식 하루 전에 개최된다. ❼ 최악의 영화, 감독, 그리고 연기자를 포함해 10가지 부문이 있다. ❽ 각 부문의 수상자는 래지스 협회에 의해 선정되고 가짜 금이 입혀진 라즈베리 트로피를 받는다.

❾ 대부분의 수상자들은 절대 이 시상식에 가지 않지만, 산드라 블록은 2010년에 갔다. ❿ 그녀는 최악의 여배우상을 받았고 재치 있는 연설을 전했다. ⓫ 역설적이게도, 그녀는 다음 날에 다른 영화로 오스카상을 수상했다!

❶ Every year, / filmmakers and performers in Hollywood / get
매년　　　　　　할리우드의 영화 제작자들과 연기자들은

together / for awards shows / like the Oscars and the Golden Globes. /
모인다　　　시상식들을 위해　　　오스카와 골든 글로브 같은

❷ They are happy / to receive awards / for their hard work. /
그들은 기뻐한다　　　상을 받아서　　　　그들의 노고에 대한

(❷ ❸ However, / there is one awards show / that no one wants to
하지만　　　　한 시상식이 있다　　　　아무도 참석하기를 원하지 않는

attend. /) ❹ It is the Golden Raspberries, / or the Razzies. / ❺ At this
그것은 골든 라즈베리 시상식이다　　즉 래지스

awards show, / prizes are given / to the worst films and performers. /
이 시상식에서는　　상들이 주어진다　　최악의 영화와 연기자들에게

❻ Usually, / the Razzies is held / a day before the Oscars. / ❼ There are
보통　　　　래지스는 개최된다　　　오스카 시상식 하루 전에

10 categories, / including the worst picture, director, and performers. /
10가지 부문이 있다　　최악의 영화, 감독, 그리고 연기자들을 포함하여

❽ The winner of each category / is chosen / by the Razzies Organization /
각 부문의 수상자는　　　　　　선정된다　　래지스 협회에 의해

and receives a raspberry trophy / painted with fake gold. /
그리고 라즈베리 트로피를 받는다　　가짜 금이 입혀진

❾ Most winners never go / to this awards show, / but Sandra Bullock
대부분의 수상자들은 절대 가지 않는다　이 시상식에　　　하지만 산드라 블록은 그랬다

did / in 2010. / ❿ She received the Worst Actress award / and gave a
　　2010년에　　그녀는 최악의 여배우상을 받았다　　　　　그리고 재치 있는

humorous speech. / ⓫ Ironically, / she won an Oscar / the next day / for
연설을 전했다　　　역설적이게도　　그녀는 오스카상을 수상했다　다음 날에

a different film! /
다른 영화로

구문 해설

❷ They are happy **to receive awards** for their hard work.
→ to receive awards는 '상을 받아서'라는 의미로, [감정의 원인]을 나타내는 to부정사의 부사적 용법으로 쓰였다.

❸ However, there is one awards show [that **no one** wants to attend].
→ [ ]는 앞에 온 선행사 one awards show를 수식하는 목적격 관계대명사절이다. 이때 목적격 관계대명사 that은 생략하거나, which로 바꿔 쓸 수 있다.
→ no one은 '아무도[누구도] ~하지 않다'라는 의미로, [전체 부정]을 나타낸다.
　cf. not every: 모든 ~가 …한 것은 아니다 [부분 부정]　*ex.* **Not every** person thinks so. (모든 사람이 그렇게 생각하는 것은 아니다.)
→ 「want + to-v」는 '~하기를 원하다'라는 의미이다.

❺ 「B be given to A」는 'B가 A에게 주어지다'라는 의미로, 「give + 간접목적어(A) + 직접목적어(B)」에서 직접목적어를 주어로 만든 수동태 표현이다. = 「A be given B」: A가 B를 받다　*ex.* the worst films and performers **are given** prizes (최악의 영화와 연기자가 상을 받는다)

1 이 글의 제목을 다음과 같이 나타낼 때, 빈칸에 들어갈 단어를 글에서 찾아 쓰시오.
(단, 주어진 철자로 시작하여 쓰시오.)

A Film ___Awards___ ___Show___ for the ___Worst___ Movie
최악의 영화를 위한 영화 시상식

2 이 글의 흐름으로 보아, 다음 문장이 들어가기에 가장 적절한 곳은?

However, there is one awards show that no one wants to attend.
하지만, 아무도 참석하기를 원하지 않는 한 시상식이 있다.

① ✓② ③ ④ ⑤

3 다음 영영 풀이에 해당하는 단어를 글에서 찾아 쓰시오.

a formal talk about a particular subject given to an audience
청중에게 전해지는 특정 주제에 대한 격식을 차린 담화

___speech___ 연설

4 골든 라즈베리 시상식에 관한 이 글의 내용과 일치하지 <u>않는</u> 것을 <u>모두</u> 고르시오.

✓① 영화인들의 공로를 기념하기 위해 만들어졌다.
② 주로 오스카 시상식이 개최되기 하루 전날 열린다.
③ 영화, 감독 등을 포함해 총 10가지의 수상 부문이 있다.
✓④ 현재까지 산드라 블록을 포함한 대부분의 수상자가 참석했다.
⑤ 오스카상과 중복하여 수상할 수 있다.

문제 해설

1 최악의 영화와 연기자에게 상을 주는 골든 라즈베리 시상식을 소개하는 글이므로, 제목으로 '최악의 영화를 위한 영화 시상식'이 가장 적절하다.

2 주어진 문장은 영화 시상식에서 노고에 대한 상을 받아 영화 관계자들이 기뻐한다는 내용의 문장 ❷와 반면에 (최악의 영화와 연기자들에게 상을 주는) 골든 라즈베리라는 시상식이 있다고 밝힌 문장 ❹ 사이에 오는 것이 자연스러우므로, ②가 가장 적절하다.

3 '청중에게 전해지는 특정 주제에 대한 격식을 차린 담화'라는 뜻에 해당하는 단어는 speech(연설)이다.

4 ①: 문장 ❺를 통해 골든 라즈베리 시상식은 최악의 영화와 연기자들을 뽑기 위해 만들어졌음을 알 수 있다.
④: 문장 ❾에서 대부분의 수상자들은 절대 이 시상식에 가지 않는다고 했다.
②는 문장 ❻에, ③은 문장 ❼에, ⑤는 문장 ⓫에 언급되어 있다.

❼ including은 '~을 포함하여'라는 의미의 전치사이다.

❽ The winner of each category ~ receives a raspberry trophy [**painted** with fake gold].
→ [ ]는 앞에 온 a raspberry trophy를 수식하는 과거분사구이다. 이때 painted는 '입혀진, 칠해진'이라고 해석한다.

❾ Most winners never go to this awards show, but Sandra Bullock **did** in 2010.
→ 대동사 do는 동사(구)의 반복을 피하기 위해 사용된다. 이 문장에서는 과거형 did가 앞의 go to this awards show를 대신하고 있다.
= ~ but Sandra Bullok **went to this awards show** in 2010.

본문 해석

❶ 농구장은 거친 호흡으로 가득 차 있었다. ❷ 경기 종료까지 단 3초가 남아 있었고, Charlotte Hornets라는 팀은 2점 차이로 지고 있었다.

❻ 그때, Jeremy Lamb은 골대로부터 14미터 이상 떨어져 있었다. ❼ 그는 공을 움켜잡았다. ❽ 아직 득점해서 경기에서 이길 수 있는 마지막 한 번의 기회가 있었다.

❸ 타이머가 단 0.5초가 남아 있는 것을 보여주고 있을 때 그는 공을 던졌다. ❹ 공이 공중에 날아가고 있는 동안 버저가 울렸다. ❺ 그러고 나서, 기적처럼 그 공이 들어갔다.

❾ Charlotte Hornets는 Jeremy의 버저비터 덕분에 이겼다. ❿ 버저비터는 경기 종료의 버저가 울린 후에 득점된 슛이다. ⓫ 이것은 보기에 가장 흥미진진한 슛 중 하나이다. ⓬ 격언에서도 말하듯, 끝날 때까지는 정말로 끝난 것이 아니다.

---

❶ The basketball court / was full of heavy breathing. / ❷ Only three
　농구장은　　　　　　　거친 호흡으로 가득 차 있었다　　　　단 3초가

seconds were left / until the end of the game, / and the team / —the
남아 있었다　　　　　경기의 종료까지　　　　　그리고 그 팀은

Charlotte Hornets— / was losing / by two points. /
Charlotte Hornets라는　　지고 있었다　　2점 차이로

(B) ❻ At that moment, / Jeremy Lamb was more than 14 meters
　　　그때　　　　　　Jeremy Lamb은 14미터 이상 떨어져 있었다

away / from the basket. / ❼ He grabbed the ball. / ❽ There was still one
　　　　골대로부터　　　　그는 공을 움켜잡았다　　　아직 마지막 한 번의 기회가

last chance / to score and win the game. /
있었다　　　득점해서 경기에서 이길 수 있는

(A) ❸ He shot the ball / when the timer was showing / that only half
　　　그는 공을 던졌다　　타이머가 보여주고 있었을 때　　　단 0.5초가

a second remained. / ❹ The buzzer sounded / while the ball was flying /
남아 있는 것을　　　　버저가 울렸다　　　공이 날아가고 있는 동안

through the air. / ❺ Then, / like a miracle, / the ball went in. /
공중에　　　　그러고 나서　기적처럼　　　그 공이 들어갔다

(C) ❾ The Charlotte Hornets won / thanks to Jeremy's buzzer beater. /
　　　Charlotte Hornets는 이겼다　　　Jeremy의 버저비터 덕분에

❿ A buzzer beater is a shot / scored / after the buzzer sounds / for the end
　버저비터는 슛이다　　　　득점된　　버저가 울린 후에　　　경기의 종료에 대한

of the game. / ⓫ It is one of the most exciting shots / to watch. / ⓬ As the
이것은 가장 흥미진진한 슛 중 하나이다　　　보기에　　　격언에서

saying goes, / it truly isn't over / until it's over. /
말하듯　　　정말로 끝난 것이 아니다　끝날 때까지는

구문 해설

❽ to score and (to) win the game은 '득점해서 경기에서 이길 수 있는'이라는 의미로, to부정사의 형용사적 용법으로 쓰여 one last chance를 수식하고 있다.

❸ He shot the ball when the timer **was showing** [that only half a second remained].
　→ 「be동사의 과거형 + v-ing」는 과거진행 시제로, '~하고 있었다, ~하는 중이었다'라고 해석한다.
　→ [ ]는 was showing의 목적어 역할을 하는 명사절이다. 이때 명사절 접속사 that은 생략할 수 있다.

❹ while은 부사절을 이끄는 접속사로, '~하는 동안'이라는 의미이다. 주로 진행 시제와 함께 쓰인다.

❿ A buzzer beater is a shot [**scored** *after* the buzzer sounds for the end of the game].
　→ [ ]는 앞에 온 a shot을 수식하는 과거분사구이다. 이때 scored는 '득점된'이라고 해석한다.
　→ after는 '~후에'라는 의미로, 부사절을 이끄는 접속사로 쓰여 뒤에 「주어 + 동사」의 절이 왔다.

1 이 글의 단락 (A)~(C)를 순서에 맞게 배열한 것으로 가장 적절한 것은?

① (A) – (B) – (C)　　　② (A) – (C) – (B)　　　✔③ (B) – (A) – (C)

④ (B) – (C) – (A)　　　⑤ (C) – (B) – (A)

2 경기 종료 직전과 직후 Jeremy Lamb의 심경 변화로 가장 적절한 것은?

✔① 초조한 → 기쁜　　　　　　② 신이 난 → 부끄러운

③ 긴장한 → 좌절한　　　　　　④ 희망적인 → 미안한

⑤ 안도한 → 즐거운

3 이 글을 읽고 답할 수 <u>없는</u> 질문을 <u>모두</u> 고른 것은?

> (A) What is the name of Jeremy Lamb's team?
> Jeremy Lamb의 팀 이름은 무엇인가?
>
> (B) What is a buzzer beater in a basketball game?
> 농구 경기에서 버저비터란 무엇인가?
>
> (C) What was the final score of Jeremy Lamb's team?
> Jeremy Lamb의 팀의 최종 점수는 몇 점이었는가?
>
> (D) How many players have made a buzzer beater?
> 얼마나 많은 선수들이 버저비터를 성공했는가?

① (A), (B)　　　　② (A), (D)　　　　③ (B), (C)

④ (B), (D)　　　　✔⑤ (C), (D)

4 이 글이 주는 교훈으로 가장 적절한 것은?

✔① Don't give up until the end. 끝까지 포기하지 말아라.

② Be willing to admit your losses. 기꺼이 패배를 인정하라.

③ Don't wish for a miracle without effort. 노력 없이 기적을 바라지 말아라.

④ It's important to work together. 함께 노력하는 것이 중요하다.

⑤ You should be careful with everything. 모든 일에 신중해야 한다.

정답　1 ③　2 ①　3 ⑤　4 ①

---

1 경기 종료까지 3초가 남은 상황을 설명한 이후에, 마지막 득점 기회가 있었다는 내용의 (B), 0.5초를 남기고 Jeremy Lamb이 던진 공이 버저가 울린 후 득점됐다는 내용의 (A), 이처럼 버저가 울린 후 득점된 슛을 버저비터라고 한다는 내용의 (C)의 흐름이 가장 적절하다.

2 Jeremy Lamb은 경기 종료 직전에 2점 차이로 지고 있는 데다가 골대에서 멀리 떨어져 있어 초조했을 것이다. 그러나 종료 직후 버저비터에 성공해 이겼으므로 기뻤을 것이다. 따라서 심경 변화로 ①이 가장 적절하다.

3 (C): Jeremy Lamb의 팀이 2점 차로 지고 있다가 역전승을 거뒀다고는 했지만, 최종 점수에 대한 언급은 없다.
(D): 버저비터를 성공한 선수들의 수에 대한 언급은 없다.
(A): 문장 ❾를 통해 Jeremy Lamb의 팀이 Charlotte Hornets임을 알 수 있다.
(B): 문장 ❿에서 버저비터는 경기의 종료 버저가 울린 후 득점된 슛이라고 했다.

4 끝까지 포기하지 않은 덕분에 역전승을 거둔 사례를 설명하고 있는 글이므로, 교훈으로 ① '끝까지 포기하지 말아라.'가 가장 적절하다.

⓫　It is **one of the most exciting shots** *to watch*.

→ 「one of the + 최상급 + 복수명사」는 '가장 ~한 … 중 하나'라는 의미이다.

→ to watch는 '보기에'라는 의미로, to부정사의 부사적 용법으로 쓰여 형용사의 최상급 most exciting을 수식하고 있다.

⓬　**As** the saying goes, it truly isn't over *until* it's over.

→ As는 '~하듯이, ~하는 대로'라는 의미로, 부사절을 이끄는 접속사로 쓰여 뒤에 「주어 + 동사」의 절이 왔다.

　　cf. 접속사 as의 다양한 의미: ① ~하듯이, ~하는 대로 ② ~하면서, ~하고 있을 때 ③ ~하기 때문에 ④ ~할수록, ~함에 따라

→ until은 '~할 때까지'라는 의미로, 부사절을 이끄는 접속사로 쓰여 뒤에 「주어 + 동사」의 절이 왔다.

　　cf. 「전치사 until + 명사」: ~까지　*ex.* Let's stay awake **until midnight**. (자정까지 계속 깨어 있자.)

본문 해석

❶ <캐리비안의 해적>이라는 유명한 영화 시리즈에서, 거대한 바다 생물이 긴 촉수로 배들을 파괴한다. ❷ 그것은 크라켄이라고 불리는 전설 속의 괴물이다. ❸ 크라켄은 바다에 관한 고대 신화에서 기원했다. ❹ 그러나 과거에 많은 선원들은 그들이 진짜 크라켄을 봤다고 주장했다. ❺ 그들 중 몇몇은 심지어 그것이 그들을 공격했다고 말했다!

❻ 사실, 대왕오징어라는 비슷한 동물이 실제로 존재한다. ❼ 역사상 가장 큰 것은 18미터 길이의 몸을 가졌고 무게가 1톤이 나갔다. ❽ 그러나 대왕오징어가 얼마나 크게 자랄 수 있는지는 아무도 모른다. ❾ 이 오징어들은 300미터에서 600미터 깊이의 물속에 살아서, 드물게 모습을 보인다. ❿ 하지만, 그것들은 때때로 그것들 가까이에 오는 배를 공격한다. ⓫ 그래서, 많은 사람들이 크라켄이라고 아는 것은 이 괴물 같은 생물일지도 모른다.

❶ In the famous film series, / *Pirates of the Caribbean*, / a huge sea
유명한 영화 시리즈에서   <캐리비안의 해적>이라는   거대한 바다

creature / destroys ships / with its long tentacles. / ❷ ⓐ It is a legendary
생물이   배들을 파괴한다   그것의 긴 촉수들로   그것은 전설 속의

monster / called the Kraken. / ❸ The Kraken originated / from ancient
괴물이다   크라켄이라고 불리는   크라켄은 기원했다   고대 신화에서

myths / about the ocean. / ❹ But many sailors / in the past / insisted / they
바다에 관한   그러나 많은 선원들은   과거에   주장했다

had seen the real Kraken. / ❺ Some of ⓑ them even said / it had attacked
그들이 진짜 크라켄을 봤다고   그들 중 몇몇은 심지어 말했다   그것이 그들을 공격했다고

them! /

❻ In fact, / a similar animal actually exists / —the giant squid. /
사실   비슷한 동물이 실제로 존재한다   대왕오징어라는

❼ The largest one in history / had an 18-meter-long body / and weighed a
역사상 가장 큰 것은   18미터 길이의 몸을 가졌다   그리고 무게가 1톤이

ton. / ❽ But no one knows / how big the giant squid can grow. / ❾ These
나갔다   그러나 아무도 모른다   얼마나 크게 대왕오징어가 자랄 수 있는지

squid live underwater / at depths between 300 and 600 meters, / so they
이 오징어들은 물속에 산다   300미터와 600미터 사이의 깊이의   그래서 그것들은

are rarely seen. / ❿ However, / they sometimes attack ships / that come
드물게 보인다   하지만   그것들은 때때로 배들을 공격한다   그것들

near ⓒ them. / ⓫ So, / what many people know / as the Kraken / may be
가까이에 오는   그래서 많은 사람들이 아는 것은   크라켄이라고

this monster-like creature. /
이 괴물 같은 생물일지도 모른다

구문 해설

❷ It is a legendary monster [**called** the Kraken].
→ [ ]는 앞에 온 a legendary monster를 수식하는 과거분사구이다. 이때 called는 '~이라고 불리는'이라고 해석한다.

❹ But many sailors in the past insisted [(that) they **had seen** the real Kraken].
→ [ ]는 insisted의 목적어 역할을 하는 명사절로, 명사절 접속사 that이 생략되어 있다.
→ had seen은 과거완료 시제(had p.p.)로, 이 문장에서는 과거의 특정 시점보다 더 이전에 발생한 일을 나타낸다. 많은 선원들이 주장했던 시점보다 더 이전에 진짜 크라켄을 봤다는 의미이다.

❺ Some of them even said [(that) it **had attacked** them]!
→ [ ]는 said의 목적어 역할을 하는 명사절로, 명사절 접속사 that이 생략되어 있다.
→ had attacked는 과거완료 시제(had p.p.)로, 이 문장에서는 과거의 특정 시점보다 더 이전에 발생한 일을 나타낸다.

문제 해설

1 What is the best title for the passage? 이 글의 제목으로 가장 적절한 것은?

① Giant Squid: Do They Really Exist? 대왕오징어: 그것들은 정말로 존재하는가?
✓② Kraken: It Could Be a Real Creature 크라켄: 그것은 실재하는 생물일 수도 있다
③ Krakens Are Not Actually Dangerous 크라켄은 사실 위험하지 않다
④ A Myth about Giant Underwater Animals 거대한 수중 동물들에 관한 신화
⑤ The History of the World's Biggest Animal 세계에서 가장 큰 동물의 역사

2 Why are giant squid rarely seen? Write the answer in Korean.
대왕오징어가 드물게 보이는 이유는 무엇인가? 우리말로 쓰시오.
<u>300미터에서 600미터 깊이의 물속에 살기 때문에</u>

3 Write T if the statement is true or F if it is false. 이 글의 내용과 일치하면 T, 그렇지 않으면 F를 쓰시오.

(1) In the past, many sailors believed the Kraken really existed.   T
과거에, 많은 선원들은 크라켄이 정말 존재한다고 믿었다.
(2) The giant squid is known to grow as big as 18 meters long.   F
대왕오징어는 18미터 길이만큼 크게 자란다고 알려져 있다.
(3) Sailors sometimes try to hunt and kill giant squid.   F
선원들은 가끔 대왕오징어를 사냥하고 죽이려고 한다.

4 Write what ⓐ, ⓑ, and ⓒ refer to in the passage. ⓐ, ⓑ, ⓒ가 가리키는 것을 글에서 찾아 쓰시오.

ⓐ: <u>a huge sea creature</u>   거대한 바다 생물
ⓑ: <u>many sailors</u>   많은 선원들
ⓒ: <u>the giant squid</u>   대왕오징어들

5 Complete the sentences with the following words. 다음 중 알맞은 말을 골라 문장을 완성하시오.

dangerous	films	similar	myths
위험한	영화들	비슷한	신화들

The Kraken is a legendary creature originally found in <u>myths</u>. It is <u>similar</u> to giant squid, which have large bodies and sometimes attack ships.

크라켄은 원래 신화에서 발견되는 전설 속의 생물이다. 그것은 대왕오징어와 <u>비슷한데</u>, 그것들은 거대한 몸을 가지고 있고 가끔 배를 공격한다.

정답 **1** ② **2** 300미터에서 600미터 깊이의 물속에 살기 때문에 **3** (1) T (2) F (3) F
4 ⓐ a huge sea creature ⓑ many sailors ⓒ the giant squid **5** myths, similar

---

1 전설 속의 괴물인 크라켄과 비슷한 대왕오징어라는 바다 생물이 실제로 존재한다는 것을 설명하는 글이므로, 제목으로 ② '크라켄: 그것은 실재하는 생물일 수도 있다'가 가장 적절하다.

2 문장 ❾에서 대왕오징어는 300미터에서 600미터 깊이의 물속에 살기 때문에 드물게 보인다고 했다.

3 (1) 문장 ❹에서 과거 많은 선원들이 진짜 크라켄을 봤다고 주장했다고 했으므로, 그들이 크라켄이 정말 존재한다고 믿었음을 알 수 있다.
(2) 문장 ❼에서 역사상 가장 큰 대왕오징어가 18미터 길이의 몸을 가졌다고는 했지만, 문장 ❽에서 그것이 얼마나 크게 자랄 수 있는지는 아무도 모른다고 했다.
(3) 문장 ❿에서 대왕오징어가 때때로 그것들 가까이에 오는 배를 공격한다고는 했지만, 선원들이 대왕오징어를 사냥한다는 것에 대한 언급은 없다.

4 ⓐ는 문장 ❶의 a huge sea creature (거대한 바다 생물)를, ⓑ는 문장 ❹의 many sailors(많은 선원들)를, ⓒ는 문장 ❽의 the giant squid(대왕오징어들 = 문장 ❾의 These squid)를 가리킨다.

5 문제 해석 참고

---

❼ 부정대명사 one은 앞에서 언급한 명사와 같은 종류의 불특정한 대상을 가리킨다. 여기서는 앞에 나온 the giant squid와 같은 종류의 불특정한 대상을 가리킨다.

❽ But **no one** knows [how big the giant squid can grow].
→ no one은 '아무도[누구도] ~하지 않다'라는 의미로, [전체 부정]을 나타낸다.
→ [ ]는 「how + 형용사 + 주어 + 동사」의 간접의문문으로, knows의 목적어 역할을 하고 있다. 이때 how는 '얼마나'라고 해석한다.
  cf. 「how + 주어 + 동사」: 어떻게 ~하는지
  ex. I don't know **how I can move** the big stone. (난 그 큰 돌을 어떻게 움직일 수 있을지 모르겠다.)

⓫ So, [**what** many people know as the Kraken] may be this monster-like creature.
→ [ ]는 문장의 주어 역할을 하는 관계대명사절이다. 관계대명사 what은 선행사를 포함하고 있으며, '~하는 것'이라는 의미이다. 이때 what은 the thing(s) which[that]로 바꿔 쓸 수도 있다.   ex. So, **the thing which** people know as the Kraken may be this ~ creature.

본문 해석

❶ 나트론 호수는 메두사의 호수라고 알려져 있다. ❷ 메두사가 살아있는 것을 돌로 바꿔 버렸듯이, 그 호수도 메두사와 같은 것을 하는 것처럼 보인다.

❸ 어느 날, 아프리카를 여행하던 사진사가 이 독특한 호수를 봤다. ❹ 호숫가를 따라 온갖 종류의 죽은 박쥐와 새가 있었다. ❺ 하지만, 그것들은 일반적인 죽은 동물들처럼 보이지 않았다. ❻ 그것들의 몸은 메말라 있었고 바위만큼 딱딱해서, 마치 돌 조각처럼 보였다!

❼ 사실, 이 동물들은 호수 때문에 죽었다. ❽ 이것은 나트론 호수가 10.5의 pH 농도를 가지고 있기 때문이다. ❾ 그것은 화상을 야기해서 결국 동물들을 죽일 만큼 충분히 높다. ❿ 게다가, 호수에는 많은 양의 염분이 있다. ⓫ 그래서, 그 염수는 죽은 동물들의 몸에서 수분을 빨아들인다. ⓬ 이것은 꼭 미라처럼, 동물의 사체를 똑같은 상태로 남아있게 만든다!

❶ Lake Natron is known as / the lake of Medusa. /
Natron(나트론) 호수는 ~라고 알려져 있다   메두사의 호수
❷ As Medusa
메두사가 바꿔 버렸듯이
turned / living things into stone, / the lake seems / to do the same. /
살아있는 것들을 돌로   그 호수는 보인다   (메두사와) 같은 것을 하는 것처럼
❸ One day, / a photographer / traveling in Africa / saw this unusual
어느 날   사진사가   아프리카를 여행하던   이 독특한 호수를 봤다
lake. / ❹ There were all kinds of dead bats and birds / along the shore. /
온갖 종류의 죽은 박쥐와 새들이 있었다   호숫가를 따라
❺ However, / they did not seem like / typical dead animals. / ❻ Their
하지만   그것들은 ~처럼 보이지 않았다   일반적인 죽은 동물들
bodies were dried up / and as hard as rocks, / so they looked like stone
그것들의 몸은 메말라 있었다   그리고 바위만큼 딱딱했다   그래서 그것들은 돌 조각들처럼 보였다
sculptures! /

❼ Actually, / these animals were killed / by the lake. / ❽ This is
사실   이 동물들은 죽임을 당했다   호수에 의해   이것은
because / Lake Natron has a pH level of 10.5. / ❾ It is high enough / to
~ 때문이다   나트론 호수가 10.5의 pH 농도를 가지고 있기   그것은 충분히 높다
cause burns / and eventually kill animals. / ❿ In addition, / the lake has
화상을 야기할 만큼   그리고 결국 동물들을 죽일 만큼   게다가   그 호수는 많은
a high amount of salt. / ⓫ So, / the saltwater absorbs the moisture / from
양의 염분을 가지고 있다   그래서 그 염수는 수분을 빨아들인다
the dead bodies of animals. / ⓬ This causes them to remain / in the same
동물들의 죽은 몸에서   이것은 그것들(동물의 사체)을 남아있게 만든다   똑같은
condition, / exactly like a mummy! /
상태로   꼭 미라처럼

구문 해설

❶   be known as는 '~이라고[으로] 알려지다'라는 의미의 수동태 표현이다.
    cf. be known for: ~으로 유명하다   *ex.* This bakery **is known for** its pumpkin pie. (이 제과점은 호박 파이로 유명하다.)
      be known to: ~에게 알려지다   *ex.* This website **is known to** many teenagers. (이 웹사이트는 많은 십대들에게 알려져 있다.)

❷   **As** Medusa *turned living things into stone*, the lake seems to do the same.
    → As는 '~하듯이, ~하는 대로'라는 의미로, 부사절을 이끄는 접속사로 쓰여 뒤에 「주어 + 동사」의 절이 왔다.
      cf. 「전치사 as + 명사」: ~으로서, ~처럼   *ex.* Jim received a new hat **as a gift**. (Jim은 선물로 새 모자를 받았다.)
    → 「turn A into B」는 'A를 B로 바꾸다'라는 의미이다.
    → 「seem + to-v」는 '~하는 것처럼 보이다, ~하는 것 같다'라는 의미이다.

❸   One day, a photographer [**traveling** in Africa] saw this unusual lake.
    → [ ]는 앞에 온 a photographer를 수식하는 현재분사구이다. 이때 traveling은 '여행하는, 여행하던'이라고 해석한다.

1 이 글의 제목으로 가장 적절한 것은?

① A Lake in Africa That Never Dries Up 아프리카의 절대 마르지 않는 호수
② Lake Natron: Africa's Only Saltwater Lake 나트론 호수: 아프리카의 유일한 염수호
③ Polluted Lakes May Cause Animals' Deaths 오염된 호수는 동물의 죽음을 야기할 수 있다
④ A Place That Turns Animals into Mummies 동물을 미라로 바꾸는 곳
⑤ Lake Natron: Where the Story of Medusa Begins 나트론 호수: 메두사의 이야기가 시작된 곳

2 이 글의 밑줄 친 This가 의미하는 내용을 우리말로 쓰시오.

염수가 죽은 동물들의 몸에서 수분을 빨아들이는 것

3 이 글에 따르면, 나트론 호수 근처의 동물들이 죽게 된 원인은?

① extremely hot weather 극도로 더운 날씨
② the high pH level of the lake 호수의 높은 pH 농도
③ a lack of water in the lake 호수 내 부족한 물
④ fighting between animals 동물들 간의 싸움
⑤ stones that crashed into the lake 호수와 충돌한 암석

4 이 글의 내용으로 보아, 괄호 안에서 알맞은 말을 골라 각 문장을 완성하시오.

> The high level of (pH / salt) causes animals to become (like mummies / burned).

(1) The high level of ___pH___ causes animals to become ___burned___.
  높은 농도의 pH는 동물들이 화상을 입게 되도록 만든다.
(2) The high level of ___salt___ causes animals to become ___like mummies___.
  높은 농도의 염분은 동물들이 미라처럼 되도록 만든다.

문제 해설

1 높은 농도의 pH와 염분 때문에 주변 동물들을 죽게 하고 그 사체를 미라처럼 만드는 나트론 호수를 소개하는 글이므로, 제목으로 ④ '동물을 미라로 바꾸는 곳'이 가장 적절하다.

2 문장 ⑪에 언급된 내용을 의미한다. 염수가 죽은 동물들의 몸에서 수분을 빨아들이는 것(= This)이 꼭 미라처럼 동물들의 사체를 똑같은 상태로 남아 있게 만든다는 의미이다.

3 문장 ⑧-⑨에서 나트론 호수의 pH 농도는 화상을 야기해서 동물들을 죽일 만큼 높다고 했다. 따라서 동물들이 죽게 된 원인으로 ② '호수의 높은 pH 농도'가 가장 적절하다.

4 문장 ⑨에서 높은 pH 농도가 동물들에게 화상을 야기할 수 있다고 했고, 문장 ⑪-⑫에서 염수가 동물의 사체에서 수분을 빨아들여 미라처럼 만든다고 했다.

정답 **1** ④ **2** 염수가 죽은 동물들의 몸에서 수분을 빨아들이는 것 **3** ②
  4 (1) pH, burned (2) salt, like mummies

---

❺ 「seem like + 명사」는 '~처럼 보이다'라는 의미이다. *cf.* 「seem + 형용사」: ~하게 보이다

❻ 「as + 형용사/부사 + as」는 '~만큼 …한/하게'라는 의미이다. 이 문장에서는 '바위만큼 딱딱한'이라고 해석한다.

❽ This is because는 '이것은 ~ 때문이다'라는 의미로, because 뒤에 오는 내용이 앞 문장에 대한 이유가 된다.

❾ 「형용사/부사 + enough + to-v」는 '~할 만큼 충분히 …한/하게'라는 의미이다. 이 문장에서는 enough 뒤에 to cause와 (to) kill이 접속사 and로 연결되어 쓰였다.
  = 「so + 형용사/부사 + that + 주어 + can + 동사원형」 *ex.* It is **so high that it can cause** burns and eventually **kill** animals.

⑫ This **causes them to remain** in the same condition, exactly like a mummy!
  → 「cause + 목적어 + to-v」는 '~가 …하게 만들다, 야기하다'라는 의미이다.

본문 해석

❶ 올림픽 챔피언들이 사진을 위해 자세를 취할 때, 그들은 종종 한 가지를 하는데, 금메달을 깨무는 것이다! ❷ 그들은 왜 이것을 할까?

❸ 과거에, 금화는 흔히 쓰였다. ❹ 그러나 몇몇 못된 사람들은 가짜 금화를 만들기 위해 구리 같은 다른 금속들을 첨가했다. ❺ 그러므로, 동전이 순금인지 아닌지 알아내기 위해, 상인이 그것을 깨물고는 했다. ❻ 금은 매우 무른 금속이기 때문에, 동전을 깨무는 것은 잇자국을 남겼을 것이다. ❼ 반면에, 만약 동전에 다른 금속들이 들어 있다면, 아무런 잇자국도 보이지 않았을 것이다.

❽ 비록 사람들이 더 이상 금화를 사용하지는 않지만, 그 전통은 금메달과 함께 계속되고 있다. ❾ 하지만, 올림픽 금메달은 1912년 이후로 순금으로 만들어지지 않고 있다. ❿ 그래서 그것을 깨물면, 쉽게 자국이 남지 않을 것이다.

❶ When Olympic champions pose / for photos, / they often do one
올림픽 챔피언들이 자세를 취할 때   사진을 위해   그들은 종종 한 가지를 한다

thing: / bite their gold medals! / ❷ Why do they do this? /
그들의 금메달을 깨문다   그들은 왜 이것을 할까

❸ In the past, / gold coins were commonly used. / ❹ But some bad
과거에   금화는 흔히 쓰였다   그러나 몇몇 못된

people added other metals, / such as copper, / to make fake gold coins. /
사람들이 다른 금속들을 첨가했다   구리와 같은   가짜 금화를 만들기 위해

❺ (A) Therefore, / to find out / if a coin was pure gold or not, / the
그러므로   알아내기 위해   동전이 순금인지 아닌지

merchant would bite it. / ❻ Since gold is a very soft metal, / biting the
상인이 그것을 깨물고는 했다   금은 매우 무른 금속이기 때문에   동전을 깨무는 것은

coin / would leave teeth marks. / ❼ On the other hand, / if the coin
잇자국을 남겼을 것이다   반면에   만약 동전에

contained other metals, / no teeth marks would be seen. /
다른 금속들이 들어 있다면   아무런 잇자국도 보이지 않았을 것이다

❽ Although people don't use gold coins / anymore, / the tradition
비록 사람들이 금화를 사용하지는 않지만   더 이상   그 전통은 계속되고

continues / with gold medals. / ❾ (B) However, / Olympic gold medals /
있다   금메달과 함께   하지만   올림픽 금메달은

haven't been made of pure gold / since 1912. / ❿ So / when you bite it, /
순금으로 만들어지지 않고 있다   1912년 이후로   그래서   당신이 그것을 깨물면

it won't get marked easily. /
그것에 쉽게 자국이 남지 않을 것이다

구문 해설

❹   such as는 '~과 같은'이라는 의미의 전치사이다.

❺   Therefore, **to find out** [*if* a coin was pure gold *or not*], the merchant <u>would</u> bite it.
→ to find out은 '알아내기 위해'라는 의미로, [목적]을 나타내는 to부정사의 부사적 용법으로 쓰였다.
→ [ ]는 to find out의 목적어 역할을 하는 명사절로, 이때 명사절 접속사 if는 '~인지 (아닌지)'라고 해석한다. if가 명사절 접속사로 쓰일 때는 문장 끝에 or not을 붙여 쓸 수 있다.
→ 조동사 would는 '~하고는 했다'라는 의미로 과거의 습관을 나타낼 수 있다.
     cf. used to: ~하고는 했다 [과거의 습관], 전에는 ~이었다 [과거의 상태]   *ex.* My dog **used to** be very small. (내 개는 전에 매우 작았다.)

❻   **Since** gold is a very soft metal, *biting the coin* would leave teeth marks.
→ Since는 '~ 때문에'라는 의미로, 부사절을 이끄는 접속사로 쓰여 뒤에 「주어 + 동사」의 절이 왔다.
     cf. 접속사 since의 두 가지 의미: ① ~ 때문에 ② ~ 이후로
     cf. 「전치사 since + 명사」: ~ 이후로   *ex.* It has rained heavily **since yesterday**. (어제 이후로 비가 많이 왔다.)

문제 해설

1 이 글의 내용과 일치하도록 괄호 안에서 알맞은 말을 골라 표시하시오.

(1) gold coins: 깨물었을 때 잇자국이 (<u>남는다</u> / 남지 않는다).
금화

(2) fake gold coins: 깨물었을 때 잇자국이 (남는다 / <u>남지 않는다</u>).
가짜 금화

2 이 글의 빈칸 (A)와 (B)에 들어갈 말로 가장 적절한 것은?

	(A)		(B)	
①	Therefore	……	However	그러므로 … 하지만
②	Therefore	……	For example	그러므로 … 예를 들어
③	However	……	In other words	하지만 … 다시 말해서
④	However	……	In short	하지만 … 요컨대
⑤	For example	……	So	예를 들어 … 그래서

3 이 글의 내용과 일치하면 T, 그렇지 않으면 F를 쓰시오.

(1) 금이 무르기 때문에 과거에는 다른 금속을 첨가해 금화를 만들었다. _____F_____

(2) 현재 올림픽 금메달은 순금으로 만들어지지 않는다. _____T_____

4 이 글의 내용으로 보아, 다음 빈칸에 공통으로 들어갈 말을 글에서 찾아 쓰시오.

> In the past, merchants would _____bite_____ gold coins because some people made fake ones. Nowadays, Olympic champions _____bite_____ their gold medals as merchants did.

과거에, 몇몇 사람들이 가짜 금화를 만들었기 때문에 상인들은 금화를 <u>깨물고</u>는 했다. 오늘날에는, 올림픽 챔피언들이 상인들이 그랬듯이 그들의 금메달을 <u>깨문다</u>.

---

1 문장 ❻에서 금은 매우 물러서 깨물면 잇자국이 남을 것이라고 했고, 문장 ❼에서 다른 금속이 들어 있는 가짜 동전이라면 어떤 잇자국도 보이지 않을 것이라고 했다.

2 (A) 빈칸 앞에서 몇몇 못된 사람들이 가짜 금화를 만들기 위해 다른 금속을 첨가했다고 했고, 그 결과 빈칸이 있는 문장에서 상인이 순금인지 알아내기 위해 동전을 깨물었다고 했다. 따라서 빈칸 (A)에는 '그러므로'가 가장 적절하다.
(B) 빈칸 앞에서 금화 대신 금메달을 깨무는 전통이 계속되고 있다고 했으나, 빈칸이 있는 문장에서 금메달이 순금이 아니라고 했다. 따라서 빈칸 (B)에는 '하지만'이 가장 적절하다.

3 (1) 문장 ❸-❹에서 과거에 몇몇 못된 사람들이 다른 금속을 첨가해 가짜 금화를 만들었다고는 했지만, 그 이유에 대한 언급은 없다.
(2) 문장 ❾에서 1912년 이후로 올림픽 금메달은 순금으로 만들어지지 않고 있다고 했다.

4 문제 해석 참고

→ biting the coin은 문장의 주어 역할을 하는 동명사구이다.

❼ On the other hand, if the coin contained other metals, no teeth marks **would be seen**.
→ 조동사 뒤에는 동사원형이 오므로 조동사가 있는 수동태는 「조동사 + be p.p.」가 된다.

❽ Although는 부사절을 이끄는 접속사로, '비록 ~이지만, ~하더라도'라는 의미이다.

❾ However, Olympic gold medals **_haven't been_** made of pure gold since 1912.
→ haven't been은 현재완료 시제(have p.p.)로, 이 문장에서는 과거에 시작된 일이 현재까지 이어지는 [계속]을 나타낸다. 1912년 이후로 지금까지 계속해서 순금으로 만들어지지 않고 있다는 의미이다.
→ 수동태가 현재완료 시제로 쓰였다. 현재완료 시제는 have/has 뒤에 과거분사(p.p.)가 오므로 현재완료 시제의 수동태는 「have/has been + p.p.」가 된다.
→ be made of는 '~으로 만들어지다'라는 의미의 수동태 표현이다.

3

본문 해석

❶ 사람들이 다이어트 중일 때, '치팅 데이'는 사막의 오아시스 같다. ❷ 평소에, 그들은 건강에 좋은 음식만 먹는다. ❸ 그러나 치팅 데이에는 원하는 어떤 것이든 먹을 수 있다.

❹ 원래, 치팅 데이는 운동선수들을 위한 것이었다. ❻ 그들은 보통 근육을 키우고 회복하는 것을 돕는 고단백 식단을 유지한다. ❼ 하지만, 그들은 때때로 지방과 탄수화물이 많은 음식을 포함해 원하는 음식을 먹는다. ❺ 이것이 그들의 치팅 데이이다.

❽ 이제는, 다이어트로 살을 빼길 원하는 많은 사람들도 치팅 데이를 갖는다. ❾ 치팅 데이는 며칠 동안 엄격한 식단을 따른 후의 보상 역할을 한다. ❿ 그래서, 그것은 스트레스 완화를 돕고 다이어트 중인 사람들에게 잘하려는 추가적인 동기를 준다. ⓫ 그것은 또한 그들이 다른 날에 너무 많이 먹으려는 유혹을 극복하도록 돕는다. ⓬ 치팅 데이는 현명하게 쓰이기만 하면, 다이어트 중인 사람들이 살을 빼는 것을 도울 수 있다.

❶ When people are on a diet, / a "cheat day" is like an oasis / in the
사람들이 다이어트 중일 때   '치팅 데이'는 오아시스와도 같다   사막에서의

desert. / ❷ On regular days, / they only eat healthy foods. / ❸ But they can
평소에   그들은 건강에 좋은 음식만 먹는다   그러나 그들은 어떤

eat anything / that they want / on cheat days. /
것이든 먹을 수 있다 그들이 원하는   치팅 데이에는

❹ Originally, / cheat days were for athletes. / (B) ❻ They usually
원래   치팅 데이는 운동선수들을 위한 것이었다   그들은 보통

maintain high-protein diets / that help build and repair muscles. /
고단백 식단을 유지한다   근육을 키우고 회복하는 것을 돕는

(C) ❼ However, / they sometimes eat the foods / they want, / including
하지만   그들은 때때로 음식을 먹는다   그들이 원하는   많은 지방과

those with lots of fats and carbohydrates. / (A) ❺ These are their cheat
탄수화물을 가진 것들을 포함해   이것이 그들의 치팅 데이이다

days. /

❽ Now, / many people / who want to lose weight / by dieting / have
이제는   많은 사람들이   살을 빼기를 원하는   다이어트를 함으로써

cheat days, too. / ❾ A cheat day acts as a reward / after following a strict
또한 치팅 데이를 갖는다   치팅 데이는 보상의 역할을 한다   엄격한 식단을 따른 후

diet / for several days. / ❿ So, / it helps relieve stress / and gives dieters
며칠 동안   그래서 그것은 스트레스 완화를 돕는다 그리고 다이어트 중인

extra motivation / to do well. / ⓫ It also helps / them overcome the
사람들에게 추가적인 동기를 준다 잘하려는   그것은 또한 돕는다 그들이 유혹을 극복하는 것을

temptation / to eat too much / on other days. / ⓬ As long as it is used
너무 많이 먹으려는   다른 날에   그것이 현명하게 쓰이기만 하면

wisely, / a cheat day can help / dieters lose weight. /
치팅 데이는 도울 수 있다   다이어트 중인 사람들이 살을 빼는 것을

구문 해설

❸ But they can eat anything [that they want] on cheat days.
→ [ ]는 앞에 온 선행사 anything을 수식하는 목적격 관계대명사절이다. 선행사에 -thing, -body, -one으로 끝나는 대명사가 쓰였을 때는 주로 that을 쓴다.

❻ They usually maintain high-protein diets [that **help build** and **repair** muscles].
→ [ ]는 앞에 온 선행사 high-protein diets를 수식하는 주격 관계대명사절이다.
→「help + 동사원형」은 '~하는 것을 돕다'라는 의미이다. 이 문장에서는 동사원형 build와 repair가 접속사 and로 연결되어 쓰였다.
= 「help + to-v」 *ex.* **help to build** and **(to) repair** muscles

❼ However, they sometimes eat the foods [(which/that) they want], including **those** with ~ fats and carbohydrates.
→ [ ]는 앞에 온 선행사 the foods를 수식하는 목적격 관계대명사절로, 목적격 관계대명사 which/that이 생략되어 있다.
→ those는 앞에서 언급한 복수명사의 반복을 피하기 위해 사용된 대명사로, 이 문장에서는 앞에 나온 the foods를 대신해서 썼다.

1 이 글의 제목으로 가장 적절한 것은?

① Don't Eat Too Much on Cheat Days 치팅 데이에 너무 많이 먹지 말아라
② Food That Helps Dieters Lose Weight 다이어트 중인 사람들이 살을 빼는 것을 돕는 음식
③ Cheat Days: For Dieters as well as Athletes
　치팅 데이: 운동선수들뿐만 아니라 다이어트 중인 사람들을 위한 것
④ The Importance of a Balanced Diet for Health 건강을 위한 균형 잡힌 식단의 중요성
⑤ Athletes Who Invented Cheat Days for Dieters
　다이어트 중인 사람들을 위해 치팅 데이를 만든 운동선수들

2 이 글의 문장 (A)~(C)를 순서에 맞게 배열한 것으로 가장 적절한 것은?

① (A) - (C) - (B)　　　　　　② (B) - (A) - (C)
③ (B) - (C) - (A)　　　　　　④ (C) - (A) - (B)
⑤ (C) - (B) - (A)

3 이 글의 빈칸에 들어갈 말을 글에서 찾아 쓰시오. (단, 주어진 철자로 시작하여 쓰시오.)

　lose _____　weight _____　살을 빼다

4 이 글에서 cheat day의 효과로 언급되지 <u>않은</u> 것을 <u>모두</u> 고르시오.

① 스트레스를 해소하는 데 도움이 된다.
② 단기간에 체중을 감량하는 데 효과적이다.
③ 다이어트를 하는 데 동기 부여가 된다.
④ 과식의 유혹을 이겨내는 데 도움을 준다.
⑤ 일시적으로 에너지를 증가시킨다.

정답　**1** ③　**2** ③　**3** lose weight　**4** ②, ⑤

문제 해설

1 본래 운동선수들을 위해 만들어졌지만 다이어트를 하는 일반인들 사이에서도 유명해진 치팅 데이를 소개하는 글이므로, 제목으로 ③ '치팅 데이: 운동선수들뿐만 아니라 다이어트 중인 사람들을 위한 것'이 가장 적절하다.

2 치팅 데이가 운동선수들을 위한 날이었다는 언급 뒤에, 운동선수들은 평소에 고단백 식단을 유지한다는 내용의 (B), 그러나 때때로 먹고 싶은 것을 먹는다는 내용의 (C), 이날이 그들의 치팅 데이라는 (A)의 흐름이 가장 적절하다.

3 빈칸이 있는 단락에서 다이어트로 살을 빼길 원하는 사람들에게 치팅 데이가 어떻게 도움이 되는지 설명하고 있으므로, 빈칸에는 문장 ❽의 'lose weight(살을 빼다)'가 가장 적절하다.

4 ②, ⑤: 치팅 데이가 단기간에 체중을 감량시키거나 에너지를 증가시킨다는 것에 대한 언급은 없다.
①, ③은 문장 ❿에, ④는 문장 ⓫에 언급되어 있다.

---

　cf. that: 단수명사의 반복을 피하기 위해 사용　*ex.* The price of silver is lower than **that** of gold. (은의 가격은 금의 가격보다 낮다.)

❽　Now, many people [who want to lose weight **by dieting**] have cheat days, *too*.
　→ [ ]는 앞에 온 선행사 many people을 수식하는 주격 관계대명사절이다. 관계대명사 who는 사람을 선행사로 가진다.
　→ 「by + v-ing」는 '~함으로써, ~해서'라는 의미로 수단이나 방법을 나타낸다.
　→ 문장 끝에 쓰인 부사 too는 '또한, 역시'라는 의미이다.
　　cf. 「부정문, either」: 또한, 역시　*ex.* I don't like carrots, **either**. (나 또한 당근을 좋아하지 않는다.)

⓫　It also **helps them overcome** the temptation *to eat too much* on other days.
　→ 「help + 목적어 + 동사원형」은 '~가 …하는 것을 돕다'라는 의미이다.　= 「help + 목적어 + to-v」
　→ to eat too much는 '너무 많이 먹으려는'이라는 의미로, to부정사의 형용사적 용법으로 쓰여 the temptation을 수식하고 있다.

⓬　As long as는 부사절을 이끄는 접속사로, '~하기만 하면, ~하는 한'이라는 의미이다.

본문 해석

❶ 대부분의 예술가들은 그들의 모든 예술 작품에 서명을 한다. ❷ 하지만, 미켈란젤로는 그의 작품들 중 <피에타> 하나에만 서명을 했다. ❸ 이것은 예수와 그의 어머니 마리아의 조각상이다. ❹ 마리아의 어깨에는, "피렌체 출신의 미켈란젤로가 이것을 만들었다."라는 말이 있는 띠가 있다.

❺ 미켈란젤로는 1499년에 <피에타>를 조각했다. ❻ 그는 겨우 24살이었고, 그 당시 그나 그의 작품에 대해 알고 있는 사람은 많지 않았다. ❼ 어느 날, 그는 몇몇 구경꾼들이 <피에타>에 대해 말하고 있는 것을 들었다. ❽ 그들 중 한 사람이 누가 그것을 만들었는지 물었고, 누군가 "밀라노 출신의 예술인인 Gobbo가 조각했다는군."이라고 대답했다. ❾ 물론, 미켈란젤로는 기쁘지 않았다. ❿ 어느 날 밤 그는 몰래 조각상에 그의 이름을 새겼다. ⓫ 이것은 그의 명성이 높아지도록 만들었다. ⓬ 그러나 결국, 미켈란젤로는 그것에 서명한 것을 후회했다. ⓭ 그는 말했다. "세상의 창조자인 하느님조차도 그의 창조물에 서명을 남기지 않았건만, 내가 서명을 남겼구나!"

❶ Most artists sign / all of their artwork. / ❷ However, / Michelangelo
대부분의 예술가들은 서명을 한다 그들의 모든 예술 작품에 하지만 미켈란젤로는

only signed / one of his works / —the *Pietà*. / ❸ ⓐ This is a statue / of
오직 서명을 했다 그의 작품들 중 하나에 <피에타>라는 이것은 조각상이다

Jesus and his mother, Mary. / ❹ On Mary's shoulder, / there is a
예수와 그의 어머니인 마리아의 마리아의 어깨에는 말이 있는

strap with the words / "Michelangelo from Florence / made ⓑ this." /
띠가 있다 피렌체 출신의 미켈란젤로가 이것을 만들었다

❺ Michelangelo sculpted the *Pietà* / in 1499. / ❻ He was only 24
미켈란젤로는 <피에타>를 조각했다 1499년에 그는 겨우 24살이었다

years old, / and not many people knew / about him or his work / at the
그리고 많지 않은 사람들이 알았다 그나 그의 작품에 대해 그 당시에

time. / ❼ One day, / he heard / some viewers talking about ⓒ the *Pietà*. /
어느 날 그는 들었다 몇몇 구경꾼들이 <피에타>에 대해 말하고 있는 것을

❽ One of them asked / who had made it, / and someone answered, /
그들 중 한 사람이 물었다 누가 그것을 만들었는지 그리고 누군가 대답했다

"Gobbo, / the artist from the city of Milan, / carved ⓓ it." /
Gobbo가 밀라노라는 도시 출신의 예술인인 그것을 조각했다는군

❾ Michelangelo, / of course, / was (A) unhappy. / ❿ He secretly carved
미켈란젤로는 물론 기쁘지 않았다 그는 몰래 그의 이름을

his name / upon the statue / one night. / ⓫ ⓔ This made / his reputation
새겼다 그 조각상 위에 어느 날 밤에 이것은 만들었다 그의 명성이

grow. / ⓬ But eventually, / Michelangelo (B) regretted signing it. / ⓭ He
높아지도록 그러나 결국 미켈란젤로는 그것에 서명한 것을 후회했다 그는

said, / "God, creator of the world, / did not even leave a signature / on his
말했다 세상의 창조자인 하느님도 심지어 서명을 남기지 않았다 그의

creatures, / but I did!" /
창조물들에 하지만 내가 그랬구나

구문 해설

❼ One day, he **heard some viewers talking** about the Pietà.
→ 「hear + 목적어 + 현재분사」는 '~가 …하고 있는 것을 듣다'라는 의미이다. 진행의 의미를 강조하기 위해 동사원형 대신 현재분사가 쓰였다.

❽ One of them asked [who **had made** it], and someone answered, "*Gobbo, the artist from the city of Milan*, carved it."
→ [ ]는 주어가 의문사인 간접의문문으로, asked의 목적어 역할을 하고 있다. 이 문장에서처럼 간접의문문의 주어가 의문사인 경우 뒤에 바로 동사가 온다.
→ had made는 과거완료 시제(had p.p.)로, 이 문장에서는 과거의 특정 시점보다 더 이전에 발생한 일을 나타낸다. 그들 중 한 명이 물었던 시점보다 더 이전에 누가 피에타를 만들었다는 의미이다.
→ Gobbo와 the artist from the city of Milan은 콤마로 연결된 동격 관계로, Gobbo가 밀라노라는 도시 출신의 예술인라는 의미이다.

1 What is the main topic of the passage? 이 글의 주제로 가장 적절한 것은?

① the story behind the name of the *Pietà* <피에타>라는 이름의 뒷이야기
② an artist who had great pride in his works 작품에 대단한 자부심을 지녔던 예술가
③ a popular sculpture by an unknown artist 알려지지 않은 예술가의 인기 있는 조각
④ how the *Pietà* got Michelangelo's signature <피에타>가 어떻게 미켈란젤로의 서명을 얻었는지
⑤ the recent discovery of an artwork by Michelangelo 최근 발견된 미켈란젤로의 예술 작품

2 Among ⓐ~ⓔ, which one refers to something different? ⓐ~ⓔ 중, 가리키는 대상이 다른 것은?

① ⓐ   ② ⓑ   ③ ⓒ   ④ ⓓ   ⑤ ⓔ

3 Which is the best choice for blanks (A) and (B)? 빈칸 (A)와 (B)에 들어갈 말로 가장 적절한 것은?

	(A)		(B)
①	happy	……	kept 기쁜 … 계속했다
②	happy	……	stopped 기쁜 … 그만뒀다
③	unhappy	……	regretted 기쁘지 않은 … 후회했다
④	unhappy	……	began 기쁘지 않은 … 시작했다
⑤	unhappy	……	enjoyed 기쁘지 않은 … 즐겼다

4 Why did Michelangelo write his signature on his statue? 미켈란젤로가 조각상에 서명을 한 이유는?

① to remember his hometown 그의 출신지를 기억하기 위해
② to celebrate his last work 그의 마지막 작품을 기념하기 위해
③ to show his religious faith 그의 종교적 신앙심을 드러내기 위해
④ to let people know he made the statue 그가 조각상을 만들었다는 것을 사람들이 알게 하기 위해
⑤ to express his satisfaction with the statue 조각상에 대한 그의 만족감을 표현하기 위해

정답 1 ④   2 ⑤   3 ③   4 ④

1 미켈란젤로가 <피에타>가 자신의 작품임을 알리기 위해 서명을 남기게 된 일화를 소개하는 글이므로, 주제로 ④ '<피에타>가 어떻게 미켈란젤로의 서명을 얻었는지'가 가장 적절하다.

2 ⓔ는 미켈란젤로가 몰래 <피에타> 위에 그의 이름을 새긴 것을 의미하고, 나머지는 모두 <피에타>를 가리킨다.

3 (A) 빈칸 앞에서 미켈란젤로가 자신의 작품을 두고 다른 예술가가 만들었다고 이야기한 것을 들었다고 했으므로, 빈칸 (A)에는 '기쁘지 않은'이 가장 적절하다.
(B) 빈칸 뒤에서 하느님도 남기지 않은 서명을 자신이 남겼다고 한탄한 것으로 미루어 보아, 빈칸 (B)에는 '후회했다'가 가장 적절하다.

4 문장 ❽-⓫을 통해 미켈란젤로가 Gobbo가 아닌 자신이 <피에타>를 만들었다고 알리고 싶었음을 알 수 있다. 따라서 미켈란젤로가 조각상에 서명을 한 이유로 ④ '그가 조각상을 만들었다는 것을 사람들이 알게 하기 위해'가 가장 적절하다.

⓫ This **made his reputation grow**.
→ 「make + 목적어 + 동사원형」은 '~가 …하도록 만들다'라는 의미이다.

⓬ 「regret + v-ing」는 '~한 것을 후회하다'라는 의미이다.
   cf. 「regret + to-v」: ~하게 되어 유감이다   *ex.* I **regret to tell** you the news. (나는 너에게 그 소식을 말하게 되어 유감이다.)

⓭ He said, "**God, creator of the world**, did not even leave a signature on his creatures, but I *did*!"
→ God과 creator of the world는 콤마로 연결된 동격 관계이다.
→ 대동사 did가 동사(구)의 반복을 피하기 위해 쓰였다. 여기서는 앞의 did leave a signature를 대신하고 있다.
   = He said, "God ~ did not even leave a signature on his creatures, ~ but I **left a signature**!"

본문 해석

❶ 리모컨이 작동하는 것을 멈추자, 당신은 건전지를 교체하기 위해 꺼낸다. ❷ 하지만 당신은 실수로 그것들을 떨어뜨리고, 이제 오래된 건전지와 새 건전지들 모두 바닥에 있다. ❸ 당신에겐 문제가 있다. 어떤 것이 새것이고 어떤 것이 다 쓴 것인가?

❹ 알아내기 위해서는, 건전지를 음극이 아래를 향하게 한 채로 잡아라. ❺ 그것을 바닥에서 5센티미터 위에서 떨어뜨려라. ❻ 만약 건전지가 새것이라면, 튕기지 않을 것이고 심지어 설 수도 있다. ❼ 다 쓴 건전지는, 그러나, 튕기고 넘어질 것이다. ❽ 이것은 간단하고 쉽다, 그렇지 않은가?

❾ 건전지는 보통 젤 형태의 아연을 함유하고 있기 때문에 이 실험이 가능하다. ❿ 젤은 튕기지 않고, 그래서 새 건전지 또한 튕기지 않는다. ⓫ 하지만, 건전지를 사용함에 따라, 내부의 화학적 성질이 변하고, 아연은 용수철 조직과 같은 물질이 된다. ⓬ 이것이 건전지가 쉽게 튕기도록 만든다.

❶ The remote control stops working, / and you take out the
리모컨이 작동하는 것을 멈춘다   그러자 당신은 건전지들을 꺼낸다

batteries / to replace them. / ❷ But you drop them / by mistake, / and
그것들을 교체하기 위해   하지만 당신은 그것들을 떨어뜨린다   실수로   그리고

now there are both old and new batteries / on the floor. / ❸ You have a
이제 오래된 건전지들과 새 건전지들이 모두 있다   바닥에   당신에겐 문제가

problem: / which ones are new / and which ones are dead? /
있다   어떤 것이 새것인가   그리고 어떤 것이 다 쓴 것인가

❹ To find out, / hold the battery / with the negative end / facing down. /
알아내기 위해서는   건전지를 잡아라   음극이   아래를 향하게 한 채로

❺ Drop it / from five centimeters above the ground. / ❻ If the battery is
그것을 떨어뜨려라   바닥에서 5센티미터 위에서   만약 건전지가 새것이라면

new, / it won't bounce / and it might even stand up. / ❼ A dead battery, /
그것은 튕기지 않을 것이다   그리고 그것은 심지어 설 수도 있다   다 쓴 건전지는

however, / will bounce / and fall over. / ❽ It's simple and easy, / isn't it? /
그러나   튕길 것이다   그리고 넘어질 것이다   이것은 간단하고 쉽다   그렇지 않은가

❾ This test works / because batteries usually contain zinc / in the
이 실험은 가능하다   건전지들이 보통 아연을 함유하고 있기 때문에

form of a gel. / ❿ Gels don't bounce, / so a fresh battery doesn't bounce /
젤의 형태로   젤은 튕기지 않는다   그래서 새 건전지는 튕기지 않는다

as well. / ⓫ However, / as you use batteries, / the chemistry inside
또한   하지만   당신이 건전지를 사용함에 따라   내부의 화학적 성질이 변한다

changes, / and the zinc becomes a material / that is like a network of
그리고 아연은 물질이 된다   용수철의 조직과 같은

springs. / ⓬ This makes / the battery bounce easily. /
이것이 만든다   건전지가 쉽게 튕기도록

구문 해설

❶ The remote control **stops working**, and you take out the batteries *to replace them*.
→ 「stop + v-ing」는 '~하는 것을 멈추다'라는 의미이다.
cf. 「stop + to-v」: ~하기 위해 멈추다 *ex.* Luke **stopped to ask** questions. (Luke는 질문하기 위해 멈췄다.)
→ to replace them은 '그것들을 교체하기 위해'라는 의미로, [목적]을 나타내는 to부정사의 부사적 용법으로 쓰였다.

❷ 「both A and B」는 'A와 B 모두, 둘 다'라는 의미이다. 「both A and B」는 복수 취급하므로 복수동사 are이 쓰였다.
ex. **Both** Jim **and** Amy **are** in Seoul. (Jim과 Amy는 모두 서울에 있다.)

❸ You have a problem: [**which** *ones* are new and **which** *ones* are dead]?
→ [ ]는 의문사 which가 이끄는 두 개의 의문문이 접속사 and로 연결되어 있다. 여기서 which는 '어떤, 어느'라는 의미로 쓰여 뒤의 ones를 수식하고 있다.
→ 부정대명사 one(s)은 앞에서 언급한 명사와 같은 종류의 불특정한 대상을 가리킨다. 이 문장에서는 앞에 나온 batteries와 같은 종류의 불특정한 대상을 가리킨다.

1 이 글의 제목으로 가장 적절한 것은?

✔ ① How to Identify Dead Batteries 다 쓴 건전지를 확인하는 방법
② Why You Shouldn't Drop Batteries 왜 건전지를 떨어뜨리면 안 되는가
③ What Material Is a Battery Made Of? 건전지는 어떤 물질로 만들어졌는가?
④ Useful Tips for Using Batteries Longer 건전지를 더 오래 사용하기 위한 유용한 팁
⑤ Don't Store Old and New Batteries Together 오래된 건전지와 새 건전지를 함께 보관하지 말아라

2 건전지를 떨어뜨린 후의 모습이 다음과 같을 때, 새 건전지와 오래된 건전지 중 어떤 것인지 쓰시오.

(1) 새 건전지

(2) 오래된 건전지

3 건전지를 사용하면 건전지 내부에서 어떤 변화가 일어나는가?

① 젤이 굳어 딱딱해진다.
② 젤이 녹아서 탄성을 잃는다.
③ 아연이 줄어들어 가벼워진다.
✔ ④ 아연이 용수철 조직과 비슷해진다.
⑤ 용수철 조직이 젤 형태로 바뀐다.

4 이 글의 내용으로 보아, 다음 빈칸에 공통으로 들어갈 말을 글에서 찾아 쓰시오.

Batteries are filled with a gel that does not _____bounce_____. As the battery is used up, this gel changes into a material that causes batteries to _____bounce_____.

건전지는 튕기지 않는 젤로 가득 차 있다. 건전지가 다 사용됨에 따라, 이 젤은 건전지가 튕기도록 만드는 물질로 변한다.

정답 **1** ① **2** (1) 새 건전지 (2) 오래된 건전지 **3** ④ **4** bounce

1 건전지를 떨어뜨려 튕기는지를 보고 다 쓴 것과 새것을 구별할 수 있음을 설명하는 글이므로, 제목으로 ① '다 쓴 건전지를 확인하는 방법'이 가장 적절하다.

2 (1) 문장 ❻에서 건전지가 새것이라면 튕기지 않을 것이고 심지어 설 수도 있다고 했다.
(2) 문장 ❼에서 다 쓴 건전지는 튕기고 넘어질 것이라고 했다.

3 문장 ⓫에서 건전지를 사용함에 따라 건전지 내부의 화학적 성질이 변해서 아연이 용수철 조직과 같은 물질이 된다고 했다.

4 문제 해석 참고

❹ **To find out**, [hold the battery *with the negative end facing down*].
→ To find out은 '알아내기 위해서는'이라는 의미로, [목적]을 나타내는 to부정사의 부사적 용법으로 쓰였다.
→ [ ]는 동사원형 hold로 시작하는 명령문이다.
→ 「with + 명사 + 분사」는 '~이 …한 채로'라는 의미로, 동시에 일어나는 상황을 나타낸다. 이 문장에서는 현재분사 facing이 함께 쓰여 '음극이 아래로 향하게 한 채로'라고 해석한다.

❽ isn't it?은 상대방의 확인이나 동의를 받기 위해 긍정문 끝에 덧붙인 부가의문문으로, '그렇지 않니?'라고 해석한다.
cf. 「부정문 + 긍정의 부가의문문」: ~, 그렇지? *ex.* The movie wasn't funny, **was it**? (그 영화는 재미있지 않았어, 그렇지?)

⓫ However, **as** you use batteries, ~ the zinc becomes a material [that is like a network of springs].
→ as는 부사절을 이끄는 접속사로, '~함에 따라, ~할수록'이라는 의미이다.
→ [ ]는 앞에 온 선행사 a material을 수식하는 주격 관계대명사절이다.

본문 해석

❶ 스모키한 눈은 인기 있는 미용 유행이다. ❷ 눈이 더 강렬하고 신비로워 보인다. ❸ 고대 이집트인들은 스모키한 눈을 만들기 위해 최초로 화장을 이용했다고 믿어진다. ❹ 하지만, 그들은 미용을 위해서만 이것을 하지는 않았다.

❺ 고대 이집트에서, 사람들은 스모키한 눈을 만들기 위해 콜이라는 검은 물질을 발랐다. ❻ 그들은 곧 그 물질에 관해 무언가 흥미로운 것을 발견했다. ❼ 벌레들이 그것을 싫어했다! ❽ 콜은 모기와 파리가 가까이 오지 못하게 했다. ❾ 그래서, 이집트인들은 이 벌레들에 의해 옮겨지는 전염병을 얻는 것을 피할 수 있었다.

❿ 그러나 이집트인들이 알지 못했던 한 가지 큰 문제가 있었다. ⓫ 콜은 납이라는 매우 유독한 물질을 함유하고 있다. ⓬ 이것이 몸속에 쌓이면, 거의 모든 장기에 영향을 끼칠 수 있다. ⓭ 결과적으로, 이집트인들은 아마 결국 심각한 건강 문제를 가지고 있었을 것이다.

❶ Smoky eyes are a popular beauty trend. / ❷ The eyes look more
스모키한 눈은 인기 있는 미용 유행이다   눈이 더 강렬하고 신비로워

intense and mysterious. / ❸ It is believed / that ancient Egyptians first
보인다   믿어진다   고대 이집트인들이 최초로 화장을

used makeup / to create smoky eyes. / ❹ However, / they did not do
이용했다고   스모키한 눈을 만들기 위해   하지만   그들은 이것을 하지는

this / just for beauty. /
않았다   미용을 위해서만

❺ In ancient Egypt, / people put on a black substance, / kohl, / to make
고대 이집트에서   사람들은 검은 물질을 발랐다   콜이라는 스모키한

smoky eyes. / ❻ They soon discovered / something interesting / about the
눈을 만들기 위해   그들은 곧 발견했다   무언가 흥미로운 것을   그 물질에 관해

substance. / ❼ Insects hated it! / ❽ The kohl kept away / mosquitoes and
   벌레들이 그것을 싫어했다   콜은 가까이 오지 못하게 했다   모기와 파리를

flies. / ❾ So, / the Egyptians could avoid / getting the infectious diseases /
   그래서 이집트인들은 피할 수 있었다   전염병을 얻는 것을

that were carried by these insects. /
이 벌레들에 의해 옮겨지는

❿ But there was one big problem / that the Egyptians didn't know
그러나 한 가지 큰 문제가 있었다   이집트인들이 알지 못했던

about. / ⓫ Kohl contains a very toxic substance, / lead. / ⓬ When this
   콜은 매우 유독한 물질을 함유하고 있다   납이라는   이것이

builds up / in the body, / it can affect almost every organ. / ⓭ As a result, /
쌓이면   몸속에   그것은 거의 모든 장기에 영향을 끼칠 수 있다   결과적으로

the Egyptians probably had / some serious health problems / in the end. /
이집트인들은 아마 가지고 있었을 것이다   심각한 건강 문제들을   결국

구문 해설

❷ 「look + 형용사」는 '~하게 보이다'라는 의미이다. 이 문장에서는 look 뒤에 형용사 intense와 mysterious의 비교급이 접속사 and로 연결되어 쓰였다.   *cf.* 「look like + 명사」: ~처럼 보이다   *ex.* The cloud **looks like a sheep**. (구름이 양처럼 보인다.)

❸ **It** is believed [that ancient Egyptians first used makeup *to create smoky eyes*].
   → It은 가주어이고, that절이 진주어이다. to부정사, that절 등이 와서 주어가 긴 경우 이를 문장의 뒤로 옮기고 원래 주어 자리에는 가주어 it을 쓴다. 이때 가주어 it은 따로 해석하지 않는다.
   → to create smoky eyes는 '스모키한 눈을 만들기 위해'라는 의미로, [목적]을 나타내는 to부정사의 부사적 용법으로 쓰였다.

❺ In ancient Egypt, people put on **a black substance, kohl**, *to make smoky eyes*.
   → a black substance와 kohl은 콤마로 연결된 동격 관계이다.
   → to make smoky eyes는 '스모키한 눈을 만들기 위해'라는 의미로, [목적]을 나타내는 to부정사의 부사적 용법으로 쓰였다.

1 이 글의 제목으로 가장 적절한 것은?

① The Discovery of Kohl in Ancient Egypt 고대 이집트에서 콜의 발견
② How Egyptians Maintained Good Eye Health 이집트인들이 좋은 눈 건강을 유지한 방법
✓③ Ancient Eye Makeup Had Good and Bad Sides 고대의 눈 화장에는 좋은 면과 나쁜 면이 있었다
④ Beauty Products Based on Egyptian Traditions 이집트 전통에 기반한 미용 제품들
⑤ Beauty: The Most Important Value in Ancient Egypt
아름다움: 고대 이집트에서 가장 중요한 가치

2 이 글의 빈칸에 들어갈 말로 가장 적절한 것은?

① It lasted long 그것은 오래 지속됐다
② It was eaten by insects 그것은 벌레들에게 먹혔다
✓③ Insects hated it 벌레들이 그것을 싫어했다
④ Their eyes looked beautiful with it 그들의 눈은 그것으로 인해 아름다워 보였다
⑤ Some diseases were cured using it 몇몇 질병들이 그것을 이용하여 치료되었다

3 이 글의 내용으로 보아, 고대 이집트인들이 할 수 있는 말을 모두 고른 것은?

(A) 우리가 최초로 스모키 눈 화장을 시작했어.
(B) 우리는 콜(kohl)을 사용해서 스모키 눈 화장을 했어.
(C) 스모키 눈 화장을 하지 않았다면, 전염병에 걸리기 더 쉬웠을 거야.
(D) 스모키 눈 화장의 문제점을 알고 있었지만, 아름다움을 위해 유지했지.

① (A), (B)   ② (A), (D)   ③ (B), (D)
✓④ (A), (B), (C)   ⑤ (B), (C), (D)

4 이 글의 내용으로 보아, 다음 빈칸에 들어갈 말을 글에서 찾아 쓰시오.

Smoky eyes helped Egyptians avoid _____insects_____, which carried some diseases. However, a _____toxic_____ substance in the makeup could have eventually damaged their health.

스모키한 눈은 이집트인들이 벌레들을 피하도록 도왔는데, 이것들은 몇몇 질병들을 옮겼다. 하지만, 그 화장품 안의 <u>유독한</u> 물질은 결국 그들의 건강에 해를 입혔을 수도 있었다.

정답 1 ③   2 ③   3 ④   4 insects, toxic

---

1 고대 이집트 사람들의 콜을 사용한 스모키 눈 화장이 전염병을 피하게 해주었으나, 콜의 유독한 납 성분은 심각한 건강 문제를 야기할 수도 있었다는 것을 설명하는 글이므로, 제목으로 ③ '고대의 눈 화장에는 좋은 면과 나쁜 면이 있었다'가 가장 적절하다.

2 빈칸 뒤에서 콜이 모기와 파리가 가까이 오지 못하게 했다고 했으므로, 빈칸에는 ③ '벌레들이 그것을 싫어했다'가 가장 적절하다.

3 (A): 문장 ❸에서 고대 이집트인들이 스모키한 눈을 만들기 위해 최초로 화장을 이용했다고 했다.
(B): 문장 ❺에서 고대 이집트에서 사람들은 스모키한 눈을 만들기 위해 콜을 발랐다고 했다.
(C): 문장 ❽-❾에서 콜은 모기와 파리 같은 벌레들이 가까이 오지 못하게 해서 이집트인들은 이것들에 의해 옮겨지는 전염병을 피할 수 있었다고 했다.
(D): 문장 ❿에서 이집트인들은 콜의 문제점을 몰랐다고 했다.

4 문제 해석 참고

---

❻ something과 같이 -thing으로 끝나는 대명사는 형용사가 뒤에서 수식한다. 이 문장에서는 형용사 interesting이 대명사 something을 뒤에서 수식하여, '무언가 흥미로운 것'이라고 해석한다.

❾ So, the Egyptians could **avoid getting** the infectious diseases [that were carried by these insects].
→ 「avoid + v-ing」는 '~하는 것을 피하다'라는 의미이다.
→ [ ]는 앞에 온 선행사 the infectious diseases를 수식하는 주격 관계대명사절이다.

❿ But there was one big problem [that the Egyptians didn't know about].
→ [ ]는 앞에 온 선행사 one big problem을 수식하는 목적격 관계대명사절이다. 이때 목적격 관계대명사 that은 생략하거나 which로 바꿔 쓸 수 있다.

UNIT 05
3

본문 해석

❶ 무엇이 아기를 남자아이 또는 여자아이로 만들까? ❷ 대부분의 동물들의 경우, DNA뿐이다. ❸ 하지만 이것은 악어와 거북이 같은 몇몇 파충류에게는 사실이 아니다. ❹ DNA에 더해, 온도가 그것들의 성별을 결정한다!

❺ 대부분의 악어와 거북이는 모래에 알을 낳는다. ❻ 새끼의 성별은 알 주변의 온도에 의해 결정된다. ❼ 일례로 미국악어가 있다. ❽ 둥지의 온도가 34도보다 높으면, 새끼들은 대부분 수컷일 것이다. ❾ 그리고 만약 온도가 30도보다 낮으면, 대부분은 암컷일 것이다. ❿ 반면에, 거북이의 경우 반대다. ⓫ 더 뜨거울수록, 더 많은 새끼 암컷들이 태어날 것이다.

⓬ 그래서 만약 지구가 계속해서 더워진다면 무슨 일이 일어날까? ⓭ 그러면 아마도 수컷 악어와 암컷 거북이만 있게 될 것이다!

---

❶ What makes / a baby / a boy or a girl? / ❷ For most animals, / it is
무엇이 만들까 　아기를 　남자아이 또는 여자아이로 　대부분의 동물들의 경우 　그것은

DNA alone. / ❸ But this is not true / for some reptiles / like alligators and
DNA뿐이다 　하지만 이것은 사실이 아니다 몇몇 파충류에게 　악어와 거북이 같은

turtles. / ❹ In addition to DNA, / temperature decides their (A) gender! /
　DNA에 더해 　온도가 그것들의 성별을 결정한다

❺ Most alligators and turtles / lay eggs in the sand. / ❻ The gender
대부분의 악어와 거북이는 　모래에 알을 낳는다 　새끼의 성별은

of the babies / is determined / by the temperature around the eggs. /
　결정된다 　알 주변의 온도에 의해

❼ One example is the American alligator. / ❽ When the temperature
일례로 미국악어가 있다 　둥지의 온도가

of the nest / is higher than 34℃, / the babies will be mostly males. /
　34도보다 높을 때 　새끼들은 대부분 수컷일 것이다

❾ And if the temperature is lower than 30℃, / most will be females. /
그리고 만약 온도가 30도보다 낮으면 　대부분은 암컷일 것이다

(❹ ❿ On the other hand, / the opposite is true / for turtles. /) ⓫ The hotter
반면에 　반대가 맞다 　거북이의 경우 　더 뜨거울수록

it is, / the more female babies / will be born. /
더 많은 새끼 암컷들이 　태어날 것이다

⓬ So what happens / if the Earth keeps getting hotter? / ⓭ Then
그래서 무슨 일이 일어날까 만약 지구가 계속 더워진다면 　그러면

maybe there will only be / (B) male alligators and female turtles! /
아마도 ~만 있게 될 것이다 　수컷 악어와 암컷 거북이

구문 해설

❶ 「make A B」는 'A를 B로 만들다'라는 의미이다. 이 문장에서는 a baby가 A에, a boy or a girl이 B에 해당하므로, '아기를 남자아이 또는 여자아이로 만들다'라고 해석한다.

❹ in addition to는 '~에 더해, ~외에도'라는 의미의 전치사이다.

❽ When the temperature of the nest is **higher than 34℃**, the babies will be mostly males.
→ 「비교급(-er) + than」은 '~보다 더 …한'이라는 의미이다.

⓫ **The hotter** it is, **the more** female babies will be born.
→ 「the + 비교급 ~ , the + 비교급 …」은 '~할수록 더 …하다'라는 의미이다. 이 문장에서는 '더 뜨거울수록 더 많은 새끼 암컷들이 태어날 것이다'라고 해석한다.
→ it은 날씨, 시간, 날짜, 요일, 계절, 거리 등을 나타낼 때 사용되는 비인칭주어로, 따로 해석하지 않는다.
→ 조동사 뒤에는 동사원형이 오므로, 조동사가 있는 수동태는 「조동사 + be p.p.」가 된다.

1 이 글의 주제로 가장 적절한 것은?

① 파충류의 다양한 서식지
② 파충류의 알이 부화하는 온도
③ 암수를 구별하기 어려운 동물들
④ 기온 상승으로 인한 생태계의 변화
☑ 기온에 따라 성별이 정해지는 동물들

2 이 글의 빈칸 (A)에 들어갈 말을 글에서 찾아 쓰시오.

_____gender_____ 성별

3 이 글의 흐름으로 보아, 다음 문장이 들어가기에 가장 적절한 곳은?

On the other hand, the opposite is true for turtles.
반면에, 거북이의 경우 반대다.

①   ②   ③   ☑   ⑤

4 이 글의 빈칸 (B)에 들어갈 말로 가장 적절한 것은?

① male alligators and turtles 수컷 악어와 수컷 거북이
② female alligators and male turtles 암컷 악어와 수컷 거북이
③ male and female alligators 수컷 악어와 암컷 악어
☑ male alligators and female turtles 수컷 악어와 암컷 거북이
⑤ male and female turtles 수컷 거북이와 암컷 거북이

정답 1 ⑤ 2 gender 3 ④ 4 ④

1 악어와 거북이 같은 동물은 DNA뿐만 아니라 기온도 새끼의 성별을 결정한다는 것을 설명하는 글이므로, 주제로 ⑤가 가장 적절하다.

2 빈칸 앞에서 대부분의 동물은 DNA만이 아기를 남자아이 또는 여자아이로 만들지만, 악어와 거북이 같은 몇몇 파충류에게는 사실이 아니라고 했다. 또한 빈칸 뒤에서 대부분의 악어와 거북이는 새끼의 성별이 알 주변의 온도에 의해 결정된다고 했으므로, 빈칸 (A)에는 문장 ❻의 'gender(성별)'가 가장 적절하다.

3 주어진 문장은 온도가 낮으면 암컷 악어가 많이 태어난다는 문장 ❾와 더울수록 새끼 암컷이 더 많이 태어난다는 반대되는 내용의 문장 ⓫의 사이에 오는 것이 자연스러우므로, ④가 가장 적절하다.

4 두 번째 단락에서 더울수록 새끼 악어는 수컷으로 부화한다고 했고, 거북이는 반대로 암컷으로 부화한다고 했다. 빈칸 앞에서 지구가 계속 더워지는 상황을 가정했으므로, 빈칸 (B)에는 ④ '수컷 악어와 암컷 거북이'가 가장 적절하다.

⓬ So what happens if the Earth **keeps *getting*** hotter?
→ 「keep + v-ing」는 '계속해서 ~하다'라는 의미이다. keep은 목적어로 동명사를 쓴다.
→ 「get + 형용사」는 '~해지다, ~하게 되다'라는 의미이다. 이 문장에서는 형용사의 비교급 hotter가 쓰여 '더 더워진다'라고 해석한다.

본문 해석

❶ 당신은 위의 대화를 곧바로 이해했는가? ❷ 만약 그렇다면, 당신은 아마 이모지가 얼마나 편리한지 이해할 것이다. ❸ 그것들은 우리가 단어를 입력하지 않고도 생각과 감정을 전달하게 해준다. ❹ 그것들은 심지어 우리가 다른 언어를 말하는 사람들과 의사소통하도록 도울 수 있다.

❺ 하지만, 모든 이모지가 모두에게 같은 의미를 갖는 것은 아니다. ❻ 예를 들어, 눈물이 맺힌 웃는 얼굴은 서구권에서 LOL(큰 소리로 웃다) 이모지라고 불린다. ❼ 그것은 너무 심하게 웃어서 결국 눈물을 흘린다는 것을 의미한다. ❽ 그러나 중동 출신의 사람들은 같은 이모지를 매우 다르게 이해한다. ❾ 그들은 그것을 슬픔으로 가득 찬 얼굴로 본다!

❿ 이러한 차이점들을 이해하기 위해, 어떤 사람들은 다른 문화에서 이모지가 갖는 다양한 의미를 연구한다. ⓫ 그들은 이모지 번역가들이다! ⓬ 이 번역가들은 문화적 배경에 근거해 사람들이 어떻게 각각의 이모지를 사용하는지 연구한다.

---

❶ Did you understand / the above conversation / right away? /
당신은 이해했는가　　　　　위의 대화를　　　　　곧바로

❷ If so, / you probably understand / how convenient emojis are. / ❸ They
만약 그렇다면 당신은 아마 이해할 것이다　이모지가 얼마나 편리한지　　　그것들은

let us deliver / our thoughts and feelings / without typing words. /
우리가 전달하도록 해준다　우리의 생각들과 감정들을　　단어를 입력하지 않고도

❹ They can even help / us communicate with people / who speak a
그것들은 심지어 도울 수 있다　우리가 사람들과 의사소통하도록　　다른 언어를 말하는

different language. /

❺ However, / not every emoji has the same meaning / to everyone. /
하지만　　모든 이모지가 같은 의미를 갖는 것은 아니다　　모두에게

❻ For example, / a smiling face with tears / is called a LOL (Laugh Out
예를 들어　　눈물이 맺힌 웃는 얼굴은　　LOL(큰 소리로 웃다) 이모지라고 불린다

Loud) emoji / in Western countries. / ❼ It means / you're laughing so
서양 국가에서　　　그것은 의미한다　당신이 너무 심하게 웃어서

hard / that you eventually cry. / ❽ But people from the Middle East /
당신이 결국 눈물을 흘린다는 것을　　그러나 중동 출신의 사람들은

understand the same emoji / very differently. / ❾ They see it / as a face /
같은 이모지를 이해한다　　매우 다르게　　그들은 그것을 본다　얼굴로

filled with sadness! /
슬픔으로 가득 찬

❿ To understand these differences, / some people study / the various
이러한 차이점들을 이해하기 위해　어떤 사람들은 연구한다　다양한 의미들을

meanings / emojis have / in different cultures. / ⓫ They are emoji
이모지가 가진　다른 문화에서　　그들은 이모지

translators! / ⓬ These translators research / how people use each emoji /
번역가들이다　이 번역가들은 연구한다　사람들이 어떻게 각각의 이모지를 사용하는지

based on their cultural background. /
그들의 문화적 배경에 근거해서

구문 해설

❷ **If so**, you probably understand [how convenient emojis are].
→ If so는 If you understood the above conversation right away(만약 당신이 위의 대화를 바로 이해했다면)를 의미한다.
→ [ ]는 「how + 형용사 + 주어 + 동사」의 간접의문문으로, understand의 목적어 역할을 하고 있다. 이때 how는 '얼마나'라고 해석한다.

❸ They **let us deliver** our thoughts and feelings without *typing words*.
→ 「let + 목적어 + 동사원형」은 '~가 …하도록 해주다, 두다'라는 의미이다.
→ typing words는 전치사 without(~하지 않고, ~ 없이)의 목적어 역할을 하는 동명사구이다.

❹ They can even **help us communicate** with people [who speak a different language].
→ 「help + 목적어 + 동사원형」은 '~가 …하도록 돕다'라는 의미이다.
= 「help + 목적어 + to-v」 *ex.* They can even **help us to communicate** with people ~.
→ [ ]는 앞에 온 선행사 people을 수식하는 주격 관계대명사절이다.

1 Why are emojis helpful? Write two answers in Korean.
이모지가 도움이 되는 이유는 무엇인가? 두 가지를 우리말로 쓰시오.
(1) _____단어를 입력하지 않고도 우리의 생각과 감정을 전달하게 해준다._____
(2) _____다른 언어를 말하는 사람들과 의사소통하는 것을 도와준다._____

2 Where would each conversation take place? Write 'Western country' or 'Middle East country'. 각 대화는 어디에서 일어나겠는가? '서양 국가' 또는 '중동 국가'를 쓰시오.

Conversations Using the LOL Emoji
LOL 이모지를 사용한 대화

A: I'm worried about my puppy.
나는 내 강아지가 걱정 돼.
He was sick yesterday.
어제 아팠거든.
B: Oh, that sounds bad.
오, 그거 안 됐다.

A: I think Ava is so funny.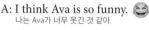
나는 Ava가 너무 웃긴 것 같아.
B: Yes. I really like her jokes.
맞아. 나는 그녀의 농담을 정말 좋아해.

↓   ↓

(1) ___Middle East country___   (2) ___Western country___
중동 국가   서양 국가

3 Which is the best choice for the blank? 빈칸에 들어갈 말로 가장 적절한 것은?

① the problems emojis have solved 이모지가 해결한 문제들
② the words used instead of emojis 이모지 대신에 쓰이는 단어들
③ the emojis that have smiling faces 웃는 얼굴을 가지고 있는 이모지들
④ the various meanings emojis have 이모지가 가진 다양한 의미들
⑤ the reasons emojis became popular 이모지가 인기 있게 된 이유들

4 Complete the sentence with the following words. 다음 중 알맞은 말을 골라 문장을 완성하시오.

translators	laugh	communicate	cultures	travel
번역가	웃다	의사소통하다	문화	여행하다

People can ___communicate___ with each other easily using emojis, but their meaning can vary among people from different ___cultures___.

사람들은 이모지를 사용해서 서로 쉽게 의사소통할 수 있지만, 그것의 의미는 다른 문화 출신의 사람들 사이에서 다를 수 있다.

정답 **1** (1) 단어를 입력하지 않고도 우리의 생각과 감정을 전달하게 해준다. (2) 다른 언어를 말하는 사람들과 의사소통하는 것을 도와준다. **2** (1) Middle East country
(2) Western country **3** ④ **4** communicate, cultures

---

1 문장 ❸-❹에서 이모지는 단어를 입력하지 않고도 우리의 생각과 감정을 전달하게 해주고, 다른 언어를 말하는 사람들과 의사소통하도록 도울 수도 있다고 했다.

2 (1) 문장 ❽-❾에서 중동 출신의 사람들은 LOL 이모지를 슬픔에 찬 얼굴로 본다고 했다.
(2) 문장 ❻-❼에서 서양 국가에서 LOL 이모지는 너무 심하게 웃어서 눈물이 나는 것을 의미한다고 했다.

3 빈칸 앞 단락에서 서양 국가와 중동 국가에서 같은 이모지를 다르게 이해하는 사례를 소개했고, 빈칸 뒤에서 이모지 번역가들이 문화적 배경에 따라 사람들이 이모지를 어떻게 사용하는지 연구한다고 했다. 따라서 빈칸에는 ④ '이모지가 가진 다양한 의미들'이 가장 적절하다.

4 문제 해석 참고

---

❺ not every는 '모든 ~가 …한 것은 아니다'라는 의미로, 전체가 아닌 일부를 부정하는 [부분 부정]을 나타낸다.

❼ It means [(that) you're laughing **so hard that** you eventually cry].
→ [ ]는 means의 목적어 역할을 하는 명사절로, 명사절 접속사 that이 생략되어 있다.
→ 「so + 형용사/부사 + that절」은 '너무/매우 ~해서 …하다'라는 의미이다. 이 문장에서는 '너무 심하게 웃어서 당신이 결국 눈물을 흘린다'라고 해석한다.

❾ They **see it as a face** [*filled with* sadness]!
→ 「see A as B」는 'A를 B로 보다, 여기다'라는 의미이다.
→ [ ]는 앞에 온 a face를 수식하는 과거분사구이다. 이때 filled with는 '~으로 가득 찬'이라고 해석한다.

⓬ These translators research [how people use each emoji] based on their cultural background.
→ [ ]는 「의문사 + 주어 + 동사」의 간접의문문으로, research의 목적어 역할을 하고 있다.

본문 해석

❶ 거의 매일 번개가 치는 장소가 있다. ❷ 그곳은 베네수엘라의 카타툼보강이다. ❸ 카타툼보강을 따라서, 평균적으로 1년에 260일 번개가 발생한다. ❹ 우기 동안인 10월쯤에는, 1분당 28회까지 번개가 친다. ❺ 그리고 이것은 매일 10시간 동안 지속될 수 있다. ❻ 그 번개는 너무 강렬해서 400킬로미터 떨어진 곳에서 보일 수 있다. ❼ 실제로, 마라카이보 호수라는 근처의 호수를 따라 항해했던 선원들은 그 것을 그들의 배를 안내해 줄 등대로 이용했다. ❽ 그것이 카타툼보 번개가 '마라카이보의 등대'라고도 알려진 이유이다! ❾ 그 지역은 왜 그렇게 많은 번개를 맞을까? ❿ 흥미롭게도, 그 이유는 아직 알려지지 않았다. ⓫ 하지만, 과학자들은 한 가지 이유가 위치일 수 있다고 믿는다. ⓬ 그 강은 안데스 산맥으로 둘러싸여 있다. ⓭ 밤에, 그 강에서 온 따뜻한 공기는 산맥의 차가운 공기와 만난다. ⓮ 이것은 번개를 위한 완벽한 환경을 만든다.

---

❶ There is a place / where lightning strikes / almost every day. / ❷ It is
　　장소가 있다　　　　번개가 치는　　　　　거의 매일　　　　그곳은

the Catatumbo River / of Venezuela. /
Catatumbo(카타툼보)강이다　베네수엘라의

❸ Along the Catatumbo River, / lightning occurs / 260 days a year / on
　카타툼보강을 따라서　　　　　번개가 발생한다　　　1년에 260일

average. / ❹ During the rainy season, / around October, / it strikes / up to
평균적으로　　　우기 동안에　　　　　　　10월쯤에　　　그것(번개)은 친다

28 times / per minute. / ❺ And this can go on / for 10 hours / each day. /
28회까지　　1분당　　　그리고 이것은 지속될 수 있다　10시간 동안　　매일

❻ The lightning is so intense / that it can be seen / from 400 kilometers
　그 번개는 너무 강렬해서　　　　　그것은 보일 수 있다　　400킬로미터 떨어진 곳에서

away. / ❼ In fact, / sailors / who traveled along the nearby lake / —Lake
실제로　　선원들은　　근처의 호수를 따라 항해했던

Maracaibo— / used it as a lighthouse / to guide their boats. / ❽ That's
Maracaibo(마라카이보) 호수라는　그것을 등대로 이용했다　그들의 배를 안내해 줄　　　그것이 ~한

why / Catatumbo lightning is also known as / "Maracaibo's Lighthouse!" /
이유이다　카타툼보 번개가 ~이라고도 알려져 있는　　　　'마라카이보의 등대'

❾ Why does the area / get so much lightning? / ❿ Interestingly, / the
　그 지역은 왜　　　그렇게 많은 번개를 맞을까　　　흥미롭게도

reason is still not known. / ⓫ However, / scientists believe / one reason
그 이유는 아직 알려지지 않았다　　하지만　　과학자들은 믿는다　　한 가지 이유가

may be the location. / ⓬ The river is surrounded / by the Andes
위치일 수 있다고　　　그 강은 둘러싸여 있다　　　안데스산맥에 의해

Mountains. / ⓭ At night, / the warm air from the river / meets / the cold
　　　　　　밤에　　　그 강에서 온 따뜻한 공기는　　　만난다　그 산맥의

air from the mountains. / ⓮ This creates the perfect conditions / for
차가운 공기와　　　　　이것은 완벽한 환경을 만든다

lightning. /
번개를 위한

구문 해설

❶ There is a place [**where** lightning strikes almost every day].
→ [ ]는 앞에 온 선행사 a place를 수식하는 관계부사절로, 선행사가 장소이면 관계부사 where를 쓴다. 관계부사는 「전치사 + 관계대명사」로 바꿔 쓸 수 있다. = There is a place **at which** lightning strikes almost every day.

❻ The lightning is **so intense that** it *can be seen* from 400 kilometers away.
→ 「so + 형용사/부사 + that절」은 '너무/매우 ~해서 …하다'라는 의미이다. 이 문장에서는 '너무 강렬해서 400킬로미터 떨어진 곳에서 보일 수 있다'라고 해석한다.
→ 조동사 뒤에는 동사원형이 오므로, 조동사가 있는 수동태는 「조동사 + be p.p.」가 된다.

❼ In fact, sailors [who traveled along the nearby lake—Lake Maracaibo—] used it as a lighthouse **to guide their boats**.
→ [ ]는 앞에 온 선행사 sailors를 수식하는 주격 관계대명사절이다.
→ to guide their boats는 '그들의 배를 안내해 줄'이라는 의미로, to부정사의 형용사적 용법으로 쓰여 a lighthouse를 수식하고 있다.

1 이 글의 주제로 가장 적절한 것은?

① the effect of lightning on nature 자연에 끼치는 번개의 영향
② the best place to avoid lightning 번개를 피할 수 있는 가장 좋은 장소
③ the danger of Catatumbo lightning 카타툼보 번개의 위험성
④ how the Catatumbo River was created 카타툼보강이 어떻게 만들어졌는지
✓⑤ a lot of lightning at the Catatumbo River 카타툼보강에서의 많은 번개

2 이 글의 밑줄 친 intense와 의미가 가장 비슷한 것은?

① close 가까운　　　② brief 짧은　　　③ fast 빠른
✓④ powerful 강력한　　　⑤ random 무작위의

3 이 글을 읽고 답할 수 없는 질문은?

① 카타툼보강이 있는 나라는 어디인가?
② 카타툼보 번개는 하루에 몇 시간 동안 지속될 수 있는가?
③ 카타툼보 번개는 왜 '마라카이보의 등대'로 알려져 있는가?
✓④ 카타툼보 번개는 언제부터 시작되었는가?
⑤ 카타툼보강을 둘러싸고 있는 것은 무엇인가?

4 이 글의 내용으로 보아, 다음 빈칸에 들어갈 말을 글에서 찾아 쓰시오.

> The Catatumbo River is a place where ___lightning___ occurs a lot. According to scientists, it may be caused by the ___location___ of the river because warm and cold ___air___ combine there.

카타툼보강은 번개가 많이 발생하는 장소이다. 과학자들에 따르면, 그것은 그 강의 위치에 의해 야기되었을지도 모르는데, 왜냐하면 그곳에서 따뜻한 공기와 차가운 공기가 결합하기 때문이다.

정답 1 ⑤　2 ④　3 ④　4 lightning, location, air

문제 해설

1 카타툼보강에 연 평균 260일, 분당 28회까지 번개가 많이 치는 현상을 설명하는 글이므로, 주제로 ⑤ '카타툼보강에서의 많은 번개'가 가장 적절하다.

2 문장 ❻에서 intense는 '강렬한'이라고 해석하므로, 의미가 가장 가까운 것은 ④ 'powerful(강력한)'이다.

3 ④: 카타툼보 번개가 언제부터 시작되었는지에 대한 언급은 없다.
①: 문장 ❷를 통해 카타툼보강은 베네수엘라에 있음을 알 수 있다.
②: 문장 ❺에서 카타툼보 번개는 매일 10시간 동안 지속될 수 있다고 했다.
③: 문장 ❼-❽에서 마라카이보 호수를 항해하던 선원들이 카타툼보 번개를 배를 안내해 줄 등대로 이용했기 때문이라고 했다.
⑤: 문장 ⓬에서 카타툼보강은 안데스산맥으로 둘러싸여 있다고 했다.

4 문제 해석 참고

---

❽ **That's why** Catatumbo lightning *is* also *known as* "Maracaibo's Lighthouse!"
→ That is why는 '그것이 ~한 이유이다'라는 의미로, why 뒤에 오는 내용이 앞 문장에 대한 결과가 된다.
→ be known as는 '~이라고[으로] 알려지다'라는 의미의 수동태 표현이다.

⓫ However, scientists believe [(that) one reason may be the location].
→ [ ]는 believe의 목적어 역할을 하는 명사절로, 명사절 접속사 that이 생략되어 있다.

본문 해석

❶ Adam과 Lisa는 흥미로운 취미를 가지고 있다. ❷ 그들은 땅속에 묻힌 귀중한 물건들을 찾아다닌다.

❸ 2019년의 어느 날, 그들은 농장에서 보물을 찾으면서 있었다. ❹ Adam은 금속 탐지기로 들판을 살피고 있었다. ❺ 갑자기, 그것은 삐 소리를 내기 시작했다. ❻ "무슨 일이야?"라고 Lisa가 물었다. ❼ 그것은 은화였다. ❽ Lisa는 인근 일대를 탐색했고, 그녀 또한 하나를 발견했다. ❾ 곧, 그들은 다른 하나를, 또 다른 하나를, 그리고 또 하나를 발견했다. ❿ 몇 시간 동안 주변을 파고 난 후, 그들은 2,000개가 넘는 동전들을 발견했다.

⓫ Adam과 Lisa는 그들이 발견한 것을 전문가에게 가져갔다. ⓬ 놀랍게도, 그 동전들은 1,000년이 넘은 것이었다. ⓭ 그리고 훨씬 더 좋은 소식이 있었다. ⓮ 전문가는 그것들이 700만 달러의 가치가 있다고 말했다! ⓯ 그들의 이야기는 곧 퍼졌고, 많은 사람들이 보물을 찾기 시작했다.

❶ Adam and Lisa / have an interesting hobby. / ❷ ⓐ They go looking
Adam과 Lisa는　　　　흥미로운 취미를 가지고 있다　　　　　　　그들은 찾으러 다닌다

for / valuable things / buried underground. /
귀중한 물건들을　　　땅속에 묻힌

❸ One day in 2019, / ⓑ they were on a farm, / searching for treasure. /
2019년의 어느 날　　　그들은 한 농장에 있었다　　　보물을 찾으면서

❹ Adam was investigating the field / with his metal detector. /
Adam은 들판을 살피고 있었다　　　　　　　그의 금속 탐지기로

❺ Suddenly, / it started beeping. / ❻ "What is it?" / Lisa asked. / ❼ It
갑자기　　　그것은 삐 소리를 내기 시작했다　　무슨 일이야　　　Lisa가 물었다

was a silver coin. / ❽ Lisa searched the nearby area, / and she also found
그것은 은화였다　　　　Lisa는 인근 일대를 탐색했다　　　　　그리고 그녀 또한 하나를

one. / ❾ Soon, / ⓒ they found another, and another, and another. / ❿ After
발견했다　곧　　　　그들은 다른 하나를, 또 다른 하나를, 그리고 또 하나를 발견했다

digging around / for hours, / they had discovered / over 2,000 coins. /
주변을 파고 난 후　　몇 시간 동안　　그들은 발견했다　　　2,000개가 넘는 동전들을

⓫ Adam and Lisa / took their discovery / to an expert. / ⓬ Surprisingly, /
Adam과 Lisa는　　　그들의 발견물을 가져갔다　　전문가에게　　　놀랍게도

the coins were more than 1,000 years old. / ⓭ And there was even better
그 동전들은 1,000년이 넘은 것이었다　　　　　그리고 훨씬 더 좋은 소식이 있었다

news. / ⓮ The expert said / ⓓ they were worth seven million dollars! /
그 전문가는 말했다　　　그것들이 700만 달러의 가치가 있다고

⓯ ⓔ Their story soon spread, / and many people started / hunting for
그들의 이야기는 곧 퍼졌다　　　　그리고 많은 사람들이 시작했다　　　보물을 찾기

treasure. /

구문 해설

❷ They **go looking** for valuable things [*buried* underground].
→ 「go + v-ing」는 '~하러 다니다, 가다'라는 의미이다. 이 문장에서는 **looking for**와 함께 쓰여 '찾으러 다닌다'라고 해석한다.
→ [ ]는 앞에 온 valuable things를 수식하는 과거분사구이다. 이때 buried는 '묻힌'이라고 해석한다.

❸ searching for treasure는 '보물을 찾으면서'라는 의미로, [동시동작]을 나타내는 분사구문이다.
= 「접속사 + 주어 + 동사」 *ex.* they were on a farm **while/as they searched for** treasure

❹ was investigating은 「be동사의 과거형 + v-ing」의 과거진행 시제이다. 과거진행 시제는 '~하고 있었다, ~하는 중이었다'라고 해석한다.

❺ start는 목적어로 동명사와 to부정사 모두 쓸 수 있다.
ex. My computer **started to beep** and shut down. (내 컴퓨터가 삐 소리를 내기 시작하더니 멈췄다.)

1 이 글의 밑줄 친 ⓐ~ⓔ 중, 가리키는 대상이 나머지 넷과 <u>다른</u> 것은?

① ⓐ   ② ⓑ   ③ ⓒ   ✔④ ⓓ   ⑤ ⓔ

2 이 글의 빈칸에 공통으로 들어갈 말로 가장 적절한 것은?

① information 정보   ✔② treasure 보물   ③ equipment 장비
④ mail 우편   ⑤ evidence 증거

3 이 글의 내용과 일치하면 T, 그렇지 않으면 F를 쓰시오.

(1) Adam과 Lisa의 취미는 땅속에 묻힌 물건들을 찾는 것이다.   T

(2) Adam과 Lisa가 찾은 은화는 가치가 거의 없는 것이었다.   F

4 다음 중, Adam과 Lisa의 사례와 가장 어울리는 말은?

① "남의 것을 욕심내다가 오히려 큰 낭패를 봤어."
✔② "기대한 것 이상의 엄청난 행운을 만났어."
③ "다른 사람을 위해 가치 있는 일을 하게 되었어."
④ "한 가지 일에만 몰두해서 다른 것을 망쳤어."
⑤ "단순한 취미생활을 넘어 한 분야의 전문가가 되었어."

5 다음 영영 풀이에 해당하는 단어를 글에서 찾아 쓰시오.

someone who has great knowledge of a subject
한 주제에 대해 대단한 지식을 가진 어떤 사람

expert
전문가

정답   **1** ④   **2** ②   **3** (1) T (2) F   **4** ②   **5** expert

문제 해설

1 ⓓ는 은화들을 가리키고, 나머지는 모두 Adam과 Lisa를 가리킨다.

2 문장 ❷에서 Adam과 Lisa가 땅속에 묻힌 귀중한 물건들을 찾아다닌다고 했고, 세 번째 단락에서 그들이 발견한 동전들이 700만 달러의 가치가 있다고 했으므로, Adam과 Lisa가 찾아다닌 것과 이들의 이야기를 듣고 많은 사람들이 따라서 찾기 시작한 것이 보물임을 유추할 수 있다. 따라서 빈칸에는 ② '보물'이 가장 적절하다.

3 (1) 문장 ❶-❷에서 Adam과 Lisa는 땅속에 묻힌 귀중한 물건들을 찾아다니는 흥미로운 취미가 있다고 했다.
(2) 문장 ⓮에서 Adam과 Lisa가 찾은 은화가 700만 달러의 가치가 있다고 했다.

4 Adam과 Lisa는 취미 생활로 땅속에 묻힌 귀중한 물건들을 찾아내던 중 뜻밖에 700만 달러의 가치가 있는 은화들을 발견하게 되었다. 따라서 기대한 것보다 더 큰 행운을 만났다는 ②가 Adam과 Lisa의 사례와 가장 잘 어울린다.

5 '한 주제에 대해 대단한 지식을 가진 어떤 사람'이라는 뜻에 해당하는 단어는 expert(전문가)이다.

⓾ After digging around for hours, they **had discovered** over 2,000 coins.
→ had discovered는 과거완료 시제(had p.p.)로, 이 문장에서는 과거의 특정 시점보다 더 이전에 시작된 일이 그 시점에 완료되었음을 나타낸다. 은화를 처음 발견한 시점부터 몇 시간 동안 주변을 파고 난 후에 총 2,000개가 넘는 동전들을 발견했다는 의미이다.

⓭ 부사 even은 '훨씬'이라는 의미로 비교급을 강조할 수 있다. 이 문장에서는 형용사 good의 비교급 better를 강조하고 있다.
cf. 비교급 강조 부사: even, much, still, far, a lot

⓮ The expert said [(that) they **were worth** seven million dollars]!
→ [ ]는 said의 목적어 역할을 하는 명사절로, 명사절 접속사 that이 생략되어 있다.
→ 「be worth + 명사」는 '~의 가치가 있다'라는 의미이다.
cf. 「be worth + 동명사」: ~할 가치가 있다   *ex.* This gold ring **is worth buying.** (이 금반지는 살 가치가 있다.)

본문 해석

❶ '러브 게임'을 들으면 무엇이 떠오르는가? ❷ 당신은 연인 사이의 복잡한 관계를 떠올릴지도 모른다. ❸ 하지만 '러브 게임'은 테니스 용어이다. ❹ 그것은 상대방에게 한 점도 주지 않고 이기는 것을 의미한다. ❺ 다시 말해서, 패배한 선수는 한 점도 기록하지 못한 것이다. ❻ 이것은 테니스에서 '러브'가 '0점'을 의미하기 때문이다. ❼ 그래서 경기가 시작되면, 선수들은 러브 대 러브(0 대 0)에서 시작한다.

❽ 테니스의 '러브'라는 단어가 어디에서 왔는지에 대한 흥미로운 이야기가 있다. ❾ 테니스가 프랑스에서 처음 시작됐을 때, 점수는 점수판에 기록되었다. ⓫ 몇몇 재치 있는 프랑스 사람들은 점수판의 0점이 달걀처럼 보인다는 것을 발견했다. ❿ 그래서 0 대신에, 그들은 그것을 '달걀'을 의미하는 '뢰프'라고 불렀다. ⓬ 그리고 '뢰프'는 영어의 '러브'처럼 들린다. ⓭ 마침내, 영국에서 테니스가 인기 있게 된 후, 사람들은 0점을 '러브'라고 부르기 시작했다.

❶ What comes to mind / when you hear "love game"? / ❷ You might
무엇이 떠오르는가　　　당신이 '러브 게임'을 들으면　　　당신은 떠올릴지도

think of / a complicated relationship / between lovers. / ❸ But "love game"
모른다　복잡한 관계를　　　연인 사이의　　　하지만 '러브 게임'은

is a term in tennis. / ❹ It means winning / without giving a single point /
테니스의 용어이다　　　그것은 이기는 것을 의미한다　한 점도 주지 않고

to the opponent. / ❺ In other words, / the player / who loses / scores no
상대방에게　　　다시 말해서　　　선수는　　패배한　한 점도 기록하지

points. / ❻ This is because / *love* means "zero points" / in tennis. / ❼ So
못한다　이것은 ~ 때문이다　'러브'가 '0점'을 의미하기　테니스에서　그래서

when a game begins, / players start / at love—love (0—0). /
경기가 시작될 때　　선수들은 시작한다　러브 대 러브(0 대 0)에서

❽ There is an interesting story / about where the word *love* in tennis
흥미로운 이야기가 있다　　　테니스의 '러브'라는 단어가 어디에서 왔는지에 대한

came from. / (A) ❾ When tennis first started / in France, / scores were
　　　테니스가 처음 시작됐을 때　　　프랑스에서　점수는 기록되었다

written / on a scoreboard. / (C) ⓫ Some witty French people found /
점수판에　　　몇몇 재치 있는 프랑스 사람들은 발견했다

that a zero on the board / looked like an egg. / (B) ❿ So instead of zero, /
점수판의 0점이　　　달걀처럼 보였다는 것을　　　그래서 0 대신에

they called it *l'oeuf*, / meaning "egg". / ⓬ And *l'oeuf* sounds like *love* /
그들은 그것을 'l'oeuf'(뢰프)라고 불렀다　'달걀'을 의미하는　그리고 '뢰프'는 '러브'처럼 들린다

in English. / ⓭ Eventually, / after tennis became popular / in England, /
영어의　　　마침내　　　테니스가 인기 있게 된 후　　　영국에서

people started / to call a score of zero *love*. /
사람들은 시작했다　0점을 '러브'라고 부르기

구문 해설

❷ 　조동사 might는 '~할지도 모른다, 아마 ~할 것이다'라는 의미로, may보다 불확실한 추측을 나타낸다.

❹ 　It **means winning** without [*giving* a single point to the opponent].
　→ 「mean + v-ing」는 '~을 의미하다'라는 의미이다.
　　cf. 「mean + to-v」: ~할 의도이다　*ex.* I didn't **mean to hurt** you. (너에게 상처 줄 의도는 아니었어.)
　→ [ ]는 전치사 without(~하지 않고, ~없이)의 목적어 역할을 하는 동명사구이다.

❺ 　In other words, the player [who loses] scores no points.
　→ [ ]는 앞에 온 선행사 the player를 수식하는 주격 관계대명사절이다.

❻ 　This is because는 '이것은 ~ 때문이다'라는 의미로, because 뒤에 오는 내용이 앞 문장에 대한 이유가 된다.

❽ 　There is an interesting story about [where the word love in tennis came from].
　→ [ ]는 「의문사 + 주어 + 동사」의 간접의문문으로, about의 목적어 역할을 하고 있다.

1 이 글의 제목으로 가장 적절한 것은?

① How Tennis Started in France 테니스는 어떻게 프랑스에서 시작되었는가
② The Origin of a Term in Tennis 한 테니스 용어의 기원
③ How to Count Points in a Tennis Game 테니스 경기에서 점수를 세는 방법
④ Love: A Word with Many Different Meanings 사랑: 많은 다른 의미를 가진 단어
⑤ What People Call Zero in France and England
프랑스와 영국에서 사람들은 0을 무엇이라고 부르는가

2 이 글의 빈칸에 들어갈 말로 가장 적절한 것은?

① makes mistakes 실수를 한다
② has a lack of skill 기술이 부족하다
③ scores no points 한 점도 기록하지 못한다
④ receives a warning 경고를 받는다
⑤ doesn't get any support 어떠한 지원도 받지 못한다

3 이 글의 문장 (A)~(C)를 순서에 맞게 배열한 것으로 가장 적절한 것은?

① (A) – (B) – (C)
② (A) – (C) – (B)
③ (B) – (A) – (C)
④ (B) – (C) – (A)
⑤ (C) – (B) – (A)

4 테니스에서 *love*의 의미와 그 의미를 가지게 된 이유를 우리말로 쓰시오.

(1) *love*의 의미: _____0점_____
(2) 이유: ___프랑스인들이 0점을 l'oeuf(달걀)라고 불렀는데, 이 단어가 영어의 love처럼 들려서___

정답 1 ② 2 ③ 3 ② 4 (1) 0점 (2) 프랑스인들이 0점을 l'oeuf(달걀)라고 불렀는데,
이 단어가 영어의 love처럼 들려서

문제 해설

1 테니스에서 '러브'라는 용어가 생기게 된 배경을 설명하는 글이므로, 제목으로 ② '한 테니스 용어의 기원'이 가장 적절하다.

2 빈칸 앞에서 '러브 게임'이 상대방에게 한 점도 주지 않고 이기는 것을 의미한다고 했으므로, 빈칸에는 ③ '한 점도 기록하지 못한다'가 가장 적절하다.

3 테니스가 프랑스에서 시작됐을 때 점수를 점수판에 기록했다는 내용의 (A), 그 점수판에 써진 0점이 달걀처럼 생긴 것을 사람들이 발견했다는 내용의 (C), 그래서 0점을 l'oeuf(달걀)라고 불렀다는 내용의 (B)의 흐름이 가장 적절하다.

4 (1) 문장 ❻에서 테니스에서 '러브'는 0점을 의미한다고 했다.
(2) 문장 ❿, ⓬에서 프랑스인들이 0점을 달걀이라는 뜻의 l'oeuf라고 불렀는데, 이 단어가 영어의 love처럼 들린다고 했다.

❶ Some witty French people found [that a zero on the board **looked like an egg**].
→ [ ]는 found의 목적어 역할을 하는 명사절이다. 이때 명사절 접속사 that은 생략할 수 있다.
→ 「look like + 명사」는 '~처럼 보이다'라는 의미이다. *cf.* 「look + 형용사」: ~하게 보이다

❿ So **instead of** zero, they *called it l'oeuf*, [meaning "egg"].
→ instead of는 '~ 대신에'라는 의미의 전치사이다.
→ 「call A B」는 'A를 B라고 부르다'라는 의미이다.
→ [ ]는 앞에 온 l'oeuf를 수식하는 현재분사구이다. 이때 meaning은 '~을 의미하는'이라고 해석한다.

⓬ 「sound like + 명사」는 '~처럼 들리다'라는 의미이다. *cf.* 「sound + 형용사」: ~하게 들리다

⓭ after는 '~후에'라는 의미로, 부사절을 이끄는 접속사로 쓰여 뒤에 「주어 + 동사」의 절이 왔다.
cf. 「전치사 after + 명사」 *ex.* Let's play soccer **after school**. (방과 후에 축구하자.)

본문 해석

❶ 4월 10일이다. ❷ 당신은 냉장고에서 개봉되지 않은 우유 한 병을 발견한다. ❸ 병 위에는 "4월 2일까지 판매"라고 쓰여있다. ❹ 그 우유를 마셔도 괜찮을까? ❺ 사실, 괜찮다.

❻ 유통기한은 가게에 얼마나 오래 제품을 판매하기 위해 진열할 수 있는지를 알려준다. ❼ 진짜로 확인해야 하는 것은 소비기한이다. ❽ 이것은 음식을 안전하게 먹을 수 있는 마지막 날이다. ❾ 보통, 소비기한은 유통기한보다 며칠 또는 몇 주 더 늦다. ❿ 그래서 당신은 음식이 소비기한 이전인 한, 그것의 유통기한이 지난 음식을 여전히 먹을 수 있다. (⓫ 그러나 지나치게 많은 음식을 먹는 것은 몸에 좋지 않다.)

⓬ 불행히도, 이 기한들을 구분하는 것이 항상 쉽지만은 않다. ⓭ 결과적으로, 사람들은 종종 음식을 낭비한다. ⓮ 실제로, 2017년에 80퍼센트가 넘는 미국인들이 완전히 괜찮은 음식을 버린다고 보고되었다. ⓯ 얼마나 낭비인가!

❶ It's April 10. / ❷ You find / an unopened bottle of milk / in the
4월 10일이다　　　　　당신은 발견한다 개봉되지 않은 우유 한 병을

refrigerator. / ❸ On the bottle, / it says / "Sell by April 2." / ❹ Is it OK /
냉장고에서　　　　병 위에는　　~이라고 쓰여 있다 "4월 2일까지 판매"　　괜찮을까

to drink the milk? / ❺ Actually, / it is. /
그 우유를 마시는 것이　　사실　　그렇다

❻ The sell-by date tells stores / how long / they can display the
유통기한은 가게에 알려준다　　　　얼마나 오래　그들이 그 제품을 진열할 수

product / for sale. / ❼ What you really need to check / is the use-by date. /
있는지를　　판매를 위해　당신이 진짜로 확인해야 하는 것은　　소비기한이다

❽ This is the last day / you can safely eat the food. / ❾ Usually, / the
이것은 마지막 날이다　　당신이 안전하게 음식을 먹을 수 있는　　보통

use-by date / is a few days or weeks later / than the sell-by date. / ❿ So
소비기한은　　며칠 또는 몇 주 더 늦다　　　유통기한보다　　　그래서

you can still eat food / that is past its sell-by date, / as long as it is before
당신은 여전히 음식을 먹을 수 있다　그것의 유통기한이 지난　　　그것이 소비기한 이전인 한

the use-by date. / (e) (⓫ But eating too much food / isn't good for your
　　　　　　　　　그러나 지나치게 많은 음식을 먹는 것은 당신의 몸에 좋지 않다

body. /)

⓬ Unfortunately, / it's not always easy / to distinguish these dates. /
불행히도　　　　항상 쉬운 것은 아니다　　이 기한들을 구분하는 것이

⓭ As a result, / people often waste food. / ⓮ In fact, / it was reported / in
결과적으로　　사람들은 종종 음식을 낭비한다　　실제로　　보고되었다

2017 / that more than 80% of Americans / throw away / perfectly good
2017년에　　80퍼센트가 넘는 미국인들이　　　　　버린다는 것이　완전히 괜찮은

food. / ⓯ What a waste! /
음식을　　　얼마나 낭비인가

구문 해설

❻ The sell-by date **tells stores** [how long they can display the product for sale].
→ 「tell + 간접목적어 + 직접목적어」는 '~에게 …을 알려주다, 말해주다'라는 의미이다. 이 문장에서는 간접의문문 [ ]가 tells의 직접목적어 역할을 하고 있다.
→ [ ]는 「how + 부사 + 주어 + 동사」의 간접의문문으로, 이때 how는 '얼마나'라고 해석한다.
cf. 「how + 주어 + 동사」: 어떻게 ~하는지
ex. The book tells **how you can live** longer. (그 책은 당신이 어떻게 더 오래 살 수 있는지 알려준다.)

❼ [What you really **need to check**] is the use-by date.
→ [ ]는 문장의 주어 역할을 하는 관계대명사절이다. 관계대명사 what은 선행사를 포함하고 있으며, '~하는 것'이라는 의미이다.
→ 「need + to-v」는 '~해야 한다'라는 의미이다. need는 목적어로 to부정사를 쓴다.
cf. don't need to/need not: ~할 필요가 없다　*ex.* We **don't need to** hurry. = We **need not** hurry. (우리는 서두를 필요가 없다.)

1 Among (a)~(e), which sentence does NOT fit in the context?
(a)~(e) 중, 전체 흐름과 관계없는 문장은?

① (a)　　　　② (b)　　　　③ (c)　　　　④ (d)　　　　☑ (e)

2 What is the meaning of the underlined Actually, it is? Choose the correct one.
밑줄 친 Actually, it is의 의미는 무엇인가? 알맞은 말을 고르시오.

> You can drink the milk because it is not past its (sell-by date / use-by date).
> 우유의 소비기한이 지나지 않았기 때문에 당신은 그것을 마실 수 있다.

3 Write T if the statement is true or F if it is false. 이 글의 내용과 일치하면 T, 그렇지 않으면 F를 쓰시오.

(1) The food cannot be sold after its sell-by date.　　　　T
음식은 유통기한 이후에는 판매될 수 없다.

(2) In 2017, food in good condition was thrown away by more than 80%
of Americans. 2017년에, 80% 이상의 미국인들에 의해 좋은 상태의 음식이 버려졌다.　　T

4 Which is the best choice for the blank? 빈칸에 들어갈 말로 가장 적절한 것은?

① However 하지만　　　　② Moreover 게다가　　　　③ In short 요컨대
④ For example 예를 들어　　☑ As a result 결과적으로

5 Complete the sentences with the following words. 다음 중 알맞은 말을 골라 문장을 완성하시오.

distinguish	eat	report	waste	sell
구분하다	먹다	보고하다	낭비하다	판매하다

Stores cannot display food after the sell-by date, but it is fine to ___eat___ food until the use-by date. However, it is hard to ___distinguish___ between the sell-by date and the use-by date, so many people ___waste___ food by throwing it away.

가게는 유통기한 이후의 음식을 진열할 수 없지만, 소비기한 때까지의 음식을 먹는 것은 괜찮다. 하지만, 유통기한과 소비기한을 구분하는 것은 어려워서, 많은 사람들이 음식을 버려서 그것을 낭비한다.

---

1 유통기한과 소비기한의 차이점을 설명하는 내용 중에, '그러나 지나치게 많은 음식을 먹는 것은 몸에 좋지 않다'라는 내용의 (e)는 전체 흐름과 관계없다.

2 문장 ❿에서 소비기한 전이라면 유통기한이 지난 음식을 먹을 수 있다고 했다. 따라서 4월 2일이라는 유통기한이 지난 우유를 4월 10일에 마실 수 있는 이유는, 아직 소비기한이 지나지 않았기 때문임을 유추할 수 있다.

3 (1) 문장 ❻에서 유통기한은 가게가 얼마나 오래 제품을 진열할 수 있는지 알려준다고 했으므로, 유통기한이 지난 음식은 판매될 수 없음을 유추할 수 있다.
(2) 문장 ⓮에 언급되어 있다.

4 빈칸 앞에서 유통기한과 소비기한을 구분하는 것이 항상 쉬운 것은 아니라고 했고, 빈칸이 있는 문장에서 그로 인해 사람들이 종종 음식을 낭비한다고 했다. 따라서 빈칸에는 ⑤ '결과적으로'가 가장 적절하다.

5 문제 해석 참고

정답 　**1** ⑤ 　**2** use-by date 　**3** (1) T (2) T 　**4** ⑤ 　**5** eat, distinguish, waste

---

❽ This is the last day [(when) you can safely eat the food.]
→ [ ]는 앞에 온 선행사 the last day를 수식하는 관계부사절로, 관계부사 when이 생략되어 있다. 관계부사의 선행사가 the time, the place, the reason과 같이 시간, 장소, 이유를 나타내는 일반적인 명사인 경우 선행사나 관계부사 중 하나를 생략할 수 있다.

❿ So you can still eat food [that is past its sell-by date], **as long as** it is before the use-by date.
→ [ ]는 앞에 온 선행사 food를 수식하는 주격 관계대명사절이다.
→ as long as는 부사절을 이끄는 접속사로, '~인[하는] 한, ~하기만 하면'이라는 의미이다.

⓫ eating too much food는 문장의 주어 역할을 하는 동명사구이다. 동명사구는 단수 취급하므로 뒤에 단수동사 is가 쓰였다.

⓬ Unfortunately, **it's** *not always* easy **to distinguish these dates**.
→ it은 가주어이고, to distinguish these dates가 진주어이다. 이때 가주어 it은 따로 해석하지 않는다.
→ not always는 '항상 ~한 것은 아니다'라는 의미로, 전체가 아닌 일부를 부정하는 [부분 부정]을 나타낸다.

⓮ it은 가주어이고, that절이 진주어이다. 이때 가주어 it은 따로 해석하지 않는다.

UNIT 07

1

본문 해석

❶ 추운 겨울날 손난로는 도움이 된다. ❷ 만약 그것을 흔든다면, 그것은 당신을 따뜻하게 유지해 줄 열기를 만들어낸다. ❸ 그런데 당신은 그것이 어떻게 작용을 하는지 생각해 본 적 있는가?

❹ 손난로는 철 가루로 채워진 작은 봉지이다. ❼ 그것은 보통 비닐 포장 안에 밀봉되어 있다. ❻ 만약 포장을 열면, 봉지 안에 있는 철이 공기에 노출되고 녹슬기 시작한다. ❺ 이 반응은 열에너지를 방출한다. ❽ 만약 손난로를 흔들면, 반응은 더 빠르게 일어난다. ❾ 모든 철이 녹슬면, 손난로는 더 이상 열을 방출하지 않고 식기 시작한다.

❿ 만약 손난로를 나중에 다시 사용하고 싶다면, 잠시 동안 그 반응을 멈출 방법이 있다. ⓫ 열기가 사라지기 전에 그냥 그것을 용기 안에 넣어라. ⓬ 그러나, 어떠한 공기도 안에 들어가지 않도록 확실히 해라. ⓭ 그렇지 않으면, 그 반응은 모든 철이 녹슬게 될 때까지 멈추지 않을 것이다.

---

❶ Hand warmers are helpful / on cold winter days. / ❷ If you shake
손난로는 도움이 된다   추운 겨울날에   만약 당신이 그것들을

them, / they produce heat / to keep you warm. / ❸ But did you ever
흔든다면   그것들은 열기를 만들어낸다   당신을 따뜻하게 유지해 줄   그런데 당신은 생각해 본

think / about how they work? /
적 있는가   그것들이 어떻게 작용을 하는지에 대해

❹ A hand warmer is a small packet / that is filled with iron powder. /
손난로는 작은 봉지이다   철 가루로 채워진

(C) ❼ It is usually sealed / in a plastic package. / (B) ❻ If you open the
그것은 보통 밀봉된다   비닐 포장 안에   만약 당신이 포장을 열면

package, / the iron in the packet / is exposed to air / and begins to rust. /
봉지 안에 있는 철이   공기에 노출된다   그리고 녹슬기 시작한다

(A) ❺ This reaction releases heat energy. / ❽ If you shake the hand
이 반응은 열에너지를 방출한다   만약 당신이 손난로를 흔들면

warmer, / the reaction occurs faster. / ❾ When all of the iron is rusted, /
그 반응은 더 빠르게 일어난다   모든 철이 녹슬면

the hand warmer / no longer gives off heat / and begins to cool down. /
손난로는   더 이상 열을 방출하지 않는다   그리고 식기 시작한다

❿ If you want to use the hand warmer / again later, / there's a way /
만약 당신이 손난로를 사용하고 싶다면   나중에 다시   방법이 있다

to stop the reaction / for a while. / ⓫ Just put it in a container / before
그 반응을 멈출   잠시 동안   그냥 그것을 용기 안에 넣어라

the heat goes away. / ⓬ However, / make sure / that no air gets inside. /
열기가 사라지기 전에   그러나   확실히 해라   어떠한 공기도 안에 들어가지 않도록

⓭ Otherwise, / the reaction won't stop / until all of the iron becomes
그렇지 않으면   그 반응은 멈추지 않을 것이다   모든 철이 녹슬게 될 때까지

rusted. /

구문 해설

❷ If you shake them, they produce heat **to keep you warm**.
→ to keep you warm은 '당신을 따뜻하게 유지해 줄'이라는 의미로, to부정사의 형용사적 용법으로 쓰여 heat를 수식하고 있다.
→「keep + 목적어 + 형용사」는 '~을 …하게 유지하다'라는 의미로, 여기서는 '당신을 따뜻하게 유지하다'라고 해석한다.

❸ But did you ever think about [how they work]?
→ [ ]는「의문사 + 주어 + 동사」의 간접의문문으로, about의 목적어 역할을 하고 있다.

❹ A hand warmer is a small packet [that **is filled with** iron powder].
→ [ ]는 앞에 온 선행사 a small packet을 수식하는 주격 관계대명사절이다.
→ be filled with는 '~으로 채워지다, 가득 차다'라는 의미의 수동태 표현이다.

❾ When **all of the iron** is rusted, the hand warmer *no longer* gives off heat and begins to cool down.
→「all of + 명사」는 of 뒤의 명사에 동사의 수를 일치시킨다. 여기서는 셀 수 없는 명사 the iron이 쓰였으므로, 단수동사 is가 쓰였다.

문제 해설

1 이 글의 주제로 가장 적절한 것은?

① the reaction of iron with hot air 철의 뜨거운 공기와의 반응
✓② how a hand warmer makes heat 손난로가 열기를 만들어내는 방법
③ a safe way to use a hand warmer 손난로를 사용하는 안전한 방법
④ how to create your own hand warmer 당신만의 손난로를 만드는 방법
⑤ why you should shake a hand warmer 손난로를 흔들어야 하는 이유

1 철의 산화 반응을 이용하여 열기를 내는 손난로의 원리에 대해 설명하는 글이므로, 주제로 ② '손난로가 열기를 만들어내는 방법'이 가장 적절하다.

2 이 글의 문장 (A)~(C)를 순서에 맞게 배열한 것으로 가장 적절한 것은?

① (A) – (B) – (C) ② (A) – (C) – (B) ③ (B) – (A) – (C)
④ (B) – (C) – (A) ✓⑤ (C) – (B) – (A)

2 손난로는 철 가루로 채워진 봉지라는 언급 뒤에, 그것은 보통 비닐 포장 안에 밀봉되어 있다는 내용의 (C), 포장을 열면 봉지 안의 철이 공기에 노출되어 녹슬기 시작한다는 내용의 (B), 이 반응이 열에너지를 방출한다는 내용의 (A)의 흐름이 가장 적절하다.

3 이 글의 내용과 일치하지 <u>않는</u> 것을 <u>모두</u> 고른 것은?

(A) 손난로 안에 든 철이 녹슬면서 열이 발생한다.
(B) 손난로를 흔들면 공기와의 접촉을 줄일 수 있다.
(C) 손난로가 식은 후 용기에 보관해두면 나중에 다시 사용할 수 있다.
(D) 손난로를 보관하는 용기에 공기가 들어가면 철이 녹슨다.

① (A), (C) ② (A), (D) ✓③ (B), (C)
④ (B), (D) ⑤ (C), (D)

3 (B): 문장 ❽에서 손난로를 흔들면 봉지 안의 철이 공기에 노출되어 녹스는 반응이 더 빠르게 일어난다고 했다.
(C): 문장 ❿-⓫에서 손난로를 나중에 다시 사용하고 싶다면 열기가 사라지기 전에 용기 안에 넣으라고 했다.
(A): 문장 ❺-❻에 언급되어 있다.
(D): 문장 ⓬-⓭에 언급되어 있다.

4 이 글의 내용으로 보아, 다음 빈칸에 들어갈 말을 글에서 찾아 쓰시오.

A hand warmer is a small packet that contains ___iron___ powder. When the powder is exposed to air, it starts to ___rust___ and produces heat. Placing a hand warmer in a container can ___stop___ this reaction for some time.

손난로는 철 가루가 들어 있는 작은 봉지이다. 그 가루가 공기에 노출되면, 그것은 녹슬기 시작하고 열기를 만들어낸다. 손난로를 용기 안에 두는 것은 이 반응을 잠시 동안 멈출 수 있다.

4 문제 해석 참고

정답 **1** ② **2** ⑤ **3** ③ **4** iron, rust, stop

→ no longer는 '더 이상 ~않는'이라는 의미이다.
    = not ~ any longer = not ~ anymore   *ex.* the hand warmer does **not** give off heat **any longer/anymore**
→ begin은 목적어로 to부정사와 동명사 모두 쓸 수 있다.
    ex. The hot tea **began cooling down** as I put some ice into it. (내가 뜨거운 차에 얼음을 넣자 그것은 식기 시작했다.)

❿ If you **want to use** the hand warmer again later, there's a way *to stop the reaction* for a while.
    → 「want + to-v」는 '~하고 싶다, ~하기를 원하다'라는 의미이다.
    → to stop the reaction은 '그 반응을 멈출'이라는 의미로, to부정사의 형용사적 용법으로 쓰여 a way를 수식하고 있다.

⓬ 「make sure + that절」은 '~하도록 확실히 하다, 반드시 ~하도록 하다'라는 의미이다.

⓭ until은 '~할 때까지'라는 의미로, 부사절을 이끄는 접속사로 쓰여 뒤에 「주어 + 동사」의 절이 왔다.
    cf. 「전치사 until + 명사」: ~까지   *ex.* There will be no snow **until Christmas day.** (크리스마스 날까지 눈이 오지 않을 것이다.)

2

본문 해석

❶ 큰 축제 후에는, 보통 바닥 곳곳에 쓰레기가 있다. ❷ 우리는 어떻게 사람들이 쓰레기를 쓰레기통 안에 버리게 할 수 있을까? ❸ 쓰레기로 투표하는 것이 한 가지 방법일 수 있다!

❹ 예를 들어, 행사에 두 개의 쓰레기통이 설치되어 있고, 각각은 하나의 질문에 대한 다른 답변을 나타내고 있다. ❺ 만약 그 질문이 '최고의 초능력은 무엇인가?'라면, 한 쓰레기통에는 '투명인간'이라고 쓰여 있을 수 있다. ❻ 그리고 나머지 하나에는 '날기'라고 쓰여 있을 수 있다. ❼ 그러면, 사람들은 그들이 동의하는 쓰레기통 안에 쓰레기를 버려서 투표할 수 있다. ❽ 그 쓰레기통은 투명한 용기여서, 모든 사람이 각 선택지에 다른 사람들이 얼마나 많이 투표했는지 볼 수 있다.

❾ 이 투표용 쓰레기통은 실제로 효과가 좋다. ❿ 네덜란드에서 열린 한 축제에서는, 3만 명이 넘는 사람들이 쓰레기를 주워서 투표했다. ⓫ 이것은 환경을 깨끗하게 유지하는 재미있고 쉬운 방법이다.

❶ After a big festival, / there's usually trash / all over the ground. /
큰 축제 후에는   보통 쓰레기가 있다   바닥 곳곳에

❷ How can we / get people to throw trash / into a bin? ❸ Voting with
우리는 어떻게   사람들이 쓰레기를 버리게 할 수 있을까 쓰레기통 안에   쓰레기로 투표하는

trash / can be one way! /
것이   한 가지 방법일 수 있다

❹ For example, / two trash cans are placed / at an event, / and each
예를 들어   두 개의 쓰레기통들이 설치되어 있다   한 행사에   그리고 각각은

represents a different answer / to one question. / ❺ If the question is /
다른 답변을 나타내고 있다   하나의 질문에 대한   만약 그 질문이 ~라면

"What is the best superpower?", / one trash can / could say "Invisibility." /
최고의 초능력은 무엇인가   한 쓰레기통에는   '투명인간'이라고 쓰여 있을 수 있다

❻ And the other could say "Flying." / ❼ Then, / people can vote / by
그리고 나머지 하나에는 '날기'라고 쓰여 있을 수 있다   그러면   사람들은 투표할 수 있다

throwing their trash into the bin / they agree with. / ❽ The bins are
그들의 쓰레기를 쓰레기통 안에 버려서   그들이 동의하는   그 쓰레기통들은

clear containers, / so everyone can see / how many / other people
투명한 용기이다   그래서 모든 사람이 볼 수 있다   얼마나 많은   다른 사람들이

voted / for each option. /
투표했는지   각 선택지에

❾ These voting trash cans / actually work well. / ❿ At one festival /
이 투표용 쓰레기통들은   실제로 효과가 좋다   한 축제에서는

held in the Netherlands, / more than 30,000 people / picked up trash /
네덜란드에서 열린   3만 명이 넘는 사람들이   쓰레기를 주웠다

and voted. / ⓫ This is a fun and easy way / to keep the environment
그리고 투표했다   이것은 재미있고 쉬운 방법이다   환경을 깨끗하게 유지하는

clean. /

구문 해설

❷ How can we **get people to throw** trash into a bin?
→ 「get + 목적어 + to-v」는 '~가 …하게 하다'라는 의미이다. 이 문장에서는 '사람들이 버리게 하다'라고 해석한다.

❹ 부정대명사 each는 '각각'이라는 의미로, 앞에서 언급한 명사를 대신할 때 쓰인다. 이 문장에서는 trash can을 의미한다.

❻ the other는 '나머지 하나'라는 의미로, 이 문장에서는 두 개의 쓰레기통 중 '투명인간'이 쓰여 있는 하나(one trash can) 외 '날기'가 쓰여 있는 나머지 하나를 가리킨다.   cf. another: 또 다른 하나 the others: 나머지 전부 others: (불특정한) 다른 것/사람들

❼ Then, people can vote **by throwing** their trash into the bin [(which/that) they agree with].
→ 「by + v-ing」는 '~해서, ~함으로써'라는 의미로 수단이나 방법을 나타낸다.
→ [ ]는 앞에 온 선행사 the bin을 수식하는 목적격 관계대명사절로, 이때 목적격 관계대명사 which/that이 생략되어 있다.

1 이 글의 제목으로 가장 적절한 것은?

① How to Motivate People to Vote 사람들이 투표하도록 동기 부여하는 방법
② Recycling Trash from Big Events 큰 행사에서 나온 쓰레기를 재활용하기
③ Keep the Ground Clean by Voting! 투표해서 바닥을 깨끗하게 유지하라!
④ Efforts to Install Trash Cans in the Street 길거리에 쓰레기통을 설치하기 위한 노력
⑤ An Eco-friendly Festival in the Netherlands 네덜란드의 친환경적인 축제

2 이 글에서 투표용 쓰레기통에 관해 언급되지 않은 것을 모두 고르시오.

① 크기   ② 설치 목적   ③ 이용 방법
④ 이용 시간   ⑤ 이용 사례

3 투표용 쓰레기통에 관한 이 글의 내용과 일치하면 T, 그렇지 않으면 F를 쓰시오.

(1) 두 개의 쓰레기통이 한 가지 질문에 대해 각각 다른 답변을 제시한다.   T

(2) 최고의 초능력을 묻는 투표에서는 '날기'가 '투명인간'보다 더 많은 표를 얻었다.   F

(3) 네덜란드에는 30,000개 이상이 설치되어 큰 효과를 얻었다.   F

4 이 글의 내용으로 보아, 다음 빈칸에 들어갈 말을 글에서 찾아 쓰시오.

Some bins placed at festivals let people vote with their _____trash_____.
These types of bins help to protect the _____environment_____.

축제에 설치된 몇몇 쓰레기통은 사람들이 그들의 쓰레기로 투표하도록 한다. 이러한 유형의 쓰레기통은 환경 보호를 돕는다.

---

1 쓰레기로 투표하도록 해서 사람들이 쓰레기를 잘 버리도록 유도하는 쓰레기통을 소개하는 글이므로, 제목으로 ③ '투표해서 바닥을 깨끗하게 유지하라!'가 가장 적절하다.

2 ①, ④: 투표용 쓰레기통의 크기와 이용 시간에 대한 언급은 없다.
②는 문장 ❷-❸에, ③은 문장 ❹-❼에, ⑤는 문장 ❿에 언급되어 있다.

3 (1) 문장 ❹에 언급되어 있다.
(2) 문장 ❽에서 각 선택지에 다른 사람들이 얼마나 많이 투표했는지 볼 수 있다고는 했으나, 투표 결과에 대한 언급은 없다.
(3) 문장 ❿에서 네덜란드에서 열린 한 축제에서 3만 명이 넘는 사람들이 쓰레기를 주워 투표했다고 했으나, 설치된 쓰레기통의 수에 대한 언급은 없다.

4 문제 해석 참고

정답 **1** ③   **2** ①, ④   **3** (1) T (2) F (3) F   **4** trash, environment

---

❽ The bins are clear containers, so everyone can see [how many other people voted for each option].
→ [ ]는 「how + 형용사 + 주어 + 동사」의 간접의문문으로, 이때 how는 '얼마나'라고 해석한다.
  cf. 「how + 주어 + 동사」: 어떻게 ~하는지
  ex. This video explains **how dolphins catch** prey. (이 영상은 돌고래들이 어떻게 먹이를 잡는지를 설명한다.)

❾ voting은 뒤에 온 명사(trash cans)의 용도나 목적을 나타내는 동명사이다. 이 문장에서는 '투표용 쓰레기통'이라고 해석한다.

❿ At one festival [**held** in the Netherlands], more than 30,000 people picked up trash and voted.
→ [ ]는 앞에 온 one festival을 수식하는 과거분사구이다. 이때 held는 '열린, 개최된'이라고 해석한다.

⓫ This is a fun and easy way **to keep the environment clean**.
→ to keep 이하는 '환경을 깨끗하게 유지하는'이라는 의미로, to부정사의 형용사적 용법으로 쓰여 a fun and easy way를 수식하고 있다.
→ 「keep + 목적어 + 형용사」는 '~을 …하게 유지하다'라는 의미이다.

본문 해석

❶ '해트트릭'은 축구 또는 아이스하키와 같은 스포츠에서 쓰이는 용어이다. ❷ 그것은 선수가 한 경기에서 세 번 득점하는 것을 의미한다. ❸ 이것이 아이스하키에서 일어나면, 팬들은 가끔 축하하기 위해 그들의 모자를 얼음 위에 던진다. ❹ 그런데 왜 '모자'일까?

❺ 해트트릭이라는 용어는 원래 전통적인 영국 스포츠인 크리켓에서 유래한다. ❻ 크리켓은 야구와 비슷하다. ❼ 그것은 투수와 타자 간의 경기이다. ❽ 투수는 공을 던지고, 타자는 그것을 친다. ❾ 1858년에 처음으로, 한 투수가 단 세 번의 투구로 세 명의 타자를 이겼다. ❿ 한 명의 타자를 아웃시키는 것조차 어렵기 때문에 이것은 드문 업적이었다. ⓫ 그래서, 그를 축하하기 위해, 팬들은 모자를 사서 선물로 그에게 주었다. ⓬ 그리고 이렇게 해서 해트트릭이라는 용어가 생기게 됐다. ⓭ 훌륭한 '재주'는 '모자'를 받을 가치가 있었다!

❶ A "hat trick" is a term / used in sports / like soccer or ice hockey. /
'해트트릭'은 용어이다   스포츠에서 쓰이는   축구 또는 아이스하키와 같은

❷ It means / a player scores three times / in a single game. / ❸ When this
그것은 의미한다   한 선수가 세 번 득점하는 것을   한 경기에서   이것이

happens in ice hockey, / fans sometimes throw their hats / on the ice / to
아이스하키에서 일어나면   팬들은 가끔 그들의 모자를 던진다   얼음 위에

celebrate it. / ❹ But why is it *hats*? /
그것을 축하하기 위해   그런데 왜 '모자'일까

❺ The term hat trick / originally comes from / a traditional English
해트트릭이라는 용어는   원래 ~에서 유래한다   전통적인 영국 스포츠인

sport, / cricket. / ❻ Cricket is similar to baseball. / ❼ It's a match / between
크리켓   크리켓은 야구와 비슷하다   그것은 경기이다

a bowler and a batsman. / ❽ The bowler throws the ball, / and the batsman
투수와 타자 간의   투수는 공을 던진다   그리고 타자는

hits it. / ❾ For the first time / in 1858, / a bowler defeated three batsmen /
그것을 친다   처음으로   1858년에   한 투수가 세 명의 타자를 이겼다

with only three throws. / ❿ This was a rare accomplishment / since it's
단 세 번의 투구로   이것은 드문 업적이었다   어렵기 때문에

hard / to get even one batsman out. / ⓫ So, / to congratulate him, / fans
한 명의 타자를 아웃시키는 것조차   그래서   그를 축하하기 위해   팬들은

bought a hat / and gave it to him / as a gift. / ⓬ And this is how / the
모자를 샀다   그리고 그것을 그에게 주었다   선물로   그리고 이렇게 해서 ~하다

term hat trick came about. / ⓭ An excellent "trick" was worth / receiving
해트트릭이라는 용어가 생겼다   훌륭한 '재주'는 가치가 있었다   '모자'를 받을

a "hat"! /

구문 해설

❶ A "hat trick" is a term [**used** in sports like soccer or ice hockey].
→ [ ]는 앞에 온 a term을 수식하는 과거분사구이다. 이때 used는 '쓰이는'이라고 해석한다.

❷ It means [(that) a player scores three times in a single game].
→ [ ]는 means의 목적어 역할을 하는 명사절로, 명사절 접속사 that이 생략되어 있다.

❸ When this happens in ice hockey, fans **sometimes** throw their hats on the ice *to celebrate it*.
→ sometimes(가끔, 때때로)는 어떤 일이 얼마나 자주 일어나는지를 나타내는 빈도부사이다. 빈도부사는 일반동사의 앞 또는 be동사나 조동사의 뒤에 오므로 일반동사 throw 앞에 왔다.
→ to celebrate it은 '그것(=hat trick)을 축하하기 위해'라는 의미로, [목적]을 나타내는 to부정사의 부사적 용법으로 쓰였다.

❺ a traditional English sport와 cricket은 콤마로 연결된 동격 관계이다.

❼ 「between A and B」는 'A와 B 간의, 사이에'라는 의미이다.

1 이 글의 주제로 가장 적절한 것은?

✔① the origin of the term hat trick 해트트릭이라는 용어의 기원
② sports that are based on cricket 크리켓에 기반을 둔 스포츠
③ the meaning of a hat in cricket 크리켓에서 모자의 의미
④ great players who recorded a hat trick 해트트릭을 기록한 위대한 선수들
⑤ the rules of a traditional English sport 전통적인 영국 스포츠의 규칙들

2 다음 질문에 대한 답이 되도록 빈칸에 들어갈 말을 글에서 찾아 쓰시오.

> Q. How do ice hockey fans celebrate a hat trick?
> 아이스하키 팬들은 어떻게 해트트릭을 축하하는가?

A. They sometimes ___throw___ ___their___ ___hats___
on the ice. 그들은 가끔 얼음 위에 그들의 모자를 던진다.

3 이 글의 밑줄 친 This가 의미하는 내용을 우리말로 쓰시오.

투수가 단 세 번의 투구로 세 명의 타자를 이긴 것

4 이 글의 내용으로 보아, 빈칸에 들어갈 말을 글에서 찾아 쓰시오.

In a cricket match in 1858, a bowler (1) ___defeated___ three batsmen with just three throws. 1858년에 한 크리켓 경기에서, 투수가 단 세 번의 투구로 세 명의 타자를 (1) 이겼다.

The bowler received a (2) ___hat___ from his fans as a gift.
투수는 그의 팬들로부터 (2) 모자를 선물로 받았다.

Since then, when a player scores (3) ___three___ ___times___ in one game, people call it a "hat trick."
그 후로, 선수가 한 경기에서 (3) 세 번 득점하면, 사람들은 그것을 '해트트릭'이라고 부른다.

정답 **1** ① **2** throw their hats **3** 투수가 단 세 번의 투구로 세 명의 타자를 이긴 것
4 (1) defeated (2) hat (3) three times

---

1 한 크리켓 경기에서 투수의 업적을 축하하기 위해 모자를 선물한 것이 계기가 되어 해트트릭이라는 용어가 생기게 되었음을 설명하는 글이므로, 주제로 ① '해트트릭이라는 용어의 기원'이 가장 적절하다.

2 문장 ❸에서 아이스하키에서 해트트릭이 일어나면 팬들이 가끔 축하하기 위해 그들의 모자를 얼음 위에 던진다고 했다.

3 문장 ❾에 언급된 내용을 의미한다. 투수가 단 세 번의 투구로 세 명의 타자를 이긴 것(= This)이 드문 업적이었다는 의미이다.

4 문제 해석 참고

---

❿ This was a rare accomplishment **since** *it*'s hard *to get even one batsman out*.
→ since는 '~ 때문에'라는 의미로, 부사절을 이끄는 접속사로 쓰여 뒤에 「주어 + 동사」의 절이 왔다.
cf. 접속사 since의 두 가지 의미: ① ~ 때문에 ② ~ 이후로
cf. 「전치사 since + 명사」: ~ 이후로 *ex.* I have been taking vitamins **since 2020**. (2020년 이후로 나는 비타민을 먹어왔다.)
→ it은 가주어이고, to get 이하가 진주어이다. 이때 가주어 it은 따로 해석하지 않는다.

⓫ 「give + 직접목적어 + to + 간접목적어」는 '~에게 …을 주다'라는 의미이다. 일반적으로 「give + 간접목적어 + 직접목적어」로 바꿔 쓸 수 있으나, 여기서처럼 it이나 them이 직접목적어로 쓰이면 바꿔 쓸 수 없다.

⓬ this is how는 '이렇게 해서 ~하다'라는 의미이다.

⓭ An excellent "trick" **was worth receiving** a "hat"!
→ 「be worth + v-ing」은 '~할 가치가 있다'라는 의미이다. worth 뒤에는 (동)명사가 온다.

본문 해석

❶ 어떤 동물들이 북극에 사는가? ❷ 대부분의 사람들은 북극곰, 물개, 그리고 순록을 떠올린다. ❸ 하지만 놀랍게도, 어떤 개구리들도 그곳에 산다! ❹ 송장 개구리는, 북아메리카 전역에서 발견되는데, 심지어 북극에도 산다. ❺ 이것은 그것들이 그곳의 꽁꽁 얼게 추운 온도를 견뎌낼 수 있기 때문에 가능하다. ❻ 겨울이 오면, 송장 개구리는 언다. ❼ 뇌와 심장 활동뿐만 아니라 호흡도 완전히 멈춘다. ❽ 이것은 몇 달 동안 지속되어서, 그것들은 죽은 것처럼 보인다. ❾ 하지만, 봄이 오면, 그것들은 되살아난다!

❿ 송장 개구리가 얼기 시작할 때, 그것들의 몸은 특수한 동결 방지 물질을 만들어낸다. ⓫ 이것은 몸에 있는 물의 3분의 1이 어는 것을 막는다. ⓬ 만약 그것들의 몸이 그것을 만들어내지 못한다면, 그것들은 얼어 죽을 것이다. ⓭ 요즘, 의료 전문가들은 송장 개구리의 이 놀라운 능력을 연구하고 있다. ⓮ 언젠가는, 그들이 사람을 얼리고 녹이는 방법을 찾을지도 모른다!

❶ What animals live in the Arctic? / ❷ Most people think of / polar
어떤 동물들이 북극에 사는가   대부분의 사람들은 ~을 떠올린다
bears, seals, and reindeer. / ❸ But surprisingly, / ⓐ some frogs live
북극곰, 물개, 그리고 순록   하지만 놀랍게도   어떤 개구리들도
there, too! / ❹ Wood frogs, / which are found across North America, /
그곳에 산다   송장 개구리는   그런데 그것들은 북아메리카 전역에서 발견된다
even live in the Arctic. / ❺ This is possible / because ⓑ they can
심지어 북극에도 산다   이것은 가능하다   그것들이 견뎌낼 수 있기 때문에
survive / the freezing temperatures there. / ❻ When winter comes, /
그곳의 꽁꽁 얼게 추운 온도를   겨울이 오면
wood frogs freeze. / ❼ⓒ Their breathing / as well as their brain and heart
송장 개구리들은 언다   그것들의 호흡은   그것들의 뇌와 심장 활동뿐만 아니라
activity / stops completely. / ❽ This lasts for months, / so they seem
완전히 멈춘다   이것은 몇 달 동안 지속된다   그래서 그것들은 죽은
dead. / ❾ However, / when spring comes, / they revive! /
것처럼 보인다   하지만   봄이 오면   그것들은 되살아난다
❿ When wood frogs start to freeze, / their bodies produce / a special
송장 개구리들이 얼기 시작할 때   그것들의 몸은 만들어낸다   특수한
antifreeze substance. / ⓫ This prevents / one-third of the water in their
동결 방지 물질을   이것은 막는다   그것들 몸에 있는 물의 3분의 1이
bodies / from freezing. / ⓬ If their bodies weren't able to produce it, /
어는 것을   만약 그것들의 몸이 그것을 만들어내지 못한다면
ⓓ they would freeze to death. / ⓭ Nowadays, / medical experts are
그것들은 얼어 죽을 것이다   요즘   의료 전문가들은
studying / this amazing ability of wood frogs. / ⓮ Someday, / ⓔ they may
연구하고 있다 송장 개구리들의 이 놀라운 능력을   언젠가는   그들이 방법을
find a way / to freeze and unfreeze a person! /
찾을지도 모른다 사람을 얼리고 녹이는

구문 해설

❹ Wood frogs[, **which** are found across North America], even live in the Arctic.
→ [ ]는 앞에 온 Wood frogs를 선행사로 가지는 계속적 용법의 관계대명사절이다. 여기서는 '그런데 그것들(송장 개구리들)은 ~한다'라고 해석한다.

❼ **Their breathing as well as their brain and heart activity** *stops* completely.
→ 「B as well as A」는 'A뿐만 아니라 B도'라는 의미이다. 이 문장에서 B는 Their breathing에, A는 their brain and heart activity에 해당한다. = 「not only A but also B」 *ex.* **Not only their brain and heart activity but also their breathing** stops completely.
→ 「B as well as A」는 B에 동사의 수를 일치시킨다. 여기서는 셀 수 없는 명사 Their breathing이 쓰였으므로, 단수동사 stops가 쓰였다.

❽ 「seem + 형용사」는 '~한 것처럼 보이다, ~하게 보이다'라는 의미로, 이 문장에서는 형용사 dead가 쓰여 '죽은 것처럼 보인다'라고 해석한다.

❿ start는 목적어로 to부정사와 동명사 모두 쓸 수 있다.
ex. As it was winter, the pond **started freezing**. (겨울이었으므로, 연못이 얼기 시작했다.)

1 What is the main topic of the passage? 이 글의 주제로 가장 적절한 것은?

① how long wood frogs live 송장 개구리가 얼마나 오래 사는지
② effects of weather on frogs 개구리에 끼치는 날씨의 영향
③ how to protect wood frogs 송장 개구리를 보호하는 방법
④ wood frogs' ability to survive 송장 개구리의 살아남는 능력
⑤ why frogs sleep during the winter 개구리가 왜 겨울 동안 잠을 자는지

2 Among ⓐ~ⓔ, which one refers to something different? ⓐ~ⓔ 중, 가리키는 대상이 다른 것은?

① ⓐ   ② ⓑ   ③ ⓒ   ④ ⓓ   ✓⑤ ⓔ

3 Which is the best choice for the blank? 이 글의 빈칸에 들어갈 말로 가장 적절한 것은?

✓① seem dead 죽은 것처럼 보인다   ② move slowly 천천히 움직인다
③ become sick 아프게 된다   ④ need some food 음식이 조금 필요하다
⑤ wake up in the winter 겨울에 깨어난다

4 Complete the sentences with the following words. 다음 중 알맞은 말을 골라 문장을 완성하시오.

breathing	sleeping	freezing	unfreezing
호흡	수면	어는 것	녹는 것

Wood frogs stop _____breathing_____ as the temperatures drop below zero. However, they revive in spring. This is because they can stop their bodies from fully _____freezing_____ with a special substance.

송장 개구리는 온도가 영하로 떨어질 때 **호흡**을 멈춘다. 하지만, 그것들은 봄에 되살아난다. 이것은 그것들이 특별한 물질로 몸이 완전히 **어는 것**을 막을 수 있기 때문이다.

정답   1 ④   2 ⑤   3 ①   4 breathing, freezing

⓫ This **prevents** *one-third* of the water in their bodies from **freezing**.
→ 「prevent A from v-ing」는 'A가 ~하는 것을 막다'라는 의미이다. 이 문장에서 A는 one-third of the water in their bodies에 해당한다.
→ one-third는 '3분의 1'을 나타내는 분수 표현이다. 영어에서 분수를 표기할 때 분자는 기수(one, two, three 등)로, 분모는 서수(first, second, third 등)로 나타낸다. 이때, 분자에 2 이상의 숫자가 쓰이면 분모는 복수형으로 쓴다.
ex. I ate **two-thirds** of the pie. (나는 그 파이의 3분의 2를 먹었다.)

⓬ If their bodies **weren**'t able to produce it, they **would freeze** to death.
→ 「If + 주어 + 동사의 과거형(be동사는 were) ~, 주어 + would/could/should/might + 동사원형 …」은 가정법 과거로, '만약 ~한다면 …할 텐데'라는 의미이다. 현재 사실과 반대되거나 실제로 일어날 가능성이 적은 상황을 가정할 때 쓰인다. 이 문장에서는 송장 개구리가 특별한 부동액 물질을 만들어 내는 현재 사실의 반대를 가정하고 있다.

⓮ to freeze and unfreeze a person은 '사람을 얼리고 녹이는'이라는 의미로, to부정사의 형용사적 용법으로 쓰여 a way를 수식하고 있다.

문제 해설

1 송장 개구리가 몸에서 만들어지는 특수한 물질 덕분에 얼어도 죽지 않는 특징이 있다는 것을 설명하는 글이므로, 주제로 ④ '송장 개구리의 살아남는 능력'이 가장 적절하다.

2 ⓔ는 의료 전문가들을 가리키고, 나머지는 모두 송장 개구리를 가리킨다.

3 빈칸 앞에서 송장 개구리는 겨울이 오면 얼어서 뇌와 심장 활동뿐만 아니라 호흡도 완전히 멈춘다고 했고, 빈칸 뒤에서 봄이 오면 되살아난다고 했다. 따라서 빈칸에는 ① '죽은 것처럼 보인다'가 가장 적절하다.

4 문제 해석 참고

본문 해석

❶ 위의 브랜드 로고들은 한 가지의 공통점이 있다. ❷ 당신은 그것을 알겠는가? ❸ 그것들은 모두 헬베티카라는 같은 서체를 사용한다!

❹ 비록 알아차리지 못했을 수도 있지만, 헬베티카는 많은 기업 로고, 포스터, 그리고 웹사이트에 사용된다. ❺ 그것이 헬베티카가 세계에서 가장 인기 있는 서체로도 알려진 이유이다. ❻ 헬베티카는 균일한 모양을 가지고 있다. ❼ 각각의 글자는 폭과 높이가 거의 같다. ❽ 이것은 그 서체를 읽기 쉽게 만든다. ❾ 게다가, 헬베티카는 중성적이고 단순하다. ❿ 대부분의 다른 서체들은 글자에 대한 특정한 느낌을 주도록 디자인되어 있다. ⓫ 하지만, 헬베티카는 눈에 띄거나 그것 자체에 주의를 끌도록 되어 있지 않다. ⓬ 그래서, 디자이너들은 그것을 다양한 창의적인 방식으로 사용할 수 있다. ⓭ 그들이 무엇을 하더라도, 그것은 딱 들어맞는다! ⓮ 이러한 이유로, 많은 디자이너들은 헬베티카를 사용하기를 좋아한다.

❶ **The brand logos above** / **have one thing in common.** / ❷ **Do you**
위의 브랜드 로고들은　　　　　한 가지의 공통점이 있다　　　　　당신은 그것을

see it? / ❸ **They all use the same typeface** / **—Helvetica!** /
알겠는가　　그것들은 모두 같은 서체를 사용한다　　　헬베티카라는

❹ **Though you may not have noticed,** / **Helvetica is used** / **in many**
당신이 비록 알아차리지 못했을 수도 있지만　　　헬베티카는 사용된다　　　많은 기업

corporate logos, posters, and websites. / ❺ **That's why** / **it is also**
로고, 포스터, 그리고 웹사이트에　　　　그것이 ~한 이유이다　그것(헬베티카)이

known as / **the world's most popular font.** / ❻ **Helvetica has a uniform**
~으로도 알려진　세계에서 가장 인기 있는 서체　　　헬베티카는 균일한 모양을 가지고 있다

appearance. / ❼ **Each letter is almost the same width and height.** / ❽ **This**
각각의 글자는 거의 같은 폭과 높이이다　　　　이것은

makes the font easy / **to read.** / ❾ **In addition,** / **Helvetica is neutral and**
그 서체를 쉽게 만든다　　읽기에　　게다가　　헬베티카는 중성적이고 단순하다

simple. / ❿ **Most other fonts are designed** / **to give you a certain feeling** /
대부분의 다른 서체들은 디자인되어 있다　당신에게 특정한 느낌을 주도록

about the text. / ⓫ **However,** / **Helvetica is not supposed** / **to stand out** /
글자에 대한　　하지만　　헬베티카는 되어 있지 않다　　눈에 띄도록

or call attention to itself. / ⓬ **So,** / **designers can use it** / **in a variety of**
또는 그것 자체에 주의를 끌도록　　그래서 디자이너들은 그것을 사용할 수 있다　다양한

creative ways. / ⓭ **No matter what they do,** / **it fits right in!** / ⓮ **For these**
창의적인 방식으로　　그들이 무엇을 하더라도　　그것은 딱 들어맞는다　이러한

reasons, / **many designers love** / **to use Helvetica.** /
이유들로　많은 디자이너들은 좋아한다　헬베티카를 사용하기를

구문 해설

❹ **Though** you *may* not *have noticed*, Helvetica is used in many corporate logos, posters, and websites.
→ Though는 부사절을 이끄는 접속사로, '비록 ~이지만, ~하더라도'라는 의미이다.
→ 「may + have p.p.」는 '~했을 수도 있다'라는 의미로, 과거 사실에 대한 약한 추측을 나타낸다.
　cf. 「must + have p.p.」: ~했음에 틀림없다 [과거 사실에 대한 강한 추측]

❺ **That's why** it *is* also *known as* the world's most popular font.
→ That is why는 '그것이 ~한 이유이다'라는 의미로, why 뒤에 오는 내용이 앞 문장에 대한 결과가 된다.
→ be known as는 '~으로 알려지다'라는 의미의 수동태 표현이다.

❽ This **makes the font easy** to read.
→ 「make + 목적어 + 형용사」는 '~을 …하게 만들다'라는 의미이다.
→ to read는 '읽기에'라는 의미로, to부정사의 부사적 용법으로 쓰여 형용사 easy를 수식하고 있다.

1 이 글의 제목으로 가장 적절한 것은?

① How Famous Fonts Are Designed 유명한 서체들은 어떻게 디자인되는가
☑ Why Helvetica Is Commonly Used 헬베티카는 왜 흔히 사용되는가
③ Helvetica: The World's First Typeface 헬베티카: 세계 최초의 서체
④ Different Fonts, Different Impressions 다른 서체, 다른 인상
⑤ The Importance of Logos for Companies 회사들에게 있어 로고의 중요성

2 이 글에서 설명하는 헬베티카 서체의 특징을 바르게 나타낸 것은?

3 이 글의 빈칸에 들어갈 말로 가장 적절한 것은?

① recent 최신의　　　☑ popular 인기 있는　　　③ expensive 비싼
④ beautiful 아름다운　　⑤ detailed 정밀한

4 다음 중, 밑줄 친 these reasons에 해당하는 내용을 <u>모두</u> 고른 것은?

> (A) 모양이 균일해 읽기 쉬움.
> (B) 사용 비용이 저렴함.
> (C) 다양한 방식으로 사용될 수 있음.
> (D) 독특한 인상을 줌.

☑ (A), (C)　　　　② (A), (D)　　　　③ (B), (C)
④ (B), (D)　　　　⑤ (C), (D)

1 헬베티카가 모양이 균일하고, 다양한 방식으로 사용될 수 있어 세계에서 가장 인기 있는 서체가 되었다고 설명하는 글이므로, 제목으로 ② '헬베티카는 왜 흔히 사용되는가'가 가장 적절하다.

2 문장 ❻-❼에서 헬베티카는 균일한 모양에 글자의 폭과 높이가 거의 같다고 했다. 따라서 헬베티카 서체의 특징을 올바르게 나타낸 것으로 ③이 가장 적절하다.

3 빈칸 앞에서 헬베티카가 많은 기업 로고, 포스터, 웹사이트에 사용된다고 했고, 빈칸이 있는 문장에서 이것의 결과로 헬베티카가 어떤 서체로 알려졌는지 설명하고 있으므로, 빈칸에는 ② '인기 있는'이 가장 적절하다.

4 (A): 문장 ❻-❽에서 헬베티카가 균일한 모양을 가지고 있고 글자의 폭과 높이가 거의 같아서 읽기 쉽게 만든다고 했다.
(C): 문장 ⓬에 언급되어 있다.
(B): 헬베티카의 사용 비용에 대한 언급은 없다.
(D): 문장 ❿-⓫에서 특정한 느낌을 주도록 디자인된 다른 서체들과 달리, 헬베티카는 눈에 띄거나 그것 자체에 주의를 끌도록 되어 있지 않다고 했다.

정답　1 ②　2 ③　3 ②　4 ①

❿ 「give + 간접목적어 + 직접목적어」는 '~에게 …을 주다'라는 의미이다.
= 「give + 직접목적어 + to + 간접목적어」 *ex.* Most other fonts ~ **give a certain feeling about the text to you**.

⓫ However, Helvetica **is** not **supposed to** stand out or call attention to *itself*.
→ be supposed to는 '~하기로 되어 있다'라는 의미로 의무나 당위를 나타낸다. be supposed to 뒤에는 동사원형을 쓴다. 여기서는 stand out과 call attention to가 접속사 or로 연결되어 쓰였다.
→ 동사구 call attention to의 목적어가 주어(Helvetica)와 같은 대상이므로 재귀대명사(itself)가 쓰였다.

⓭ **No matter what** they do, it fits right in!
→ No matter what은 '~을 하더라도, 무엇이더라도'라는 의미로, 이 문장에서는 '그들(=designers)이 무엇을 하더라도'라고 해석한다.
= 「whatever + 주어 + 동사」 *ex.* **Whatever** they do, it fits right in!

⓮ love는 목적어로 to부정사와 동명사 모두 쓸 수 있다. *ex.* I **love using** pencils. (나는 연필을 사용하는 것을 좋아한다.)

본문 해석

❶ 새해의 시작은 보통 카운트다운과 함께 기념되지만, 몇몇 나라들은 기념하기 위해 더 많은 것을 한다. ❷ 덴마크에서는, 사람들이 카운트다운 직후에 뛸 준비를 한다. ❸ 그들은 의자, 소파, 또는 탁자 위에 선다. ❹ 시계가 12시를 알리면, 모든 사람은 뛰어내린다! ❺ 이것은 그들이 새해로 뛰어든다는 것을 의미한다.

❻ 필리핀 또한 동전과 관련된 독특한 새해 전통을 가지고 있다. ❼ 동전은 다가오는 해의 부를 상징하는데, 왜냐하면 필리핀에서 둥근 것은 행운의 상징이기 때문이다. ❽ 12월 31일에, 사람들은 그들의 집 안에 동전을 뿌린다. ❾ 이 동전은 나중에 아이들에 의해 주워지는데, 그들은 그것들을 주머니에 넣는다. ❿ 그러고 나서, 자정에, 아이들은 동전으로 가득 찬 주머니를 흔든다. ⓫ 이것은 큰 소음이 불운을 쫓아버리기 때문이다. ⓬ 그들이 더 많은 동전을 흔들수록, 소음이 더 커지고 그들의 한 해가 더 좋아질 것이다.

❶ The start of the new year / is usually celebrated / with a countdown, /
_{새해의 시작은} _{보통 기념된다} _{카운트다운과 함께}

but some countries do more / to celebrate. / ❷ In Denmark, / people get
_{하지만 몇몇 나라들은 더 많은 것을 한다} _{기념하기 위해} _{덴마크에서는} _{사람들이 뛸}

ready to jump / right after the countdown. / ❸ They stand on chairs,
_{준비를 한다} _{카운트다운 직후에} _{그들은 의자, 소파, 또는 탁자}

sofas, or tables. / ❹ When the clock strikes 12, / everyone jumps down! /
_{위에 선다} _{시계가 12시를 알리면} _{모든 사람은 뛰어내린다}

❺ This means / they are jumping into the new year. /
_{이것은 의미한다} _{그들이 새해로 뛰어든다는 것을}

  ❻ The Philippines also has / a unique New Year's tradition / with
_{필리핀 또한 가지고 있다} _{독특한 새해의 전통을} _{동전과}

coins. / ❼ Coins represent wealth / in the coming year / because round
_{관련된} _{동전은 부를 상징한다} _{다가오는 해의} _{왜냐하면 둥근}

things are symbols of fortune / in the Philippines. / ❽ On December 31, /
_{것은 행운의 상징이기 때문에} _{필리핀에서} _{12월 31일에}

people scatter coins / inside their homes. / (③ ❾ These are later picked
_{사람들은 동전을 뿌린다} _{그들의 집 안에} _{이것들(동전)은 나중에 주워진다}

up / by children, / who put them in their pockets. /) ❿ Then, / at midnight, /
_{아이들에 의해} _{그런데 그들은 그것들을 그들의 주머니에 넣는다} _{그러고 나서 자정에}

the children shake their pockets / filled with the coins. / ⓫ This is
_{그 아이들은 그들의 주머니를 흔든다} _{그 동전들로 가득 찬} _{이것은}

because / the loud noise scares bad luck away. / ⓬ The more coins they
_{~ 때문이다} _{큰 소음이 불운을 쫓아버리기} _{그들이 더 많은 동전을}

shake, / the louder the noise is / and the better their year will be. /
_{흔들수록} _{소음이 더 커진다} _{그리고 그들의 한 해가 더 좋아질 것이다}

구문 해설

❶ to celebrate는 '기념하기 위해'라는 의미로, [목적]을 나타내는 to부정사의 부사적 용법으로 쓰였다.

❷ 「get[be] ready + to-v」는 '~할 준비를 하다'라는 의미로, 이 문장에서는 '뛸 준비를 한다'라고 해석한다.

❺ This means [(that) they are jumping into the new year].
  → [ ]는 means의 목적어 역할을 하는 명사절로, 명사절 접속사 that이 생략되어 있다.

❼ coming은 뒤에 온 year를 수식하는 현재분사이다. 이때 coming은 '다가오는'이라고 해석한다.

❾ These **are** later **picked up** by children[, *who* put them in their pockets].
  → pick up과 같은 동사구를 수동태로 만들 때는, 동사만 「be동사 + p.p.」로 바꾸고 나머지 부분은 p.p. 뒤에 그대로 쓴다.
  ex. I **was taken care of** by my mother yesterday. (나는 어제 엄마에게 돌봄을 받았다.)
  → [ ]는 앞에 온 children을 선행사로 가지는 계속적 용법의 관계대명사절이다. 여기서는 '그런데 그들은(=children)은 그것들(=coins)을 그들의 주머니에 넣는다'라고 해석한다.

문제 해설

1 이 글의 주제로 가장 적절한 것은?
- ✓① ways to celebrate the new year 새해를 기념하는 방식들
- ② changes in New Year's traditions 새해 전통의 변화
- ③ symbols of luck around the world 세계 곳곳의 행운의 상징들
- ④ the origin of the New Year countdown 새해 카운트다운의 기원
- ⑤ common practices in different countries 서로 다른 나라들의 공통된 관행

2 이 글의 흐름으로 보아, 다음 문장이 들어가기에 가장 적절한 곳은?

> These are later picked up by children, who put them in their pockets.
> 이것들은 나중에 아이들에 의해 주워지는데, 그들은 그것들을 주머니에 넣는다.

①   ②   ✓③   ④   ⑤

3 이 글의 내용과 일치하면 T, 그렇지 않으면 F를 쓰시오.
- (1) 덴마크에서는 새해를 맞아 의자, 식탁 등 새 가구를 사는 풍습이 있다.   F
- (2) 필리핀에서 둥근 물건은 행운을 상징한다.   T
- (3) 12월 31일에 필리핀 사람들은 동전을 집 안에 뿌려 놓는다.   T

4 이 글의 내용으로 보아, 다음 빈칸에 들어갈 말을 글에서 찾아 쓰시오.

New Year's Traditions
새해의 전통

	Denmark 덴마크	The Philippines 필리핀
What People Do 사람들이 하는 것	(1) __jump__ from chairs, sofas, or tables 의자, 소파, 또는 탁자에서 (1) 뛴다	collect coins and (2) __shake__ pockets containing them 동전들을 모아 그것이 든 주머니를 (2) 흔든다
What It Means 그것이 의미하는 것	entering the coming year 다가오는 해에 들어가는 것	turning away (3) __bad luck__ (3) 불운을 쫓아버리는 것

정답   **1** ①   **2** ③   **3** (1) F (2) T (3) T   **4** (1) jump (2) shake (3) bad luck

---

1 덴마크와 필리핀에서 새해를 맞이하며 하는 독특한 행동들을 소개하는 글이므로, 주제로 ① '새해를 기념하는 방식들'이 가장 적절하다.

2 주어진 문장의 These는 문장 ❽에서 언급한 집 안에 뿌려진 동전들을 가리키며, 이것들을 넣은 주머니를 문장 ❿에서 아이들이 흔든다고 했다. 따라서 주어진 문장은 문장 ❽과 ❿ 사이에 오는 것이 자연스러우므로, ③이 가장 적절하다.

3 (1) 문장 ❷-❹에서 덴마크 사람들은 새해 첫날 12시가 되면 의자, 소파, 탁자 위에서 뛰어내린다고는 했지만, 새 가구를 산다는 것에 대한 언급은 없다.
(2) 문장 ❼에 언급되어 있다.
(3) 문장 ❽에 언급되어 있다.

4 문제 해석 참고

---

❿ Then, at midnight, the children shake their pockets [**filled with** the coins].
→ [ ]는 앞에 온 their pockets를 수식하는 과거분사구이다. 이때 filled with는 '~으로 가득 찬'이라고 해석한다.

⓫ This is because는 '이것은 ~ 때문이다'라는 의미로, because 뒤에 오는 내용이 앞 문장에 대한 이유가 된다.

⓬ **The more** coins they shake, **the louder** the noise is and **the better** their year will be.
→ 「the + 비교급 ~ , the + 비교급 …」은 '~할수록 더 …하다'라는 의미이다. 이 문장에서는 콤마 뒤에 두 개의 「the + 비교급 …」 절이 접속사 and로 연결되어 쓰여, '그들이 더 많은 동전을 흔들수록, 소음이 더 커지고 그들의 한 해가 더 좋아질 것이다'라고 해석한다.

본문 해석

❶ 당신의 바로 전 호흡에 대해 생각해 보아라. ❷ 당신은 코를 사용했는가 아니면 입을 사용했는가? ❸ 코로 숨 쉬는 것은 입으로 숨 쉬는 것보다 훨씬 더 유익하다. ❹ 우선, 콧속의 작은 털들은 티끌과 먼지를 가둬서, 그것들이 폐에 들어가지 않는다. ❺ 게다가, 콧속에서 분비되는 특별한 화학 물질은 바이러스를 죽이고 혈관을 팽창시킨다. ❻ 이것은 혈액이 더 많은 산소를 흡수하도록 한다. ❼ 결과적으로, 당신은 생각과 운동을 더 잘할 수 있는데, 왜냐하면 뇌와 근육이 산소를 잘 공급받기 때문이다.

❽ 반면에, 당신이 숨 쉬기 위해 입을 사용하면, 많은 문제들이 발생한다. ❾ 주로, 그것은 입 안을 매우 건조하게 만든다. ❿ 이것은 입 냄새와 충치를 만들어낼 수 있다. ⓫ 게다가, 어린 시절 동안 입으로 숨 쉬는 것은 고르지 않은 치열과 더 긴 얼굴형을 야기할 수 있다.

❶ Think about your last breath. / ❷ Did you use your nose / or your
당신의 바로 전 호흡에 대해 생각해 보아라   당신은 당신의 코를 사용했는가   아니면

mouth? / ❸ Breathing through your nose / is much more beneficial /
당신의 입을   당신의 코로 숨 쉬는 것은   훨씬 더 유익하다

than through your mouth. / ❹ First of all, / the tiny hairs in your nose /
당신의 입으로 (숨 쉬는 것)보다   우선   당신의 콧속의 작은 털들은

trap dust and dirt, / so they don't enter the lungs. / ❺ In addition, /
티끌과 먼지를 가둔다   그래서 그것들이 폐에 들어가지 않는다   게다가

a special chemical / produced in the nose / kills viruses / and expands
특별한 화학 물질은   콧속에서 분비되는   바이러스를 죽인다   그리고 혈관을

blood vessels. / ❻ This allows / the blood / to absorb more oxygen. / ❼ As
팽창시킨다   이것은 (허락)한다   혈액이   더 많은 산소를 흡수하도록

a result, / you can think and exercise better, / since the brain and muscles
결과적으로   당신은 생각과 운동을 더 잘할 수 있다   왜냐하면 뇌와 근육이 잘

are well supplied / with oxygen. /
공급받기 때문에   산소를

❽ On the other hand, / when you use your mouth / to breathe, / a lot
반면에   당신이 당신의 입을 사용하면   숨 쉬기 위해   많은

of issues arise. / ❾ Mainly, / it makes / the inside of the mouth / very
문제들이 발생한다   주로   그것은 만든다   입 안을   매우

dry. / ❿ This can produce / bad breath and cavities. / ⓫ Furthermore, /
건조하게   이것은 만들어낼 수 있다   입 냄새와 충치를   게다가

mouth breathing during childhood / can result in / uneven teeth and a
어린 시절 동안 입으로 숨 쉬는 것은   야기할 수 있다   고르지 않은 치아와

longer face. /
더 긴 얼굴을

구문 해설

❸ **Breathing through your nose** is *much* more beneficial than (breathing) through your mouth.
→ Breathing through your nose는 문장의 주어 역할을 하는 동명사구이다. 동명사구는 단수 취급하므로 단수동사 is가 쓰였다.
→ 부사 much는 '훨씬'이라는 의미로 비교급을 강조할 수 있다. 이 문장에서는 형용사의 비교급 more beneficial을 강조하고 있다.
  cf. 비교급 강조 부사: much, even, still, far, a lot *ex.* This apple is **even** sweeter than a candy. (이 사과는 사탕보다도 훨씬 더 달콤하다.)
→ than 뒤에는 앞에서 언급한 breathing이 생략되어 있다. 반복되는 말은 생략하는 경우가 많다.

❻ This **allows the blood to absorb** more oxygen.
→ 「allow + 목적어 + to-v」는 '~이 …하도록 (허락)하다'라는 의미이다. 여기서는 '혈액이 더 많은 산소를 흡수하도록 한다'라고 해석한다.

❼ As a result, you **can** think and exercise better, *since* the brain and muscles <u>are</u> well <u>supplied with</u> oxygen.
→ 조동사 can은 '~할 수 있다'라는 의미로, 가능성을 나타낸다. 이 문장에서는 can 뒤에 동사원형 think와 exercise가 접속사 and로 연결되어 쓰였다.

1 이 글의 주제를 가장 잘 나타내는 문장을 글에서 찾아 쓰시오.

<u>Breathing through your nose is much more beneficial than through your mouth.</u>
코로 숨 쉬는 것은 입으로 숨 쉬는 것보다 훨씬 더 유익하다.

2 코로 숨을 쉴 때 일어나는 반응을 다음과 같이 나타낼 때, 괄호 안에서 알맞은 말을 골라 표시하시오.

코 안에서 화학 물질이 분비된다.
↓
화학 물질이 바이러스를 죽이고 혈관을 (1) (팽창 / 수축)시킨다.
↓
혈액이 더 (2) (많은 / 적은) 산소를 흡수한다.

3 이 글의 밑줄 친 it이 의미하는 내용을 우리말로 쓰시오.

숨 쉬기 위해 입을 사용하는 것

4 이 글의 내용과 일치하지 <u>않는</u> 것은?

Breathing through your nose 코로 숨쉬기	**Breathing through your mouth** 입으로 숨쉬기
① Dust cannot get into the lungs. 먼지가 폐에 들어갈 수 없다. ② The ability to think or exercise is improved. 사고력이나 운동 능력이 향상된다.	③ The mouth becomes dry inside. 입 안쪽이 건조해진다. ④ Bad breath and cavities can occur. 입냄새와 충치가 발생할 수 있다. ✓⑤ Teeth are not straight and the face gets short. 치아가 바르지 않고 얼굴이 짧아진다.

1 코로 숨 쉬는 것이 입으로 숨 쉬는 것보다 유익한 이유를 설명하는 글이므로, 주제를 가장 잘 나타낸 것으로 문장 ❸이 가장 적절하다.

2 문장 ❺-❻에서 콧속에서 분비된 특별한 화학 물질이 바이러스를 죽이고 혈관을 팽창시켜, 혈액이 더 많은 산소를 흡수하도록 한다고 했다.

3 문장 ❽에 언급된 내용을 의미한다. 숨 쉬기 위해 입을 사용하는 것(= it)이 입 안을 매우 건조하게 만든다는 의미이다.

4 ⑤: 문장 ⓫에서 어린 시절 동안 입으로 숨 쉬는 것은 더 긴 얼굴형을 야기할 수 있다고 했다.
①은 문장 ❹에, ②는 문장 ❼에, ③은 문장 ❾에, ④는 문장 ❿에 언급되어 있다.

정답 **1** Breathing through your nose is much more beneficial than through your mouth. **2** (1) 팽창 (2) 많은 **3** 숨 쉬기 위해 입을 사용하는 것 **4** ⑤

→ since는 '~ 때문에'라는 의미로, 부사절을 이끄는 접속사로 쓰여 뒤에 「주어 + 동사」의 절이 왔다.
  cf. 접속사 since의 두 가지 의미: ① ~ 때문에 ② ~ 이후로
→ be supplied with는 '~을 공급받다'라는 의미의 수동태 표현이다.

❽ to breathe는 '숨 쉬기 위해'라는 의미로, [목적]을 나타내는 to부정사의 부사적 용법으로 쓰였다.

❾ 「make + 목적어 + 형용사」는 '~을 …하게 만들다'라는 의미이다.

⓫ 전치사 during은 '~ 동안'이라는 의미이다. during 뒤에는 특정 기간을 나타내는 명사가 온다.
  cf. 「for(~ 동안) + 숫자를 포함한 기간 표현」 *ex.* I have lived here **for 15 years**. (나는 15년 동안 이곳에 살았다.)

본문 해석

❶ 몇몇 사람들이 빗자루로 부지런히 얼음을 닦고 있다. ❷ 그들은 청소부일까? ❸ 아니다, 그들은 컬링팀의 선수들이다! ❹ 모든 컬링팀에는 스위퍼라고 불리는 두 명의 선수가 있다. ❺ 그들은 얼음을 데우고 마찰을 줄이기 위해서 컬링 스톤의 앞을 쓸어낸다. ❻ 그렇게 함으로써, 그들은 스톤의 방향과 속도를 조절할 수 있다. ❼ 만약 그들이 세게 쓸어내면, 스톤은 더 빠르고 곧게 움직인다. ❽ 반면에, 만약 그들이 살살 쓸어내거나 전혀 쓸어내지 않는다면, 스톤은 느려지고 더 휠 것이다. ❾ 팀의 주장은 스위퍼들을 지도한다. ❿ 만약 얼음을 더 쓸어낼 필요가 있다면, 주장은 "Hard!"라고 소리칠 것이다. ⓫ 만약 그것이 덜 필요하다면, 주장은 "Whoa!"라고 말한다. ⓬ 주장의 지시를 따름으로써, 팀은 스톤을 목표물에 가능한 한 가깝게 놓아서 경기에서 이기려고 노력한다.

❶ Some people / are diligently brushing the ice / with brooms. / ❷ Are
몇몇 사람들이　　부지런히 얼음을 닦고 있다　　　　빗자루로

they janitors? / ❸ No, / they're players / on a curling team! /
그들은 청소부일까　아니다　그들은 선수들이다　컬링팀의

❹ Every curling team / has two players / who are called sweepers. /
모든 컬링팀은　　　　두 명의 선수들을 가지고 있다　스위퍼라고 불리는

❺ They sweep / in front of the curling stone / to heat up the ice / and
그들은 쓸어낸다　컬링 스톤의 앞을　　　　　얼음을 데우기 위해서　그리고

reduce friction. / ❻ By doing so, / they can control / the direction and
마찰을 줄이기 위해서　그렇게 함으로써　그들은 조절할 수 있다　스톤의 방향과 속도를

speed of the stone. / ❼ If they sweep hard, / the stone moves faster and
　　　　　　　　　만약 그들이 세게 쓸어내면　스톤은 더 빠르고 곧게 움직인다

straighter. / ❽ On the other hand, / if they sweep softly / or don't sweep
　　　　　반면에　　　　　만약 그들이 살살 쓸어내면　또는 전혀 쓸어내지

at all, / the stone will slow down / and curve more. / ❾ The captain of
않으면　스톤은 느려질 것이다　　　　　그리고 더 휠 것이다　　팀의 주장은

the team / guides the sweepers. / ❿ If the ice needs more sweeping, / the
　　　　　스위퍼들을 지도한다　　　만약 얼음을 더 쓸어낼 필요가 있다면

captain will yell "Hard!" / ⓫ If it needs less, / the captain says "Whoa!" /
주장은 "Hard!"라고 소리칠 것이다　만약 그것이 덜 필요하다면　주장은 "Whoa!"라고 말한다

⓬ By following the captain's directions, / the team tries to place the
주장의 지시를 따름으로써　　　　　　　　　　　팀은 스톤을 놓으려고 노력한다

stone / as close to the target as possible / and win the game. /
　　　목표물에 가능한 한 가깝게　　　　　그리고 경기에서 이기려고

구문 해설

❹ **Every curling team** has two players [who *are called* sweepers].
→ every(모든) 뒤에는 반드시 단수명사(curling team)가 와야 하며, 「every + 단수명사」는 단수 취급하므로, 단수동사 has가 쓰였다.
→ [ ]는 앞에 온 선행사 two players를 수식하는 주격 관계대명사절이다.
→ 「A be called B」는 'A가 B라고 불리다'라는 의미로, 「call A B(A를 B라고 부르다)」의 수동태 표현이다.

❺ They sweep **in front of** the curling stone *to heat up the ice* and *reduce friction*.
→ 전치사 in front of는 '~의 앞, ~의 앞에서'라는 의미로, 장소, 방향을 나타낸다.
→ to heat up the ice and (to) reduce friction은 '얼음을 데우고 마찰을 줄이기 위해서'라는 의미로, [목적]을 나타내는 to부정사의 부사적 용법으로 쓰였다.

1 What is the main topic of the passage? 이 글의 주제로 가장 적절한 것은?

① why curling is played on ice 컬링이 왜 얼음 위에서 이루어지는지
② the different types of curling stones 컬링 스톤의 여러 종류
③ how sweeping affects the game in curling 쓸어내는 것이 어떻게 컬링 경기에 영향을 주는지
④ the importance of a curling team's captain 컬링팀 주장의 중요성
⑤ how players on a curling team give signals 컬링팀의 선수들이 어떻게 신호를 주는지

2 Which CANNOT be answered based on the passage? 이 글을 바탕으로 답할 수 없는 질문은?

① How many sweepers are in a curling team? 컬링팀에 스위퍼가 얼마나 많이 있는가?
② Why do sweepers sweep the ice? 스위퍼들은 왜 얼음을 쓸어내는가?
③ When does a curling stone move faster? 컬링 스톤은 언제 더 빠르게 움직이는가?
④ Who can be the captain of the curling team? 컬링팀의 주장은 누가 될 수 있는가?
⑤ Where should a curling stone be to win the game? 경기에서 이기려면 컬링 스톤은 어디에 있어야 하는가?

3 What will happen when the captain yells "Hard!" and "Whoa!"? Choose the correct one. 주장이 "Hard!"와 "Whoa!"라고 외치면 무슨 일이 일어나는가? 알맞은 말을 고르시오.

	"Hard!"	**"Whoa!"**
How sweepers react 스위퍼들은 어떻게 반응하는가	They sweep (1) (more / less). 그들은 (1) 더 많이 쓸어낸다.	They sweep (2) (more / less). 그들은 (2) 더 적게 쓸어낸다.
How the stone moves 스톤은 어떻게 움직이는가	It moves (3) (faster / slower). 그것은 (3) 더 빠르게 움직인다.	It moves (4) (faster / slower). 그것은 (4) 더 느리게 움직인다.

4 Complete the sentences with words from the passage.
이 글에서 알맞은 말을 찾아 문장을 완성하시오.

> In curling, sweepers sweep the ice to _____control_____ the movement of the stone. The captain _____guides_____ the sweepers by yelling directions to them. The team that places its stone closest to the _____target_____ wins the game.

컬링에서, 스위퍼들은 스톤의 움직임을 조절하기 위해 얼음을 쓸어낸다. 주장은 스위퍼들에게 지시 사항을 소리침으로써 그들을 지도한다. 스톤을 목표물에 가장 가깝게 놓는 팀이 경기에서 이긴다.

정답 1 ③ 2 ④ 3 (1) more (2) less (3) faster (4) slower 4 control, guides, target

---

문제 해설

1 컬링에서 스위퍼들이 스톤의 방향과 속도를 조절하기 위해 얼음을 쓸어낸다고 설명하는 글이므로, 주제로 ③ '쓸어내는 것이 어떻게 컬링 경기에 영향을 주는지'가 가장 적절하다.

2 ④: 컬링팀의 주장이 될 수 있는 조건에 대한 언급은 없다.
①: 문장 ❹에서 컬링팀에는 두 명의 스위퍼가 있다고 했다.
②: 문장 ❻에서 스위퍼들은 스톤의 방향과 속도를 조절하기 위해 얼음을 쓸어낸다고 했다.
③: 문장 ❼에서 얼음을 세게 쓸어내면 스톤이 더 빠르고 곧게 움직인다고 했다.
⑤: 문장 ⓬를 통해 스톤을 목표물에 가능한 한 가깝게 놓으면 경기에서 이길 수 있음을 알 수 있다.

3 (1), (3): 문장 ❿을 통해 주장이 "Hard!"라고 외치면 스위퍼들이 얼음을 더 쓸어낼 것임을 알 수 있고, 문장 ❼에서 그렇게 하면 스톤이 더 빠르게 움직인다고 했다.
(2), (4): 문장 ⓫을 통해 주장이 "Whoa!"라고 외치면 스위퍼들이 얼음을 덜 쓸어낼 것임을 알 수 있고, 문장 ❽에서 그렇게 하면 스톤이 느려진다고 했다.

4 문제 해석 참고

⓬ **By following** the captain's directions, the team *tries to place* the stone <u>as close to the target as possible</u> and *win* the game.
→ 「by + v-ing」는 '~함으로써, ~해서'라는 의미로 수단이나 방법을 나타낸다. 이 문장에서는 '주장의 지시를 따름으로써'라고 해석한다.
→ 「try + to-v」는 '~하려고 노력하다'라는 의미이다. 이 문장에서는 tries 뒤에 to place와 (to) win이 접속사 and로 연결되어 쓰였다.
→ 「as + 부사/형용사 + as possible」은 '가능한 한 …하게/한'이라는 의미이다. 이 문장에서는 부사 close가 쓰여 '목표물에 가능한 한 가깝게'라고 해석한다. = 「as + 부사/형용사 + as + 주어 + can」 *ex.* **as close** to the target **as the team can**

본문 해석

❶ 오래된 위성의 부품들이 우주선과 충돌한다. ❷ 그 우주선은 여러 조각들로 부서진다. ❸ 갑자기, 우주 비행사들은 우주선으로부터 내던져지고 우주에 떠다닌다.

❹ 불행히도, 이것은 실제로 일어날 수 있다. ❺ 약 50만 개의 쓰레기 조각들이 우주에 떠다니고 있다. ❻ 그것들은 초당 7킬로미터에서 10킬로미터의 속도로 움직인다. ❼ 이 속도에서는, 완두콩만큼 작은 조각 하나가 위성이나 우주선을 완전히 파괴할 수 있다. ❽ 위성이 손상되면, 인터넷과 방송 서비스가 기능을 못 할 수도 있다. ❾ 우주 오염은 훨씬 더 나쁜 영향을 끼칠 수 있는데, 당신은 우주 쓰레기에 맞을 수 있다! ❿ 1969년에, 오래된 러시아 위성에서 나온 우주 쓰레기가 지구로 떨어졌다. ⓫ 그것은 일본 선박과 충돌했고, 다섯 명의 선원이 부상을 입었다. ⓬ 분명히, 우주 쓰레기는 우주 안에서만의 문제가 아니다.

❶ Parts of an old satellite / crash into a spacecraft. / ❷ The spacecraft
오래된 위성의 부품들이   우주선과 충돌한다   그 우주선은

breaks into pieces. / ❸ All of a sudden, / the astronauts are thrown from
여러 조각들로 부서진다   갑자기   우주 비행사들은 우주선으로부터 내던져진다

the spacecraft / and float away in space. /
                그리고 우주에 떠다닌다

❹ Unfortunately, / this is really possible. / ❺ There are about 500,000
불행히도   이것은 실제로 일어날 수 있다   약 50만 개의 쓰레기 조각들이 있다

pieces of junk / floating around in space. / ❻ They move / at speeds of 7
                우주에 떠다니는   그것들은 움직인다   7킬로미터에서

to 10 kilometers / per second. / (② ❼ At this speed, / a piece that is as
10킬로미터의 속도로   1초당   이 속도에서는   완두콩만큼 작은

tiny as a pea / can completely destroy / a satellite or a spacecraft. /)
조각 하나가   완전히 파괴할 수 있다   위성이나 우주선을

❽ When satellites are damaged, / the Internet and broadcasting
위성이 손상되면   인터넷과 방송 서비스가

services / may not work. / ❾ Space pollution / could have an even worse
기능을 못 할 수도 있다   우주 오염은   훨씬 더 나쁜 영향을 끼칠 수 있다

impact; / you could be hit / by space junk! / ❿ In 1969, / some space junk /
            당신은 맞을 수 있다   우주 쓰레기에   1969년에   어떤 우주 쓰레기가

from an old Russian satellite / fell to the Earth. / ⓫ It crashed into a
오래된 러시아 위성에서 나온   지구로 떨어졌다   그것은 일본의 선박과

Japanese ship, / and five sailors were injured. / ⓬ Clearly, / space junk is
충돌했다   그리고 다섯 명의 선원이 부상을 입었다   분명히   우주 쓰레기는

not just a problem in space. /
우주 안에서만의 문제가 아니다

구문 해설

❸ 「be동사 + p.p.」의 수동태는 '~해지다, ~되다'라는 의미로, are thrown은 '내던져지다'라고 해석한다.

❺ There are **about** 500,000 pieces of junk [*floating* around in space].
→ about이 '약, ~ 정도'라는 의미의 부사로 쓰였다.
→ [ ]는 앞에 온 500,000 pieces of junk를 수식하는 현재분사구이다. 이때 floating은 '떠다니는, 떠다니고 있는'이라고 해석한다.

❻ 전치사 per는 '~당, ~마다'라는 의미이다.

❼ At this speed, a piece [that is **as tiny as** a pea] can completely destroy a satellite or a spacecraft.
→ [ ]는 앞에 온 선행사 a piece를 수식하는 주격 관계대명사절이다.
→ 「as + 형용사/부사 + as」는 '~만큼 …한/하게'라는 의미이다. 이 문장에서는 '완두콩만큼 작은'이라고 해석한다.

1 이 글의 주제로 가장 적절한 것은?

① 인공위성의 역할
✔② 우주 쓰레기의 위험성
③ 우주 쓰레기를 줄이는 새로운 기술
④ 소행성 충돌이 지구에 미치는 영향
⑤ 우주 탐사 시 비행사들이 겪는 어려움

2 이 글의 흐름으로 보아, 다음 문장이 들어가기에 가장 적절한 곳은?

> At this speed, a piece that is as tiny as a pea can completely destroy a satellite or a spacecraft. 이 속도에서는, 완두콩만큼 작은 조각 하나가 위성이나 우주선을 완전히 파괴할 수 있다.

① ✔② ③ ④ ⑤

3 이 글의 내용과 일치하는 것은?

① 우주에는 약 50만 개의 폐인공위성이 있다.
② 우주 쓰레기는 보통 한곳에 모여있다.
✔③ 인공위성이 손상되면 방송에도 영향이 생길 수 있다.
④ 우주 쓰레기가 지구까지 도달하는 것은 불가능하다.
⑤ 폐인공위성이 추락하여 비행기와 충돌한 적이 있다.

4 이 글의 내용으로 보아, 다음 빈칸에 들어갈 말을 글에서 찾아 쓰시오.

> Space _____junk_____ floating around can have a serious impact. It can not only cause damage to satellites or spacecraft but also be a _____problem_____ on the Earth.

떠다니는 우주 쓰레기는 심각한 영향을 끼칠 수 있다. 그것은 위성이나 우주선에 손상을 야기할 수 있을 뿐만 아니라 지구에도 문제가 될 수 있다.

1 우주 쓰레기가 우주뿐만 아니라 지구에도 문제가 될 수 있음을 설명하는 글이므로, 주제로 ②가 가장 적절하다.

2 주어진 문장에서 this speed는 문장 ❻에서 언급한 초당 7~10킬로미터의 속도를 가리키고, 문장 ❽에서 설명한 위성이 손상되어 생기는 문제들은 주어진 문장의 위성이나 우주선이 파괴된 것의 결과에 해당한다. 따라서 주어진 문장은 문장 ❻과 ❽ 사이에 오는 것이 자연스러우므로, ②가 가장 적절하다.

3 ③: 문장 ❽에서 위성이 손상되면 방송 서비스가 기능을 못 할 수도 있다고 했다.
①, ②: 문장 ❺에서 약 50만 개의 쓰레기 조각들이 우주에 떠다니고 있다고 했다.
④, ⑤: 문장 ❿-⓫에서 오래된 위성에서 나온 우주 쓰레기가 지구로 떨어져 일본 선박과 충돌했다고 했다.

4 문제 해석 참고

❽ 조동사 may는 '~할 수도 있다, ~할지도 모른다'라는 의미로, 약한 추측을 나타낸다. *cf.* may: ~해도 된다 [허가]

❾ Space pollution could have an **even** worse impact; you *could be hit* by space junk!
→ 부사 even은 '훨씬'이라는 의미로 비교급을 강조할 수 있다. 이 문장에서는 형용사 bad(나쁜)의 비교급 worse를 강조하고 있다.
cf. 비교급 강조 부사: much, even, still, far, a lot
ex. Mint chocolate ice cream is **still** better than vanilla. (민트초코 아이스크림이 바닐라보다 훨씬 더 낫다.)
→ 조동사 뒤에는 동사원형이 오므로, 조동사가 있는 수동태는 「조동사 + be p.p.」가 된다.

본문 해석

❶ 일본에는, 'Naki Sumo', 즉 우는 아기 대회라 불리는 한 전통 대회가 있다. ❷ 주요 참가자들은 6개월에서 18개월 된 아기들이다. ❸ 그 대회는 스모 경기장에서 열린다. ❹ 두 명의 스모 선수는 아기를 울게 만들려고 노력함으로써 그들이 경쟁하도록 돕는다.

❺ 이 독특한 풍습은 거의 400년 전에 시작되었다. ❻ 그 당시에, 사람들은 우는 아기들의 소리가 악령을 쫓아낸다고 생각했다. ❼ 그들은 또한 그 의식이 행운과 건강을 가져다준다고 믿었다.

❽ 대회는 아기를 팔에 안고 있는 두 명의 스모 선수들과 함께 시작한다. ❾ 이 스모 선수들은 어떠한 장난스러운 방법이라도 사용함으로써 아기가 울게 만들려고 노력한다. ❿ 그들은 아기를 흔들거나 큰 소리를 내며 무서운 얼굴을 한다. ⓫ 가장 먼저, 가장 크게, 또는 가장 오래 우는 아기가 우승자가 된다!

---

❶ In Japan, / there is a traditional competition / called *Naki Sumo*, /
일본에는   전통 대회가 있다   'Naki Sumo'라 불리는

or the crying baby contest. / ❷ The main participants are babies / from 6
즉 우는 아기 대회인   주요 참가자들은 아기들이다   6개월에서

to 18 months of age. / ❸ The contest is held / in a sumo wrestling ring. /
18개월까지의   그 대회는 열린다   스모 경기장에서

❹ Two sumo wrestlers help / the babies compete / by trying to make
두 명의 스모 선수들은 돕는다   아기들이 경쟁하도록   그들을 울게 만들려고

ⓐ them cry. /
노력함으로써

❺ This unusual custom began / almost 400 years ago. / ❻ At that
이 독특한 풍습은 시작되었다   거의 400년 전에   그 당시에

time, / people thought / the sound of crying babies / chased away evil
사람들은 생각했다   우는 아기들의 소리가   악령들을 쫓아낸다고

spirits. / ❼ ⓑ They also believed / the ceremony brought / good fortune
그들은 또한 믿었다   그 의식이 가져다준다고   행운과 건강을

and health. /

❽ The competition begins / with two sumo wrestlers / holding babies
그 대회는 시작한다   두 명의 스모 선수들과 함께   아기를 팔에

in their arms. / ❾ These wrestlers try to make / their babies cry / by
안고 있는   이 스모 선수들은 만들려고 노력한다   그들의 아기들이 울게

using any playful method. / ❿ ⓒ They swing the babies / or make loud
어떠한 장난스러운 방법이라도 사용함으로써   그들은 아기들을 흔든다   또는 큰 소리를 내며

noises and scary faces. / ⓫ The baby / who cries first, loudest, or longest /
무서운 얼굴을 한다   아기가   가장 먼저, 가장 크게, 또는 가장 오래 우는

becomes the winner! /
우승자가 된다

구문 해설

❶ In Japan, there is a traditional competition [**called** Naki Sumo, or the crying baby contest].
  → [ ]는 앞에 온 a traditional competition을 수식하는 과거분사구이다. 이때 called는 '~이라고 불리는'이라고 해석한다.

❷ 「from A to B」는 'A에서 B까지, A부터 B로'라는 의미이다.

❹ Two sumo wrestlers **help the babies compete** by *trying* to make them cry.
  → 「help + 목적어 + 동사원형」은 '~가 ⋯하도록 돕다'라는 의미이다. = 「help + 목적어 + to-v」
  → 「by + v-ing」는 '~함으로써, ~해서'라는 의미로, 수단이나 방법을 나타낸다.
  → 「try + to-v」는 '~하기 위해 노력하다'라는 의미이다.
    cf. 「try + v-ing」: (시험 삼아) ~해보다 *ex.* Susan **tried riding** a bicycle for the first time. (Susan은 처음으로 자전거를 타봤다.)

❻ At that time, people thought [(that) the sound of crying babies chased away evil spirits].
  → [ ]는 thought의 목적어 역할을 하는 명사절로, 명사절 접속사 that이 생략되어 있다.

1 이 글에서 *Naki Sumo*의 목적으로 언급된 것을 <u>모두</u> 고르시오.

① 마을의 풍요를 기원하기 위해서
✓② 행운과 건강을 빌기 위해서
③ 스모 경기의 전통을 유지하기 위해서
✓④ 악령을 쫓아내기 위해서
⑤ 태어난 아기들을 축복하기 위해서

2 이 글의 밑줄 친 ⓐ, ⓑ, ⓒ가 가리키는 것을 글에서 찾아 쓰시오.

ⓐ: _____the babies_____ 아기들
ⓑ: _____people_____ 사람들
ⓒ: ___two sumo wrestlers___ 두 명의 스모 선수들

3 *Naki Sumo*에 관한 이 글의 내용과 일치하지 <u>않는</u> 것은?

① 일본의 전통적인 대회이다.
② 참가하는 아기의 나이가 정해져 있다.
③ 스모 경기장에서 진행된다.
④ 스모 선수들이 아기를 안은 채 경기가 시작한다.
✓⑤ 가장 늦게 우는 아기가 승자가 된다.

4 스모 선수가 아기를 울리기 위해 사용하는 방법을 우리말로 쓰시오.

아기를 흔들거나 큰 소리를 내며 무서운 얼굴을 한다.

5 다음 영영 풀이에 해당하는 단어를 글에서 찾아 쓰시오.

> a practice that people have been doing for a long time
> 사람들이 오랜 시간 동안 해온 관행

_____custom_____
풍습, 관습

정답 1 ②, ④ 2 ⓐ the babies ⓑ people ⓒ two sumo wrestlers 3 ⑤
4 아기를 흔들거나 큰 소리를 내며 무서운 얼굴을 한다. 5 custom

문제 해설

1 ②: 문장 ❼에서 사람들이 아기를 울리는 의식이 행운과 건강을 가져다준다고 믿었다고 했다.
④: 문장 ❻에서 사람들이 우는 아기의 소리가 악령을 쫓아낸다고 생각했다고 했다.

2 ⓐ는 문장 ❹의 the babies(아기들)를, ⓑ는 문장 ❻의 people(사람들)을, ⓒ는 문장 ❽의 two sumo wrestlers(두 명의 스모 선수들 = 문장 ❾의 These wrestlers)를 가리킨다.

3 ⑤: 문장 ⓫에서 가장 먼저, 가장 크게, 또는 가장 오래 우는 아기가 우승자가 된다고 했다.
①은 문장 ❶에, ②는 문장 ❷에, ③은 문장 ❸에, ④는 문장 ❽에 언급되어 있다.

4 문장 ❾-❿에서 스모 선수들이 아기를 흔들거나 큰 소리를 내며 무서운 얼굴을 해서 아기를 울게 만들려고 노력한다고 했다.

5 '사람들이 오랜 시간 동안 해온 관행'이라는 뜻에 해당하는 단어는 custom(풍습, 관습)이다.

---

❽ The competition begins with two sumo wrestlers [**holding** babies in their arms].
→ [ ]는 앞에 온 two sumo wrestlers를 수식하는 현재분사구이다. 이때 holding은 '안고 있는'이라고 해석한다.

❾ These wrestlers try to **make their babies cry** by using *any* playful method.
→ 「make + 목적어 + 동사원형」은 '~가 …하게 만들다'라는 의미이다.
→ 긍정문에서 any가 사용될 경우 '어떠한 ~이라도, 어떠한 ~이든'이라고 해석한다.
  cf. 부정문/의문문에서의 any: 약간의, 조금의 *ex.* Do you need **any** water? (당신은 약간의 물이 필요하십니까?)

❿ The baby [who cries **first, loudest, or longest**] becomes the winner!
→ [ ]는 앞에 온 선행사 The baby를 수식하는 주격 관계대명사절이다.
→ 세 가지 이상의 단어를 나열할 때는 콤마와 함께 마지막 단어 앞에 or[and]를 써서 「A, B, or[and] C」로 나타낸다.

본문 해석

❶ 물속에서 노래를 하는 것은 거의 불가능하다. ❷ 하지만, Laila Skovmand라는 음악가는 그것을 할 방법을 개발했다. ❸ 먼저, 그녀는 숨을 깊게 들이쉬고 물속으로 들어간다. ❹ 그 다음, 그녀는 공기 방울을 만들어내기 위해 폐에서 공기가 조금 나오도록 한다. ❺ 그녀는 그 공기 방울을 입안에 머금고 그것을 통해 노래를 한다.

❻ Laila는 또한 네 명의 다른 음악가들과 함께 밴드를 결성했다. ❼ 그들은 물속에서 연주될 수 있는 악기를 만들었고 콘서트 공연을 계획했다. ❽ 이것은 준비하는 데 수년이 걸렸다. ❾ 멤버들은 유리 수조 안에서 공연하기 위해 스스로를 단련해야 했다. ❿ 예를 들어, 그들은 숨을 참는 것을 연습했다. ⓫ 드럼과 같은 악기를 연주하는 것은 더 많은 에너지와 산소를 필요로 해서, 몇몇 멤버들은 수많은 호흡 훈련을 해야 했다.

⓬ 2018년에, 그 밴드는 성공적으로 공연을 했다. ⓭ 그 음악은 처음에 이상하게 들릴 수도 있지만, 매력적이다!

---

❶ It's almost impossible / to sing underwater. / ❷ However, / musician
거의 불가능하다　　　　물속에서 노래를 하는 것은　　하지만

Laila Skovmand developed a way / to do it. / ❸ First, / she takes a deep
Laila Skovmand라는 음악가는 방법을 개발했다　그것을 할　　먼저　　그녀는 숨을 깊게

breath / and goes underwater. / ❹ Then, / she lets a bit of air come out
들이쉰다　그리고 물속으로 들어간다　　그 다음　그녀는 그녀의 폐에서 조금의 공기가

of her lungs / to form an air bubble. / ❺ She keeps the air bubble / in her
나오도록 한다　　공기 방울을 만들어내기 위해　　그녀는 그 공기 방울을 가지고 있다　　그녀의

mouth / and sings through it. /
입안에　　그리고 그것을 통해서 노래를 한다

❻ Laila also formed a band / with four other musicians. / ❼ They
Laila는 또한 밴드를 결성했다　　네 명의 다른 음악가들과 함께　　　그들은

created instruments / that can be played underwater / and planned to
악기들을 만들었다　　물속에서 연주될 수 있는　　그리고 콘서트를

put on a concert. / ❽ It took many years / to prepare. / ❾ The members
공연하는 것을 계획했다　이것은 수년이 걸렸다　준비하는 데　멤버들은

had to train themselves / to perform in a glass water tank. / ❿ For example, /
스스로를 단련해야 했다　　유리 수조 안에서 공연하기 위해　　예를 들어

they practiced / holding their breaths. / ⓫ Playing instruments, / such as
그들은 연습했다　숨을 참는 것을　　악기들을 연주하는 것은

the drums, / requires more energy and oxygen, / so some members had
드럼과 같은　더 많은 에너지와 산소를 필요로 한다　　그래서 몇몇 멤버들은 해야 했다

to do / a lot of breathing exercises. /
수많은 호흡 훈련을

⓬ In 2018, / the band successfully gave a performance. / ⓭ The music
2018년에　그 밴드는 성공적으로 공연을 했다　　　그 음악은

may sound strange at first, / but it's fascinating! /
처음에 이상하게 들릴 수도 있다　하지만 그것은 매력적이다

구문 해설

❶　It은 가주어이고, to sing underwater가 진주어이다. 이때 가주어 it은 따로 해석하지 않는다.

❷　to do it은 '그것(=to sing underwater)을 할'이라는 의미로, to부정사의 형용사적 용법으로 쓰여 a way를 수식하고 있다.

❹　Then, she **lets a bit of air come out of** her lungs *to form an air bubble*.
→「let + 목적어 + 동사원형」은 '~가 …하도록 하다, 두다'라는 의미로, 이 문장에서는 '조금의 공기가 나오도록 한다'라고 해석한다.
→ to form an air bubble은 '공기 방울을 만들어내기 위해'라는 의미로, [목적]을 나타내는 to부정사의 부사적 용법으로 쓰였다.

❼　They created instruments [that **can be played** underwater] and *planned to put on* a concert.
→ [ ]는 앞에 온 선행사 instruments를 수식하는 주격 관계대명사절이다.
→ 조동사 뒤에는 동사원형이 오므로, 조동사가 있는 수동태는 「조동사 + be p.p.」가 된다.
→「plan + to-v」는 '~하는 것을 계획하다'라는 의미이다. plan은 목적어로 to부정사를 쓴다.

1 이 글의 빈칸에 들어갈 말로 가장 적절한 것은?

① Moreover 게다가   ② For example 예를 들어   ③ Therefore 따라서

④ However 하지만   ⑤ In other words 다시 말해서

2 이 글의 밑줄 친 put on과 의미가 가장 비슷한 것은?

① watch 보다   ② finish 끝내다   ③ hold 개최하다

④ cancel 취소하다   ⑤ attend 참석하다

3 이 글의 내용과 일치하면 T, 그렇지 않으면 F를 쓰시오.

(1) Laila는 물속에서 숨을 쉴 수 있는 방법을 개발했다.   F

(2) Laila의 밴드 멤버들은 수조 안에서 연주를 할 수 있도록 훈련했다.   T

(3) 드럼 연주자는 호흡 훈련을 더 많이 해야 했다.   T

4 Laila의 밴드가 한 공연에 관한 설명으로 일치하는 것을 모두 고르시오.

참여 인원	① Laila를 포함한 총 4명의 음악가들
준비 과정	② 몇 달 동안 진행되었음. ③ 수중 연주가 가능한 악기를 제작함. ④ 물속에서 숨을 참는 것을 익힘.
특징	⑤ 일반적인 연주와 동일한 소리가 남.

1 빈칸 앞에서 물속에서 노래하기가 거의 불가능하다고 했으나, 빈칸이 있는 문장에서는 Laila라는 음악가가 그것을 할 방법을 개발했다며 대조되는 내용을 언급했다. 따라서 빈칸에는 ④ '하지만'이 가장 적절하다.

2 문장 ❼의 put on (a concert)는 '(콘서트를) 공연하다'라고 해석하므로, 의미가 가장 가까운 것은 ③ 'hold(개최하다)'이다.

3 (1) 문장 ❷에서 Laila가 물속에서 노래할 방법을 개발했다고 했다.
(2) 문장 ❾에 언급되어 있다.
(3) 문장 ⑪에서 드럼과 같은 악기를 연주하는 것은 더 많은 산소가 필요해서, 몇몇 멤버들은 수많은 호흡 훈련을 해야 했다고 했다.

4 ③: 문장 ❼에 언급되어 있다.
④: 문장 ⑩에 언급되어 있다.
①: 문장 ❻에서 Laila 외 다른 4명과 함께 밴드를 결성했다고 했으므로, 참여 인원은 Laila를 포함해 총 5명임을 알 수 있다.
②: 문장 ❽에서 콘서트를 준비하는 데 수년이 걸렸다고 했다.
⑤: 문장 ⑬에서 밴드의 음악이 처음에는 이상하게 들릴 수도 있다고 한 것을 통해 일반적인 연주와 소리가 다른 것을 알 수 있다.

정답   **1** ④   **2** ③   **3** (1) F (2) T (3) T   **4** ③, ④

❽ 「It takes + (사람) + 시간 + to-v」는 '(사람이) ~하는 데 …의 시간이 걸리다'라는 의미이다. 이 문장에서는 동사 take의 과거형 took이 쓰여 '준비하는 데 수년이 걸렸다'라고 해석한다.

❾ The members **had to** train *themselves* to perform in a glass water tank.

→ had to는 have to(~해야 한다)의 과거형으로, '~해야 했다'라고 해석한다.
   cf. don't have to: ~할 필요가 없다.   *ex.* We **don't have to** hurry. (우리는 서두를 필요가 없다.)

→ had to train의 목적어가 주어(The members)와 같은 대상이므로 재귀대명사 themselves가 쓰였다. 이때의 재귀대명사는 '스스로, 그들 자신'이라고 해석하며, 생략할 수 없다.

→ to perform 이하는 '유리 수조 안에서 공연하기 위해'라는 의미로, [목적]을 나타내는 to부정사의 부사적 용법으로 쓰였다.

⑩ 「practice + v-ing」는 '~하는 것을 연습하다'라는 의미이다. practice는 목적어로 동명사를 쓴다.

본문 해석

❶ 당신은 겨울을 위해 거위털 재킷이나 오리털 재킷을 옷장 안에 가지고 있을 수도 있다. ❷ 하지만 당신은 아마 닭털 재킷은 가지고 있지 않을 것이다. ❸ 왜 그런지 생각해 본 적이 있는가?

❹ 사실, 닭의 깃털로 패딩을 만드는 것은 불가능하다. ❺ 이것은 닭이 다운을 가지고 있지 않기 때문이다. ❻ '다운'은 많은 새들이 그들의 보호용 바깥쪽 깃털 아래에 지닌 얇고, 가벼운 깃털을 가리킨다. (❼ 어떤 새들은 다른 새들의 주의를 끄는 형형색색의 깃털을 가지고 있다.) ❽ 이것은 열이 빠져나가는 것을 막고 차가운 공기가 들어오는 것을 막으면서, 공기를 가둔다. ❾ 그것이 우리가 패딩에 다운을 사용하는 이유이다.

❿ 오리와 거위 같이 물속에 들어가는 새에게 있어서, 다운은 몸을 따뜻하게 유지하기 위해 필요하다. ⓫ 다운이 없다면, 그것들이 차가운 연못에 있는 동안 체온이 떨어질 것이다. ⓬ 반면에, 닭은 물속에 거의 들어가지 않아서, 다운이 필요 없다. ⓭ 대신에, 그것들은 질기고, 억센 깃털만을 가지고 있다.

❶ You may have a goose-down or duck-down jacket / in your
당신은 거위털 재킷이나 오리털 재킷을 가지고 있을 수도 있다   당신의

closet / for winter. / ❷ But you probably don't have a chicken-down
옷장 안에   겨울을 위해   하지만 당신은 아마 닭털 재킷은 가지고 있지 않을 것이다

jacket. / ❸ Have you ever wondered why? /
            당신은 왜 그런지 생각해 본 적이 있는가

❹ Actually, / it's impossible / to make padded jackets / with chicken
    사실   불가능하다   패딩을 만드는 것은   닭의 깃털로

feathers. / ❺ This is because / chickens don't have down. / ❻ "Down"
            이것은 ~ 때문이다   닭이 다운을 가지고 있지 않기   '다운'은

refers to / the thin, light feathers / that many birds have / under their
~을 가리킨다   얇고, 가벼운 깃털을   많은 새들이 지닌

protective outer feathers. / (c) (❼ Some birds have colorful feathers / to
그들의 보호용 바깥쪽 깃털 아래에   어떤 새들은 형형색색의 깃털을 가지고 있다

attract other birds' attention. /) ❽ It traps air, / preventing heat from
다른 새들의 주의를 끄는   이것은 공기를 가둔다   열이 빠져나가는 것을 막으면서

escaping / and blocking cold air from entering. / ❾ That's why / we use
그리고 차가운 공기가 들어오는 것을 막으면서   그것이 ~한 이유이다   우리가

down for padded jackets. /
우리가 패딩에 다운을 사용하는

❿ For birds / that go in the water / like ducks and geese, / down
    새들에게 있어서 물속에 들어가는   오리와 거위 같이   다운은

is necessary / to keep their bodies warm. / ⓫ Without it, / their body
필요하다   그것들의 몸을 따뜻하게 유지하기 위해   그것(다운)이 없다면

temperature would drop / while they're in cold ponds. / ⓬ On the other
그것들의 체온은 떨어질 것이다   그것들이 차가운 연못에 있는 동안   반면에

hand, / chickens rarely go in the water, / so they don't need down. /
          닭은 물속에 거의 들어가지 않는다   그래서 그것들은 다운이 필요 없다

⓭ Instead, / they only have strong, tough feathers. /
    대신에   그것들은 질기고, 억센 깃털만을 가지고 있다

구문 해설

❸ **Have you** ever **wondered** [why (you don't have a chicken-down jacket)]?
→ 「Have/Has + 주어 + p.p. ~?」의 현재완료 시제가 쓰인 의문문으로, 과거의 [경험]을 물을 때 쓴다.
→ [ ]는 「의문사 + 주어 + 동사」의 간접의문문으로, have wondered의 목적어 역할을 하고 있다. 이때 why 뒤에는 앞 문장에서 언급한 you don't have a chicken-down jacket이 생략되어 있다.

❹ it은 가주어이고, to make 이하가 진주어이다. 이때 가주어 it은 따로 해석하지 않는다.

❻ "Down" refers to the thin, light feathers [that many birds have under their protective outer feathers].
→ [ ]는 앞에 온 선행사 the thin, light feathers를 수식하는 목적격 관계대명사절이다. 이때 목적격 관계대명사 that은 생략하거나 which로 바꿔 쓸 수 있다.

❼ to attract other birds' attention은 '다른 새들의 주의를 끄는'이라는 의미로, to부정사의 형용사적 용법으로 쓰여 colorful feathers를 수식하고 있다.

1 What is the best title for the passage? 이 글의 제목으로 가장 적절한 것은?

① Tips for Buying a Down Jacket 다운 재킷을 사는 것에 대한 조언
② Down: The Strongest Feathers of Birds 다운: 새의 가장 질긴 깃털
③ The Roles of Chickens' Protective Feathers 닭의 보호용 깃털의 역할
④ Why You Can't Make Chicken-down Jackets 왜 닭털 재킷을 만들 수 없는가
⑤ The Similarities of Chickens, Ducks, and Geese 닭, 오리, 그리고 거위의 유사점

2 Among (a)~(e), which sentence does NOT fit in the context?
(a)~(e) 중, 전체 흐름과 관계없는 문장은?

① (a)　　　② (b)　　　③ (c)　　　④ (d)　　　⑤ (e)

3 Which is the best choice for the blank? 빈칸에 들어갈 말로 가장 적절한 것은?

① to swim faster 더 빠르게 헤엄치기 위해
② to dry their bodies 그것들의 몸을 말리기 위해
③ to float on water 물 위에 떠있기 위해
④ to keep their bodies warm 그것들의 몸을 따뜻하게 유지하기 위해
⑤ to protect themselves from insects 곤충들로부터 자신을 보호하기 위해

4 Complete the table with words from the passage. 이 글에서 알맞은 말을 찾아 표를 완성하시오.

What is down? 다운은 무엇인가?	• It is birds' feathers that are under the outer ones. 그것은 새의 바깥쪽의 깃털 아래에 있는 깃털이다. • It (1)　　traps　　 air, and it can be used in pad-ded jackets. 그것은 공기를 (1) 가두어서, 패딩에 사용될 수 있다.
What birds have down? 어떤 새가 다운을 갖고 있는가?	• Ducks and geese have down to maintain their (2)　body　 temperature while they're in the water. 오리와 거위는 물속에 있는 동안 (2) 체온을 유지해줄 다운을 갖고 있다. • (3)　Chickens　 have strong feathers instead of down. (3) 닭은 다운 대신 억센 깃털을 갖고 있다.

1 닭은 다운을 가지고 있지 않아서 닭털 재킷을 만들 수 없다는 것을 설명하는 글이므로, 제목으로 ④ '왜 닭털 재킷을 만들 수 없는가'가 가장 적절하다.

2 다운이 무엇인지 그리고 이것이 어떤 역할을 하는지 설명하는 내용 중에, '어떤 새들은 다른 새들의 주의를 끄는 형형색색의 깃털을 가지고 있다' 라는 내용의 (c)는 전체 흐름과 관계 없다.

3 빈칸 앞의 단락에서 다운은 열이 빠져나가는 것과 차가운 공기가 들어오는 것을 막는다고 했고, 빈칸 뒤에서 다운이 없다면, 새들이 차가운 연못에 있는 동안 체온이 떨어질 것이라고 했다. 따라서 빈칸에는 ④ '그것들의 몸을 따뜻하게 유지하기 위해'가 가장 적절하다.

4 문제 해석 참고

정답 1 ④　2 ③　3 ④　4 (1) traps (2) body temperature (3) Chickens

⑧ It traps air, [***preventing*** *heat from escaping* and **blocking** cold air from entering].

→ [ ]는 '~하면서'라는 의미의 [동시동작]을 나타내는 분사구문으로, 여기서는 현재분사 preventing과 blocking이 접속사 and로 연결되어 쓰였다.

= 「접속사 + 주어 + 동사」 *ex.* It traps air **while/as it prevents** heat from escaping and **blocks** cold air from entering.

→ 「prevent A from v-ing」는 'A가 ~하는 것을 막다'라는 의미이다. 이 문장에서는 '열이 빠져나가는 것을 막으면서'라고 해석한다.

→ 「block A from v-ing」는 'A가 ~하는 것을 막다'라는 의미이다. 이 문장에서는 '차가운 공기가 들어오는 것을 막으면서'라고 해석한다.

⑪ **Without it**, their body temperature **would drop** while they're in cold ponds.

→ 「Without + 명사, 주어 + would/could/should/might + 동사원형 …」은 가정법 과거로, '~이 없다면 …할 텐데'라는 의미이다. 이 문장에서는 오리와 거위 같은 새들에게 다운이 있는 현재 사실의 반대를 가정하고 있다.

= 「But for + 명사, ~」 = 「If it were not for + 명사, ~」 *ex.* **But[If it were not] for** it, their body temperature would drop ~.

UNIT 10
1

본문 해석

❶ 두 명의 남자가 미소와 함께 주먹을 부딪치고는 "요즘 어때, 친구?"라고 말한다. ❷ 이 인사는 피스트 범프라고 불린다. ❸ 그것은 1950년대에 한 야구 선수 때문에 대중화되었다. ❹ 그는 팬들과 악수한 후에 종종 감기에 걸렸다. ❺ 그래서, 그는 악수 대신에 피스트 범프를 하기 시작했다. ❻ 이것이 실제로 도움이 되었을까?

❼ 놀랍게도, 정답은 '그렇다'이다. ❽ 사실, 피스트 범프는 심지어 몇몇 의사들에 의해 권장되기도 한다. ❾ 한 실험에서는, 손이 접촉을 덜 하기 때문에 피스트 범프가 악수보다 20배 더 적은 세균을 옮겼다는 것이 밝혀졌다. ❿ 게다가, 손등에 있는 세균은 입과 코에 들어갈 가능성이 더 낮다. ⓫ 아마도 언젠가는, 모두가 피스트 범프로 서로에게 인사하고 있을 것이다!

❶ Two guys bump their fists / with a smile / and say, / "What's up,
두 명의 남자가 그들의 주먹을 부딪친다   미소와 함께   그리고 말한다   요즘 어때

bro?" / ❷ This greeting is called a fist bump. / ❸ It became popular /
친구   이 인사는 피스트 범프(주먹 부딪치기)라고 불린다   그것은 대중화되었다

because of one baseball player / in the 1950s. / ❹ He often caught colds /
한 야구 선수 때문에   1950년대에   그는 종종 감기에 걸렸다

after shaking hands with fans. / ❺ (A) Therefore, / he started giving fist
팬들과 악수한 후에   그래서   그는 피스트 범프를 하기 시작했다

bumps / instead of handshakes. / ❻ Did it actually help? /
악수 대신에   이것이 실제로 도움이 되었을까

❼ Surprisingly, / the answer is "yes." / ❽ In fact, / the fist bump is even
놀랍게도   정답은 '그렇다'이다   사실   피스트 범프는 심지어

recommended / by some doctors. / ❾ In an experiment, / it was found /
권장되기도 한다   몇몇 의사들에 의해   한 실험에서는   밝혀졌다

that fist bumps transferred / 20 times fewer germs / than handshakes /
피스트 범프가 옮겼다는 것이   20배 더 적은 세균을   악수보다

because the hands have less contact. / ❿ (B) Moreover, / germs on the
손이 접촉을 덜 하기 때문에   게다가   당신의 손등에 있는

back of your hand / are less likely to / get into your mouth and nose. /
세균은   ~할 가능성이 더 낮다   당신의 입과 코에 들어갈

⓫ Maybe one day, / everyone will be greeting each other / with fist
아마도 언젠가는   모두가 서로에게 인사하고 있을 것이다   피스트

bumps! /
범프로

구문 해설

❷ 「A be called B」는 'A가 B라고 불리다'라는 의미로, 「call A B(A를 B라고 부르다)」의 수동태 표현이다.

❸ It **became popular** *because of* one baseball player in the 1950s.
→ 「become + 형용사」는 '~하게 되다'라는 의미이다.
→ because of는 '~ 때문에'라는 의미의 전치사로, 뒤에 명사가 온다.
  cf. 「접속사 because + 주어 + 동사」 *ex.* I didn't go to school **because I was sick**. (나는 아팠기 때문에 학교에 가지 못했다.)

❺ Therefore, he **started giving** fist bumps *instead of* handshakes.
→ start는 목적어로 동명사와 to부정사 모두 쓸 수 있다.
  ex. My teacher **started to give** compliments to me more often. (선생님께서 내게 칭찬을 더 자주 해주기 시작하셨다.)
→ instead of는 '~ 대신에'라는 의미의 전치사이다.

1 이 글의 제목으로 가장 적절한 것은?

✓① A Healthier Form of Greeting 더 건강한 인사법
② Can Handshakes Transfer Germs? 악수가 세균을 옮길 수 있을까?
③ A New Greeting among Baseball Players 야구 선수들 간의 새로운 인사
④ Your Hands Actually Have Many Germs 당신의 손에는 사실 많은 세균이 있다
⑤ Fist Bump: A Gesture with Different Meanings 피스트 범프: 다양한 의미를 지닌 동작

2 이 글의 빈칸 (A)와 (B)에 들어갈 말로 가장 적절한 것은?

	(A)		(B)
①	However	……	So 하지만 … 그래서
②	Therefore	……	However 그래서 … 하지만
✓③	Therefore	……	Moreover 그래서 … 게다가
④	For example	……	Instead 예를 들어 … 대신에
⑤	For example	……	Therefore 예를 들어 … 그래서

3 이 글의 내용과 일치하면 T, 그렇지 않으면 F를 쓰시오.

(1) 피스트 범프는 과거 야구 팬들 사이에서 시작된 인사법이었다.　　　　F
(2) 손등에 있는 세균은 입과 코로 들어가기 쉽다.　　　　F

4 이 글의 밑줄 친 부분의 이유를 다음과 같이 나타낼 때, 빈칸에 들어갈 말로 가장 적절한 것은?

피스트 범프는 ＿＿＿＿＿＿＿＿＿＿＿＿ 때문이다.

① 재미있기　　　　　　　　　✓② 위생적이기
③ 의사들이 만들었기　　　　　④ 과거에도 유행했던 인사법이기
⑤ 여러 사람과 빠르게 할 수 있기

정답　**1** ①　**2** ③　**3** (1) F (2) F　**4** ②

문제 해설

1 주먹을 부딪쳐 인사하는 피스트 범프가 위생적이라고 설명하는 글이므로, 제목으로 ① '더 건강한 인사법'이 가장 적절하다.

2 (A) 빈칸 앞에서 야구 선수가 팬들과 악수 후에 자주 감기에 걸렸다고 했고, 그에 따라 빈칸이 있는 문장에서 악수 대신 피스트 범프를 시작했다고 했다. 따라서 빈칸 (A)에는 '그래서'가 가장 적절하다.
(B) 빈칸 앞에서 피스트 범프가 악수보다 더 적은 세균을 옮겼다고 했고, 빈칸이 있는 문장에서는 손등에 있는 세균이 입과 코에 들어갈 가능성이 더 낮다는 추가 설명을 했다. 따라서 빈칸 (B)에는 '게다가'가 가장 적절하다.

3 (1) 문장 ❸에서 피스트 범프는 한 야구 선수 때문에 대중화되었다고 했다.
(2) 문장 ❿에서 손등에 있는 세균은 입과 코에 들어갈 가능성이 더 낮다고 했다.

4 문장 ❾-❿에서 피스트 범프가 악수보다 더 적은 세균을 옮겼고, 세균이 입과 코에 들어갈 가능성도 더 낮다고 했으므로, 피스트 범프가 더 위생적이라는 것을 유추할 수 있다.

---

❾ In an experiment, **it** was found [that fist bumps transferred *20 times fewer germs than* handshakes ~].
→ it은 가주어이고, that절이 진주어이다. 이때 가주어 it은 따로 해석하지 않는다.
→ 「배수사 + 비교급 + than」은 '~보다 몇 배 더 …한/하게'라는 의미이다. 이때 형용사의 비교급이 쓰였을 경우 비교급 뒤에 명사가 올 수 있다. 이 문장에서는 '악수보다 20배 더 적은 세균'이라고 해석한다.

❿ be less likely to는 '~할 가능성이 더 낮다'라는 의미이다. 여기서는 '당신의 입과 코에 들어갈 가능성이 더 낮다'라고 해석한다.
cf. be likely to: ~할 가능성이 있다, ~할 것 같다　*ex.* Kevin **is likely to** go to the bank today. (Kevin은 오늘 은행에 갈 가능성이 있다.)

⓫ 「will be + v-ing」는 미래진행 시제로 '~하고 있을 것이다, ~하고 있는 중일 것이다'라는 의미이다. 이 문장에서는 '모두가 피스트 범프로 서로에게 인사하고 있을 것이다'라고 해석한다.

UNIT 10

2

본문 해석

❶ 당신은 걱정 때문에 밤새 깨어 있어 본 적이 있는가? ❷ 당신은 그것을 없애기 위해서 무엇을 했는가? ❸ 어떤 사람들은 인형이 그들의 걱정을 없애도록 둔다. ❹ 이것은 걱정 인형이다. ❺ 그것은 종이와 털실로 쉽게 만들어질 수 있는 작은 모형이다.

❻ 여기 걱정 인형을 만들고 사용하는 방법이 있다. ❼ 직사각형 모양으로 종잇조각을 오려내고 윗부분에 인형의 얼굴을 그려라. ❽ 팔과 다리를 만들기 위해 종이에 이쑤시개를 붙여라. ❾ 인형에게 알록달록한 실로 옷을 입혀라. ❿ 그리고 나서, 인형에게 당신을 신경 쓰이게 하는 것에 대해 말하라. ⓫ 마지막으로, 그것을 당신의 베개 아래에 놓고 잠들어라. (⓬ 만약 충분한 수면을 취하지 않으면, 낮 동안 매우 피곤할지도 모른다.) ⓭ 걱정 인형이 밤 동안 당신의 걱정을 없애줄 것이다. ⓮ 깨어나면, 당신은 걱정 없이 마음이 편안할 것이다!

---

❶ Have you ever stayed up / all night / because of worries? / ❷ What
당신은 깨어 있어 본 적이 있는가　밤새　걱정들 때문에　당신은

did you do / to get rid of them? / ❸ Some people let / dolls / get rid of
무엇을 했는가　그것들을 없애기 위해서　어떤 사람들은 둔다　인형들이　그들의

their worries. / ❹ These are worry dolls. / ❺ They are small figures / that
걱정을 없애도록　이것들은 걱정 인형이다　그것들은 작은 모형이다

can be easily made from paper and wool. /
종이와 털실로 쉽게 만들어질 수 있는

❻ Here is / how to make and use a worry doll. / ❼ Cut out / a piece
여기에 ~이 있다　걱정 인형을 만들고 사용하는 방법　오려내라　종잇조각을

of paper / in a rectangular shape / and draw a doll's face / on the top. /
직사각형 모양으로　그리고 인형의 얼굴을 그려라　윗부분에

❽ Stick toothpicks / to the paper / to make its arms and legs. / ❾ Dress
이쑤시개를 붙여라　종이에　그것의 팔과 다리를 만들기 위해　그 인형에게 옷을

the doll / with colorful threads. / ❿ Then, / tell your doll about
입혀라　알록달록한 실로　그러고 나서　당신의 인형에게 어떤 것에

something / that is bothering you. / ⓫ Finally, / put it under your
대해 말하라　당신을 신경 쓰이게 하는　마지막으로　그것을 당신의 베개 아래에

pillow / and go to sleep. / (c) (⓬ If you don't get enough sleep, / you
놓아라　그리고 잠들어라　만약 당신이 충분한 수면을 취하지 않으면　당신은

may be very tired / during the day. /) ⓭ The worry doll / will take away
매우 피곤할지도 모른다　낮 동안에　그 걱정 인형이　당신의 걱정을

your concerns / during the night. / ⓮ When you wake up, / you will be
없애줄 것이다　밤 동안　당신이 깨어나면　당신은 걱정이

worry-free and at ease! /
없고 마음이 편안할 것이다

구문 해설

❶ **Have you** ever **stayed** up all night because of worries?
→ 「Have/Has + 주어 + p.p. ~?」의 현재완료 시제가 쓰인 의문문으로, 과거의 [경험]을 물을 때 쓴다.

❷ to get rid of them은 '그것들(=worries)을 없애기 위해'라는 의미로, [목적]을 나타내는 to부정사의 부사적 용법으로 쓰였다.

❸ Some people **let dolls get rid of** their worries.
→ 「let + 목적어 + 동사원형」은 '~가 …하도록 두다'라는 의미이다.

❺ They are small figures [that **can be** easily **made from** paper and wool].
→ [ ]는 앞에 온 선행사 small figures를 수식하는 주격 관계대명사절이다.
→ 조동사 뒤에는 동사원형이 오므로, 조동사가 있는 수동태는 「조동사 + be p.p.」가 된다.
→ be made from은 '~으로 만들어지다'라는 의미의 수동태 표현이다.

1 이 글의 제목으로 가장 적절한 것은?

① Don't Worry about Small Things 사소한 것들에 대해 걱정하지 말아라
② How to Fall Asleep Early at Night 밤에 일찍 잠드는 방법
③ Worry Dolls Help You Feel Better 걱정 인형은 당신이 기분 좋아지도록 돕는다
④ What Prevents You from Sleeping? 무엇이 당신을 잠들지 못하게 하는가?
⑤ Various Ways to Make Worry Dolls 걱정 인형을 만드는 다양한 방법들

2 이 글에서 설명하는 걱정 인형의 모습으로 가장 적절한 것은?

3 이 글의 (a)~(e) 중, 전체 흐름과 관계없는 문장은?

① (a)　　② (b)　　③ (c)　　④ (d)　　⑤ (e)

4 걱정 인형의 사용법을 다음과 같이 나타낼 때, 빈칸에 들어갈 내용을 우리말로 쓰시오.

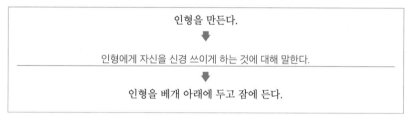

---

1 걱정 인형을 만들고 사용해서 걱정을 없앨 수 있다는 것을 설명하는 글이므로, 제목으로 ③ '걱정 인형은 당신이 기분 좋아지도록 돕는다'가 가장 적절하다.

2 문장 ❼-❾에서 직사각형 모양으로 종잇조각을 오려내고 윗부분에 인형의 얼굴을 그린 후, 이쑤시개를 붙여 팔과 다리를 만들고 알록달록한 실로 옷을 입히라고 했다. 따라서 걱정 인형의 모습으로 ③이 가장 적절하다.

3 걱정 인형을 만들어서 사용하는 방법을 설명하는 내용 중에, '만약 충분한 수면을 취하지 않으면, 낮 동안 매우 피곤할지도 모른다'라는 내용의 (c)는 전체 흐름과 관계없다.

4 문장 ❼-❾에서 걱정 인형을 만드는 방법을 설명했고, 문장 ⓫에서 인형을 베개 아래에 놓고 잠에 들라고 했다. 따라서 빈칸에는 문장 ❿에서 언급한 인형에게 자신을 신경 쓰이게 하는 것에 대해 말한다는 내용이 들어가야 한다.

정답 1 ③　2 ③　3 ③　4 인형에게 자신을 신경 쓰이게 하는 것에 대해 말한다.

---

❻ **Here is** *how to make* and *use* a worry doll.

→ 「Here + be동사 + 주어」는 '여기에 ~이 있다, 이것이 ~이다'라는 의미이다.
→ 「how + to-v」는 '~하는 방법, 어떻게 ~할지'라는 의미로, 문장의 주어 역할을 하고 있다. 「의문사 + to-v」는 문장의 주어, 보어 또는 목적어 역할을 한다.
　= 「how + 주어 + should + 동사원형」 *ex.* Here is **how you should make** and **use** a worry doll.

❿ Then, tell your doll about something [that is bothering you].

→ [ ]는 앞에 온 선행사 something을 수식하는 주격 관계대명사절이다. 선행사에 -thing, -body, -one으로 끝나는 대명사가 쓰였을 때는 주로 that을 쓴다.

⓮ **When** you **wake up**, you will be worry-free and at ease!

→ 시간을 나타내는 when절(~할 때)에서는 미래를 나타낼 때도 현재 시제(wake up)를 쓴다.

본문 해석

❶ 오늘날, 사람들은 샐러드와 샌드위치 같은 많은 음식에서 종종 아보카도를 즐긴다. ❷ 아보카도는 건강에 좋은 지방과 많은 비타민을 함유하고 있어서, 몸에 좋다. ❸ 하지만 역설적으로, 그것들은 환경에는 좋지 않다.

❹ 아보카도가 자라기 위해서는 다른 작물들보다 훨씬 더 많은 물을 필요로 한다. ❺ 이것은 그것들이 덜 진화된, 털이 없는 뿌리를 가졌기 때문이다. ❻ 이 뿌리는 물을 매우 잘 흡수하지 못한다. ❼ 그래서, 한 개의 아보카도를 생산하는 데 보통 약 70리터의 많은 물이 필요하다. ❽ 그에 비해, 오렌지는 (물이) 22리터가 필요하고 토마토는 5리터 정도만 필요하다.

❾ 결과적으로, 아보카도는 많은 곳에서 물 부족을 초래했다. ❿ 실제로, 칠레의 가장 큰 아보카도 생산지 중 하나인 페토르카 지역에서는, 주민들이 급수 트럭에서 물을 얻어야 한다. ⓫ 아보카도 농장들이 너무 많은 물을 사용해서 가정용으로 남겨진 물이 충분하지 않은 것이다!

❶ These days, / people often enjoy avocados in many foods / like
오늘날   사람들은 많은 음식에서 종종 아보카도를 즐긴다

salads and sandwiches. / ❷ Avocados contain / healthy fats and lots of
샐러드와 샌드위치 같은   아보카도는 함유하고 있다   건강에 좋은 지방과 많은 비타민을

vitamins, / so they are good for your body. / ❸ But ironically, / they
그래서 그것들은 당신의 몸에 좋다   하지만 역설적으로   그것들은

aren't good for the environment. /
환경에 좋지 않다

❹ Avocados need much more water / to grow / than other crops. /
아보카도는 훨씬 더 많은 물을 필요로 한다   자라기 위해서   다른 작물들보다

❺ This is because / they have underdeveloped, hairless roots. / ❻ These
이것은 ~ 때문이다   그것들이 덜 진화된, 털이 없는 뿌리를 가졌기   이

roots cannot absorb water / very well. / ❼ So, / producing a single avocado /
뿌리는 물을 흡수하지 못한다   매우 잘   그래서   한 개의 아보카도를 생산하는 것은

usually requires / a lot of water / —about 70 liters. / ❽ In comparison, /
보통 필요로 한다   많은 물을   약 70리터의   그에 비해

oranges need 22 liters / and tomatoes only need around 5 liters. /
오렌지는 22리터가 필요하다   그리고 토마토는 5리터 정도만 필요하다

❾ As a result, / avocados have caused / a lack of water / in many places. /
결과적으로   아보카도는 초래했다   물의 부족을   많은 곳에서

❿ In fact, / in Chile's Petorca region, / one of the country's largest
실제로   칠레의 Petorca(페토르카) 지역에서는   그 나라의 가장 큰 아보카도 생산지들

producers of avocados, / residents have to get water / from water
중 하나인   주민들은 물을 얻어야 한다   급수 트럭들에서

trucks. / ⓫ Avocado farms use so much water / that there isn't enough
아보카도 농장들이 너무 많은 물을 사용해서   충분한 물이 없다

water / left for homes! /
가정을 위해 남겨진

구문 해설

❹ Avocados need **much** *more* water <u>to grow</u> than other crops.
→ 부사 much는 '훨씬'이라는 의미로 비교급을 강조할 수 있다. 이 문장에서는 형용사의 비교급 more를 강조하고 있다.
→ more는 '더 많은'이라는 의미로, 이 문장에서는 형용사 much의 비교급으로 쓰여 뒤에 오는 셀 수 없는 명사 water를 수식하고 있다.
   cf. many/much(많은) – more [비교급] – most [최상급]
→ to grow는 '자라기 위해서'라는 의미로, [목적]을 나타내는 to부정사의 부사적 용법으로 쓰였다.

❺ This is because는 '이것은 ~ 때문이다'라는 의미로, because 뒤에 오는 내용이 앞 문장에 대한 이유가 된다.

❼ producing a single avocado는 문장의 주어 역할을 하는 동명사구이다. 동명사구는 단수 취급하므로 뒤에 단수동사 requires가 쓰였다.

❾ have caused는 현재완료 시제(have p.p.)로, 이 문장에서는 과거에 시작된 일이 현재까지 영향을 미쳐 발생한 [결과]를 나타낸다. 아보카도가 많은 물을 사용한 결과 많은 곳에서 물 부족을 초래했다는 의미이다.

1 이 글의 제목으로 가장 적절한 것은?

① The Lack of Avocado Production 아보카도 생산의 부족
② How to Grow Fruits without Water 물 없이 과일을 재배하는 방법
③ Avocados Are Good for Your Health 아보카도는 당신의 건강에 좋다
④ Difficulties That Many Avocado Farms Have 많은 아보카도 농장이 가지고 있는 어려움
⑤ The Problem with Avocados: Too Much Water Is Used
아보카도의 문제점: 지나치게 많은 물이 사용된다

2 이 글의 빈칸에 들어갈 알맞은 말을 글에서 찾아 쓰시오.

___water___ 물

3 이 글의 내용과 일치하면 T, 그렇지 않으면 F를 쓰시오.

(1) 아보카도의 뿌리는 털이 많고 튼튼해서 물을 많이 흡수한다.   F
(2) 토마토는 오렌지보다 재배하는 데 더 많은 물이 필요하다.   F
(3) 페토르카는 칠레의 주요 아보카도 생산지이다.   T

4 페토르카 지역의 주민들이 급수 트럭으로부터 물을 구해야 하는 이유를 우리말로 쓰시오.

아보카도 농장들이 너무 많은 물을 사용해서 가정용으로 남겨진 물이 충분하지 않기 때문에

1 아보카도는 재배하는 데 너무 많은 물이 필요한 문제가 있다는 것을 설명하는 글이므로, 제목으로 ⑤ '아보카도의 문제점: 지나치게 많은 물이 사용된다'가 가장 적절하다.

2 빈칸 앞의 단락에서 아보카도는 물을 많이 필요로 한다고 했고, 빈칸 뒤에서 페토르카 주민들이 물을 급수 트럭으로부터 얻어야 한다고 했다. 따라서 빈칸에는 'water(물)'가 가장 적절하다.

3 (1) 문장 ❺-❻에서 아보카도는 털이 없는 뿌리를 가지고 있어서 물을 잘 흡수하지 못한다고 했다.
(2) 문장 ❽에서 오렌지는 물 22리터가 필요하고, 토마토는 5리터 정도만 필요하다고 했다.
(3) 문장 ❿에 언급되어 있다.

4 문장 ⓫에서 아보카도 농장들이 너무 많은 물을 사용해서 가정용으로 남겨진 물이 충분하지 않다고 했다.

정답 **1** ⑤   **2** water   **3** (1) F (2) F (3) T   **4** 아보카도 농장들이 너무 많은 물을 사용해서 가정용으로 남겨진 물이 충분하지 않기 때문에

❿ In fact, in **Chile's Petorca region**, *one of the country's largest producers of avocados*, residents have to get water ~.
→ Chile's Petorca region과 one of the country's largest producers of avocados는 콤마로 연결된 동격 관계이다.
→ 「one of the + 최상급 + 복수명사」는 '가장 ~한 … 중 하나'라는 의미이다. 이때 the 대신에 소유격을 쓸 수 있다. 이 문장에서는 소유격 the country's가 쓰여 '그 나라의 가장 큰 아보카도 생산지들 중 하나'라고 해석한다.

⓫ Avocado farms use **so much** water **that** there isn't *enough water* [left for homes]!
→ 「so + 형용사/부사 + that절」은 '너무/매우 ~해서 …하다'라는 의미이다. 이 문장에서는 형용사 much 뒤에 water가 와서 '너무 많은 물을 사용해서 충분한 물이 없다'라고 해석한다.
→ 「enough + 명사」는 '충분한 ~'이라는 의미로 이때 enough는 형용사이다.
cf. 「형용사/부사 + enough」: 충분히 ~한/하게 [부사]   *ex.* Dona was **kind enough** to help me. (Dona는 나를 도울 만큼 충분히 친절했다.)
→ [ ]는 앞에 온 water를 수식하는 과거분사구이다. 이때 left는 '남겨진'이라고 해석한다.

본문 해석

❶ 옛날 옛적에, Wise West라고 불리는 왕국이 있었는데, 그곳은 Clever 여왕에 의해 다스려졌다. ❷ 그녀는 Elizabeth라는 딸이 있었고, 그녀는 언젠가 여왕이 될 것이었다. ❸ 하지만 먼저, 여왕은 Elizabeth가 왕국을 그녀만큼 현명하게 다스릴 수 있다는 것을 확신해야 했다. ❹ 그래서, 여왕은 그녀에게 수수께끼를 냈다.

⓫ 그녀는 "모든 사람이 특별하다고 느끼기 위해서 더 많은 이것을 원하지만, 더 많은 이것을 가질수록, 덜 특별하다고 느낀다. ⓬ 이것이 무엇이냐?"라고 물었다.

❺ 공주는 자신 있게 답했다. ❻ "모든 사람이 다른 사람들보다 더 똑똑해지기를 원해서, 우리는 이것을 추구합니다. ❼ 하지만 우리는 배움에는 끝이 없다는 것을 알게 되기 때문에, 더 많이 알면 사실 겸손해집니다. ❽ 따라서, 정답은 틀림없이 지식입니다."

❾ "그것이 정답이다!"라고 여왕이 자랑스럽게 말했다. ❿ 그녀는 이제 딸이 꼭 그녀 자신처럼 현명한 여왕이 될 것이라고 믿을 수 있었다.

❶ Once upon a time, / there was a kingdom / called Wise West, /
옛날 옛적에   왕국이 있었다   Wise West라고 불리는

which was ruled by Queen Clever. / ❷ ⓐ She had a daughter, / Elizabeth, /
그런데 그곳은 Clever 여왕에 의해 다스려졌다   그녀는 딸이 있었다   Elizabeth라는

who would become queen someday. / ❸ But first, / the Queen had to
그리고 그녀는 언젠가 여왕이 될 것이었다   하지만 먼저   여왕은 확신해야 했다

be sure / Elizabeth could rule the kingdom / as wisely as ⓑ her. / ❹ So, /
Elizabeth가 왕국을 다스릴 수 있다는 것을   그녀만큼 현명하게   그래서

the Queen gave ⓒ her a riddle. /
여왕은 그녀에게 수수께끼를 냈다

(C) ⓫ She asked, / "Everyone wants more of this / to feel special, / but
그녀는 물었다   모든 사람이 더 많은 이것을 원한다   특별하다고 느끼기 위해서

the more you have of it, / the less special you feel. / ⓬ What is it?" /
하지만 네가 더 많은 이것을 가질수록   너는 덜 특별하다고 느낀다   이것이 무엇이냐

(A) ❺ The princess answered confidently. / ❻ "Everyone wants
공주는 자신 있게 답했다   모든 사람이 더 똑똑해지기를

to be smarter / than others, / so we seek this. / ❼ But we actually
원합니다   다른 사람들보다   그래서 우리는 이것을 추구합니다   하지만 우리는 사실

become humble / when we know more, / as we learn / there is no end /
겸손해집니다   우리가 더 많이 알면   우리는 알게 되기 때문에   끝이 없다는 것을

to learning. / ❽ Therefore, / the answer must be knowledge." /
배움에   따라서   정답은 틀림없이 지식입니다

(B) ❾ "That is the correct answer!" / said ⓓ the Queen proudly. /
그것이 정확한 답이다   여왕이 자랑스럽게 말했다

❿ She could now trust / her daughter / to become a wise queen, / just like
그녀는 이제 믿을 수 있었다   그녀의 딸이   현명한 여왕이 될 것이라고   꼭 그녀

ⓔ herself. /
자신처럼

구문 해설

❶ Once upon a time, there was a kingdom **called Wise West**[, *which* was ruled by Queen Clever].
→ called Wise West는 앞에 온 a kingdom을 수식하는 과거분사구이다. 이때 called는 '~이라고 불리는'이라고 해석한다.
→ [ ]는 앞에 온 a kingdom called Wise West를 선행사로 가지는 계속적 용법의 관계대명사절이다. 여기서는 '그런데 그곳(Wise West라고 불리는 왕국)은 ~한다'라고 해석한다.

❸ But first, the Queen **had to** *be sure* [(that) Elizabeth could rule the kingdom as wisely as her].
→ had to는 have to(~해야 한다)의 과거형으로, '~해야 했다'라고 해석한다.
→ 「be sure + that절」은 '~을 확신하다'라는 의미로, 이때 명사절 접속사 that은 생략할 수 있다. 이 문장에서는 'Elizabeth가 왕국을 다스릴 수 있다는 것을 확신해야 했다'라고 해석한다.
→ 「as + 부사/형용사 + as」는 '~만큼 … 하게/한'라는 의미이다. 이 문장에서는 '그녀만큼 현명하게'라고 해석한다.

1 What is the best order for paragraphs (A)~(C)? 단락 (A)~(C)의 순서로 가장 적절한 것은?

① (A) – (B) – (C)　　　② (A) – (C) – (B)　　　③ (B) – (A) – (C)

✓④ (C) – (A) – (B)　　　⑤ (C) – (B) – (A)

2 Among ⓐ~ⓔ, which one refers to something different? ⓐ~ⓔ 중, 가리키는 대상이 다른 것은?

① ⓐ　　　② ⓑ　　　✓③ ⓒ　　　④ ⓓ　　　⑤ ⓔ

3 Which is the best choice for the blank? 빈칸에 들어갈 말로 가장 적절한 것은?

① appearance 외모　　　✓② knowledge 지식　　　③ passion 열정

④ fame 명성　　　⑤ wealth 부

4 Find and write the word with the following meaning. 다음 영영 풀이를 가진 단어를 찾아 쓰시오.

> to have the official power to control a country and the people who live there
> 국가와 그곳에 사는 사람들을 통제하는 공식적인 힘을 가지다

_____ rule _____ 다스리다

5 Why did Queen Clever give a riddle to the princess? Write the answer in Korean.
Clever 여왕이 공주에게 수수께끼를 낸 이유는 무엇인가? 우리말로 쓰시오.

공주[Elizabeth]가 자신만큼 현명하게 왕국을 다스릴 수 있다는 것을 확신해야 해서

정답　**1** ④　**2** ③　**3** ②　**4** rule　**5** 공주[Elizabeth]가 자신만큼 현명하게 왕국을 다스릴 수 있다는 것을 확신해야 해서

문제 해설

1 여왕이 공주가 왕국을 현명하게 다스릴 수 있는지 확신하기 위해 수수께끼를 냈다는 언급 뒤에, 여왕이 공주에게 수수께끼를 내고 정답이 무엇인지 묻는 (C), 공주가 답을 자신 있게 밝힌 (A), 여왕이 정답이라고 말한 후 공주가 현명한 여왕이 될 것이라고 믿을 수 있었다는 내용의 (B)의 흐름이 가장 적절하다.

2 ⓒ는 공주인 Elizabeth를 가리키고, 나머지는 모두 Clever 여왕을 가리킨다.

3 여왕이 낸 수수께끼에 대해 공주가 모든 사람이 더 똑똑해지기를 원해서 이것을 추구하지만, 더 많이 알면 배움에는 끝이 없다는 걸 알게 되어 겸손해진다고 답했으므로, 정답이 '지식'이라는 것을 유추할 수 있다. 따라서 빈칸에는 ② '지식'이 가장 적절하다.

4 '국가와 그곳에 사는 사람들을 통제하는 공식적인 힘을 가지다'라는 뜻에 해당하는 단어는 rule(다스리다)이다.

5 문장 ❸에서 여왕이 공주 Elizabeth가 그녀만큼 현명하게 왕국을 다스릴 수 있다는 것을 확신해야 했다고 했다.

---

❹ 「give + 간접목적어 + 직접목적어」는 '~에게 …을 내다, 주다'라는 의미이다.
= 「give + 직접목적어 + to + 간접목적어」　*ex.* So, the Queen **gave a riddle to her**(=Elizabeth).

⓫ 「the + 비교급 ~ , the + 비교급 …」은 '~할수록 더 …하다'라는 의미이다. 이 문장에서는 '더 많은 이것을 가질수록 덜 특별하다고 느낀다'라고 해석한다.

❼ 접속사 as는 '~하기 때문에'라는 의미로, 부사절을 이끄는 접속사로 쓰여 뒤에 「주어 + 동사」의 절이 왔다.

❽ 조동사 must는 '틀림없이 ~이다, ~임에 틀림없다'라는 의미로 강한 추측을 나타낼 수 있다.
cf. must: ~해야 한다 [의무]　*ex.* You **must** come to class on time. (너는 제시간에 수업에 들어와야 한다.)

❿ She could now **trust her daughter to become** a wise queen, just like *herself*.
→ 「trust + 목적어 + to-v」는 '~가 …할 것이라고 믿다'라는 의미이다. 여기서는 '그녀의 딸이 현명한 여왕이 될 것이라고 믿다'라고 해석한다.
→ 전치사 like의 목적어가 주어(She = the Queen Clever)와 같은 대상이므로 재귀대명사 herself가 쓰였다.

UNIT 01 본책 p.16

1 ④ **2** ⓒ **3** ⓐ **4** ⓑ **5** ① **6** ③ **7** depending on **8** sociable **9** 사람들은 그것들에 싫증이 나게 됐고, 그들은 스키니 진을 선호하기 시작했다. **10** 학교로 가는 길은 보통 눈으로 덮여 있다.

1 ①, ②, ③, ⑤는 동사이고, ④ 'effort(노력)'는 명사이다.

① 막다   ② 반응하다   ③ 인정하다   ⑤ 입양하다

[2-4]

2 benefit(장점) – ⓒ 도움이 되거나 유용한 장점

3 popularity(인기) – ⓐ 많은 사람들로부터 호감을 받는 상태

4 decade(10년) – ⓑ 10년의 기간

5 founded(설립되었다)와 가장 비슷한 의미의 단어는 ① 'created(만들어졌다)'이다.

> 그 대학교는 50년도 더 전에 설립되었다.

② 논의되었다   ③ 반복되었다   ④ 관리되었다   ⑤ 관찰되었다

6 ③ raised: 모았다; 들어올렸다

> • 그 자선 단체는 노숙자들을 위해 수천 달러를 모았다.
> • 선생님께서 문제를 물어보셨을 때 학생들은 그들의 손을 들어올렸다.

① 들었다   ② 투자했다   ④ 모았다   ⑤ 선호했다

[7-8]

보기	~에 따라 외로운 ~에 가다 사교적인

7 날씨에 따라, 우리는 소풍을 갈 수도 있다.

8 Jane은 사교적인 소녀여서, 그녀는 친한 친구가 많다.

[9-10]

9 sick of: ~에 싫증이 난, 신물이 나는

10 be covered with: ~으로 덮여 있다

1 ③ 2 © 3 ⓑ 4 ⓐ 5 ③ 6 abandon 7 vet 8 result in 9 중간 휴식 시간에는, 마치 슈퍼볼에서 유명 가수들이 하는 것처럼, 새끼 고양이들이 공연을 한다. 10 따라서, 당신은 반드시 산에 물건들을 두고 가지 않아야 한다.

1 ①, ②, ④, ⑤는 상의어 - 하의어 관계이고, ③ 'feature(특징) - characteristic(특징)'은 유의어 관계이다.
 ① 재난 - 화재 ② 화학 물질 - 철(분) ④ 기기 - 컴퓨터 ⑤ 동물 - 강아지

[2-4]

2 protect(보호하다) - © 어떤 사람 또는 어떤 것을 피해로부터 지키다

3 imitate(모방하다) - ⓑ 어떤 사람 또는 어떤 것을 모방하다

4 analyze(분석하다) - ⓐ 어떤 것을 깊이 연구하거나 조사하다

5 ③ treat: 치료하다; 대우하다

> • 의사는 감기에 걸린 환자를 <u>치료하기</u> 위해 노력했다.
> • 친절과 관심을 가지고 다른 사람들을 <u>대우하는</u> 것이 중요하다.

 ① 괴롭히다 ② 축하하다 ④ 놀라게 하다 ⑤ 줄이다

[6-8]

보기	기부(금)	버리다	~을 야기하다	수의사	강조하다

6 소년은 그의 오래된 자전거를 <u>버리기</u>로 결정했다.

7 나는 내 고양이들의 건강을 확인하기 위해 <u>수의사</u>에게 그것들을 데려갔다.

8 만약 네가 공부하지 않으면, 그것은 형편없는 시험 성적<u>을 야기할</u> 수도 있다.

[9-10]

9 put on: (연극 등을) 공연하다, 상연하다

10 leave behind: 두고 가다

Review Test

UNIT 03 본책 p.40

1 ② **2** miracle **3** humorous **4** remove **5** insist **6** destroy **7** audience **8** formal **9** 체취를 처리하기 위해 당신이 할 수 있는 몇 가지가 있다. **10** 농구장은 거친 호흡으로 가득 차 있었다.

1 ② hold: 개최하다; 잡다

> • 우리는 핼러윈에 우리 집에서 파티를 개최할 것이다.
> • 컵이 매우 뜨거우므로 조심해서 잡아주세요.

① 들다 　　　　 ③ 참석하다 　　　　 ④ 초대하다 　　　　 ⑤ 움켜잡다

[2-5]

보기	기적　　주장하다　　재미있는　　제거하다　　상태

2 그 사고에서 아무도 다치지 않은 것은 기적이었다.

3 나는 나를 많이 웃게 만든 재미있는 영화 한 편을 봤다.

4 창문에서 먼지를 제거해주세요.

5 내 동생은 산타클로스를 봤다고 주장했지만, 나는 그를 믿지 않는다.

[6-8]

보기	파괴하다　　존재하다　　청중　　부문　　격식을 차린

6 A: 폭풍이 많은 건물과 주택을 파괴했어.
　 B: 그거 정말 안 좋은 소식이다!

7 A: 연주회장에 있던 청중은 그 가수의 공연에 놀랐어.
　 B: 사실, 나도 그곳에 있었어!

8 A: 결혼식을 위해 제가 재킷과 셔츠를 입어야 하나요?
　 B: 네, 그리고 그것은 격식을 차린 행사이기 때문에 당신은 넥타이도 해야 해요.

[9-10]

9 deal with: ~을 처리하다, 다루다

10 be full of: ~으로 가득 차다

1 ②, ③, ④, ⑤ 는 명사이고, ① 'carve(조각하다)'는 동사이다.

② (운동)선수   ③ 호숫가   ④ 창조물   ⑤ 유전자

2 kind(종류)와 가장 비슷한 의미의 단어는 ① 'type(종류)'이다.

> 너는 공부할 때 어떤 <u>종류</u>의 음악을 듣기를 좋아하니?

② 자부심   ③ 충돌   ④ 기호   ⑤ 즐거움

3 cause(원인)와 가장 반대되는 의미의 단어는 ④ 'result(결과)'이다.

> 내 형제들의 싸움의 <u>원인</u>은 새 비디오 게임이었다.

① 유행   ② 동기   ③ 만족(감)   ⑤ 예시

[4-5]

4 내일 제 고장 난 자전거를 (<u>수리해</u> / 날려) 주실래요?

5 시험지에 정답을 (<u>표시하는</u> / 따르는) 것을 잊지 마라.

[6-8]

보기	극복하다 유혹 후회하다 조각 불에 타다

6 재료를 조각해서 만들어진 예술품 – sculpture/조각

7 당신이 했던 어떤 일에 대해 슬픔을 느끼다 – regret/후회하다

8 어떤 것, 특히 무언가 안 좋은 것을 하려는 강한 욕구 – temptation/유혹

[9-10]

9 be known as: ~이라고 알려지다

10 act as: ~의 역할을 하다

Review Test

UNIT 05 본책 p.64

---

1 ③ **2** ⓑ **3** ⓐ **4** ⓒ **5** communicate **6** store **7** mysterious **8** instead of **9** 다 쓴 건전지는, 그러나, 튕기고 넘어질 것이다. **10** 더 뜨거울수록, 더 많은 새끼 암컷들이 태어날 것이다.

---

1   ①, ②, ④, ⑤는 동사 - 명사 관계이고, ③ 'infectious(전염성의) - infection(전염)'은 형용사 - 명사 관계이다.

   ① 발견하다 - 발견   ② 알다 - 지식   ④ 배달하다 - 배달   ⑤ 결합하다 - 결합

[2-4]

2   새 사전은 숙제를 하는 데 매우 편리하다. - ⓑ useful(유용한)

3   Chris는 점심으로 무엇을 먹을지 결정하기 위해 인터넷을 검색했다. - ⓐ determine(결정하다)

4   민호는 높은 성적을 유지하기 위해 항상 열심히 공부한다. - ⓒ keep(유지하다)

[5-6]

보기	교체하다	보관하다	의사소통하다	다르다

5   생각, 감정, 또는 발상을 다른 사람들과 나누다 - communicate(의사소통하다)

6   미래의 사용을 위해 어떤 것을 보관하다 - store(보관하다)

[7-8]

보기	효과적인	~에 근거하여	~ 대신	기이한

7   그 TV쇼는 역사상 기이하고 해결되지 않은 사건들을 다룬다.

8   내가 아팠기 때문에 George가 나 대신 발표를 했다.

[9-10]

9 fall over: 넘어지다

10 be born: 태어나다

1 ③　　**2** witty/재치 있는　　**3** bury/묻다　　**4** investigate/살피다, 조사하다　　**5** search for　　**6** distinguish　　**7** receive　　**8** support　　**9** 전문가는 그것들이 700만 달러의 가치가 있다고 말했다!　　**10** 그래서 당신은 음식이 소비기한 이전인 한, 그것의 유통기한이 지난 음식을 여전히 먹을 수 있다.

1 opponent(상대)와 가장 비슷한 의미의 단어는 ③ 'rival(경쟁 상대, 적수)'이다.

> Jim은 그의 상대를 이겨냈고 복싱 경기에서 우승했다.

① 친구　　　　　　② 범인　　　　　　④ 심판　　　　　　⑤ 감독, 지도자

[2-4]

> **보기**　　　　　묻다　　살피다, 조사하다　　조심하는　　재치 있는

2 영리하고 재미있는 – witty/재치 있는

3 어떤 것을 땅속에 넣다 – bury/묻다

4 어떤 것에 대한 정보를 알아내기 위해 노력하다 – investigate/살피다, 조사하다

[5-8]

> **보기**　　　　~을 찾다　　구분하다　　가까이 오지 못하게 하다　　받다　　지지하다

5 과학자들은 우주선으로 다른 행성에 있는 생명체를 찾을 것이다.

6 내 두 강아지들은 비슷하게 생겼기 때문에 구분하기 어렵다.

7 Brad는 나에게 이메일을 보냈다고 말했지만, 나는 그것을 받지 못했다.

8 내 부모님은 항상 내가 옳은 일을 하도록 나를 지지하고 격려해주신다.

[9-10]

9 be worth: ~의[~할] 가치가 있다

10 as long as: ~인[하는] 한

Review Test

1 ③ **2** ② **3** ③ **4** ① **5** agree with **6** revive **7** give off **8** motivate **9** 해트트릭이라는 용어는 원래 전통적인 영국 스포츠인 크리켓에서 유래한다. **10** 만약 그것들의 몸이 그것을 만들어내지 못한다면, 그것들은 얼어 죽을 것이다.

1 ③ accomplishment: 업적

> 열심히 노력한 후에 성취한 것

① 화학적 성질   ② 특징   ④ 장비   ⑤ 발음

2 rare(드문)와 가장 반대되는 의미의 단어는 ② 'common(흔한)'이다.

> 이집트와 같이 따뜻한 곳에서 눈을 보는 것은 드물다.

① 무작위의   ③ 해로운   ④ 흥미진진한   ⑤ 외로운

[3-4]

3 useful(유용한)과 가장 비슷한 의미의 단어는 ③ 'helpful(도움이 되는)'이다.

> 이 여행 책은 내가 일본 여행을 준비할 때 유용할 것이다.

① 투명한; 분명한   ② 지루한   ④ 원래의   ⑤ 형형색색의

4 place(두다)와 가장 비슷한 의미의 단어는 ① 'put(두다)'이다.

> 기술자들은 에어컨을 벽에 둘 계획이다.

② 팔다   ③ 펼치다   ④ 자세히 살피다   ⑤ 흡수하다

[5-8]

| 보기 | 되살아나다   (열·빛 등을) 방출하다   ~에 동의하다   기원하다   동기를 부여하다 |

5 나는 대부분의 경우 내 남동생의 의견에 동의한다.

6 충분한 물과 햇빛이 있으면, 그 죽어가는 꽃은 되살아날 것이다.

7 내가 난로를 켜면 그것은 열을 방출할 것이다.

8 코치는 시합까지 열심히 노력하도록 선수들에게 동기를 부여했다.

[9-10]

9 come from: ~에서 유래하다

10 freeze to death: 얼어 죽다

UNIT 08 본책 p.100

1 ③ **2** ③ **3** represent **4** enter **5** fortune **6** impression **7** uneven **8** detailed **9** 위의 브랜드 로고들은 한 가지의 공통점이 있다. **10** 이것은 큰 소음이 불운을 쫓아버리기 때문이다.

[1-2]

1 ③ appearance: 모양

> 어떤 사람 또는 어떤 것이 어떻게 보이는지

① 역할   ② 활동   ④ 신호   ⑤ 깊이

2 ③ dust: 먼지

> 가루 같은 아주 작은 먼지 조각들

① 상징   ② 미라   ④ 지방   ⑤ 병

[3-5]

| 보기 | 상징하다   들어가다   행운   공급하다   서체 |

3 국기에 있는 흰색과 파란색은 평화를 상징한다.

4 표 없이는 박물관에 들어갈 수 없다.

5 그 남자는 백만 달러의 상금을 탈 행운이 있었다.

[6-8]

| 보기 | 인상   상세한   부, 재산   울퉁불퉁한 |

6 A: 면접에서 잘하기 위한 조언들을 내게 줄 수 있니?
B: 너는 좋은 인상을 만들기 위해 미소를 지어야 해.

7 A: 너 어쩌다 다쳤니?
B: 나는 달리다가 울퉁불퉁한 길 위에서 넘어졌어!

8 A: 이 오븐에는 상세한 설명이 있어서, 당신은 그것들을 쉽게 따라 할 수 있습니다.
B: 그거 편리하네요!

[9-10]

9 have ~ in common: ~의 공통점이 있다, ~을 공통적으로 가지다

10 scare away: (겁을 주어) 쫓아버리다

UNIT 09 본책 p.112

1 ③ **2** ⑤ **3** damaged **4** trapped **5** require **6** method **7** escape **8** completely **9** 예를 들어, 그들은 숨을 참는 것을 연습했다. **10** '다운'은 많은 새들이 그들의 보호용 바깥쪽 깃털 아래에 지닌 얇고, 가벼운 깃털을 가리킨다.

1 ①, ②, ④, ⑤는 명사이고, ③ 'attract(주의를 끌다)'는 동사이다.

① 실험 ② 참가자 ④ 악기 ⑤ 우주 비행사

2 ①, ②, ③, ④는 동사 - 명사 관계이고, ⑤ 'similar(유사한) - similarity(유사점)'는 형용사 - 명사 관계이다.

① 오염시키다 - 오염 ② 공연하다 - 공연 ③ 생산하다 - 생산 ④ 경쟁하다 - 경쟁

[3-4]

3 차량의 문이 사고 때문에 (손상을 입었다 / 살아남았다).

4 농부는 그의 닭들을 가져가던 여우를 (가뒀다 / 풀어줬다).

[5-8]

보기	요구하다	방법	빠져나가다	완전히	물질	현명하게

5 할인을 받기 위해서는 학생증 카드가 요구된다.

6 단체 활동은 협동심을 가르치는 좋은 방법이다.

7 그 영화의 등장인물은 감옥을 빠져나가려고 노력했지만 실패했다.

8 그 가수의 콘서트는 완전히 매진되어서, 우리를 위한 좌석이 없다.

[9-10]

9 hold one's breath: 숨을 참다

10 refer to: ~을 가리키다, 지칭하다

1 ④ 2 ⑤ 3 ④ 4 ① 5 concern 6 get rid of 7 contain 8 contact 9 그는 팬들과 악수한 후에 종종 감기에 걸렸다. 10 그에 비해, 오렌지는 (물이) 22리터가 필요하고 토마토는 5리터 정도만 필요하다.

1 ①, ②, ③, ⑤는 명사이고, ④ 'humble(겸손한)'은 형용사이다.
  ① 수수께끼   ② 질병   ③ 근육   ⑤ 방울, 거품

2 recommend(추천하다)와 가장 비슷한 의미의 단어는 ⑤ 'suggest(제안하다)'이다.

  저는 7번가에 있는 새 식당을 추천할게요.

  ① 사다   ② 연구하다   ③ 방문하다   ④ 설명하다

[3-4]

3 ④ correct: 정확한, 옳은

  정확한 사실들에 기반하여 어떤 것에 대해 옳은

  ① 자랑스러운   ② 장난스러운   ③ 차분한   ⑤ 온화한

4 ① wise: 지혜로운

  세상에 대한 훌륭한 지식과 이해를 보여주는

  ② 솔직한   ③ 독특한   ④ 공손한   ⑤ 창의적인

[5-8]

보기	접촉 깨어 있다 함유하다 ~을 없애다 걱정

5 수학 시험은 Adam에게 걱정을 일으키고 있다.

6 나는 요가를 함으로써 내 부정적인 생각들을 없앨 수 있다.

7 이 오렌지 주스는 많은 비타민을 함유하고 있지만, 그것에는 설탕도 많이 있다.

8 Sarah는 지하철에서 다른 사람들과 신체적 접촉을 하는 것을 좋아하지 않는다.

[9-10]

9 catch a cold: 감기에 걸리다

10 in comparison: 그에 비해, 비교해 보면

Workbook

직독직해

◀ QR로 정답 확인하기

* 해설집 pp.2~80에 실린 지문 끊어읽기 해석으로 정답을 확인하거나, 정답 PDF를 해커스북(HackersBook.com)에서 다운받을 수 있습니다.

서술형 추가 문제

UNIT 01 1 p.3

A
(1) repeat
(2) prefer
(3) trend

B
(1) enjoys listening
(2) too cold to play
(3) Have you ever been

C
(1) Repeat
(2) popular[trendy/stylish] item
(3) trendy[stylish/popular]
(4) sick of
(5) skinny jeans
(6) young

UNIT 01 2 p.5

A
(1) adopt
(2) common
(3) sociable

B
(1) You had better see a doctor
(2) looks like cotton candy
(3) is able to bake chocolate cookies

C
(1) squirrel

---

(2) glide
(3) lonely
(4) two
(5) dragon
(6) smaller
(7) sociable
(8) sensitive

UNIT 01 3 p.7

A
(1) get to
(2) spend
(3) activity

B
(1) to pass the exam
(2) is covered with dust
(3) the biggest animal

C
(1) school
(2) two hours
(3) closest
(4) funds
(5) collected
(6) learn
(7) skiing

UNIT 01 4 p.9

A
(1) pour
(2) burn
(3) condition

B
(1) that are made from wool
(2) avoid eating fast food
(3) not only hot but also humid

C
(1) heat[temperature]
(2) brown
(3) yellow

---

(4) careful
(5) getting burns

UNIT 02 1 p.11

A
(1) purchase
(2) criminal
(3) record

B
(1) helped Sue understand
(2) are located between India and Nepal
(3) he had borrowed last week

C
(1) voice
(2) ethnicity
(3) patterns
(4) pronunciation

UNIT 02 2 p.13

A
(1) imitate
(2) treat
(3) injury

B
(1) as well as
(2) a book to read
(3) an animal that lives

C
(1) annual event
(2) toys[treats]
(3) treats[toys]
(4) goal line
(5) good homes

UNIT 02 3 p.15

A
(1) disaster

(2) increase
(3) abandon

B

(1) has gone
(2) as fluently as
(3) not to tell

C

(1) Forest Fires
(2) temperature
(3) Sunlight
(4) focuses
(5) ⓑ, ⓒ, ⓐ

UNIT 02
4   p.17

A

(1) observe
(2) spell
(3) feature

B

(1) so heavy that he can't move it
(2) might go to Europe this summer
(3) It took two hours to repair

C

(1) hidden
(2) first letter
(3) enjoy
(4) beatbox
(5) beat
(6) Atari Breakout
(7) Lucky

UNIT 03
1   p.19

A

(1) deal with
(2) sweat
(3) frequently

B

(1) a few recipes

(2) to communicate
(3) taking pictures

C

(1) genes
(2) three
(3) GA
(4) strongest
(5) weaker

UNIT 03
2   p.21

A

(1) fake
(2) director
(3) speech

B

(1) The novel published last month
(2) A present was given to him
(3) disappointed to hear the bad news

C

(1) Razzies
(2) before
(3) worst
(4) 10 categories
(5) director
(6) fake gold

UNIT 03
3   p.23

A

(1) remain
(2) exciting
(3) court

B

(1) was taking a shower
(2) called the Arch
(3) safe to use

C

(1) buzzer
(2) three seconds

(3) losing
(4) won
(5) grabbed
(6) ⓑ, ⓓ, ⓐ, ⓒ

UNIT 03
4   p.25

A

(1) exist
(2) weigh
(3) originate

B

(1) No one could find the buried treasure
(2) what you want for your birthday present
(3) how high that mountain is

C

(1) Kraken
(2) largest
(3) weighed
(4) big

UNIT 04
1   p.27

A

(1) burn
(2) moisture
(3) absorb

B

(1) is known as
(2) people waiting
(3) strong enough to lift

C

(1) unusual
(2) dead
(3) typical
(4) stone sculptures
(5) high

Workbook

UNIT 04
2 p.29

A

(1) bite
(2) Add
(3) pose

B

(1) Although the air conditioner was on
(2) Since the movie was great
(3) boiling the water to make pasta
(4) My new belt is made of leather

C

(1) copper
(2) teeth marks
(3) soft
(4) leave

UNIT 04
3 p.31

A

(1) motivation
(2) overcome
(3) reward

B

(1) by watching Spanish dramas
(2) helped us find
(3) some dessert to eat

C

(1) high-protein diets
(2) fats and carbohydrates
(3) want to lose weight
(4) give extra motivation

UNIT 04
4 p.33

A

(1) sculpt
(2) sign
(3) strap

B

(1) heard the alarm clock ringing
(2) found the wallet that Billy had lost
(3) The comedy movie made me laugh

C

(1) statue
(2) strap
(3) Gobbo
(4) secretly
(5) regretted
(6) signature

UNIT 05
1 p.35

A

(1) replace
(2) find out
(3) by mistake

B

(1) stop eating chocolate
(2) Which animal
(3) Both kids and adults

C

(1) Drop
(2) negative
(3) stand up
(4) fall over
(5) chemistry
(6) network

UNIT 05
2 p.37

A

(1) keep away
(2) put on
(3) disease
(4) build up

B

(1) the roller coaster looks scary
(2) the only plant that pandas eat
(3) avoids using the vacuum cleaner

C

(1) mosquitoes
(2) infectious
(3) toxic
(4) lead
(5) organ

UNIT 05
3 p.39

A

(1) reptile
(2) mostly
(3) nest

B

(1) will be published
(2) kept waiting
(3) The deeper, the colder

C

(1) temperature
(2) sand
(3) male
(4) opposite
(5) female

UNIT 05
4 p.41

A

(1) research
(2) translator
(3) conversation

B

(1) Not every fruit tastes sweet
(2) without drinking water
(3) Hyeri let me wear her dress
(4) the architect who built the Warka Tower

C

(1) LOL emoji
(2) laughing
(3) cry
(4) sadness

(5) cultural

UNIT 06
1
p.43

A

(1) guide
(2) conditions
(3) surround

B

(1) The island where we visited
(2) can be found
(3) so hungry that

C

(1) average
(2) rainy season
(3) location
(4) warm
(5) cold
(6) lightning

UNIT 06
2
p.45

A

(1) treasure
(2) dig
(3) underground

B

(1) saw a mountain covered with snow
(2) The lion was taking a nap
(3) We started playing badminton
(4) even better than his brother

C

(1) worth
(2) spread
(3) hunting[searching/digging]
(4) treasure
(5) beeping
(6) ⓒ, ⓐ, ⓑ

UNIT 06
3
p.47

A

(1) relationship
(2) opponent
(3) eventually

B

(1) where his watch was
(2) without stopping
(3) sounds like a good plan

C

(1) France
(2) scoreboard
(3) zero
(4) egg
(5) popular
(6) love

UNIT 06
4
p.49

A

(1) waste
(2) refrigerator
(3) throw away

B

(1) The comedian told the audience funny jokes
(2) Candy is not always sweet
(3) Learning a new instrument takes

C

(1) display
(2) past
(3) last
(4) eat
(5) check[find]

UNIT 07
1
p.51

A

(1) give off

(2) container
(3) helpful

B

(1) wants to visit
(2) is filled with mango juice
(3) until the movie ended

C

(1) rust
(2) heat energy
(3) shake
(4) container
(5) no air

UNIT 07
2
p.53

A

(1) agree with
(2) trash
(3) vote

B

(1) Amy always keeps her desk neat
(2) The building painted yellow
(3) Each student is wearing a name tag

C

(1) voting trash cans
(2) keep the environment clean
(3) place two trash cans
(4) a different answer
(5) the best superpower

UNIT 07
3
p.55

A

(1) traditional
(2) match
(3) congratulate

B

(1) to report the accident
(2) worth buying
(3) gave the package to me

Workbook

C

(1) ice hockey
(2) three
(3) English
(4) cricket
(5) defeated
(6) hat

UNIT 07 4 p.57

A

(1) freezing
(2) revive
(3) expert

B

(1) seemed easy to make
(2) prevents mosquitoes from coming
(3) to order chicken as well as pizza

C

(1) freeze
(2) stops
(3) dead
(4) spring
(5) antifreeze substance
(6) prevents

UNIT 08 1 p.59

A

(1) creative
(2) stand out
(3) height

B

(1) love to play
(2) makes me happy
(3) gave me medicine

C

(1) uniform
(2) width
(3) read
(4) neutral

(5) designers

UNIT 08 2 p.61

A

(1) scatter
(2) symbol
(3) noise

B

(1) who is a great chef
(2) We should get ready to leave
(3) The mushroom found in the forest

C

(1) ①
(2) outside
(3) inside
(4) ⑤
(5) less
(6) more

UNIT 08 3 p.63

A

(1) beneficial
(2) expand
(3) uneven

B

(1) Watching soccer games
(2) allowed me to use
(3) much better than

C

(1) mouth
(2) tiny hairs
(3) lungs
(4) kills
(5) expands
(6) oxygen

UNIT 08 4 p.65

A

(1) yell
(2) reduce
(3) diligently

B

(1) the writer who wrote *Romeo and Juliet*
(2) Benny is called Ben
(3) as clearly as possible

C

(1) two
(2) direction[speed]
(3) speed[direction]
(4) hard
(5) softly
(6) curve
(7) close

UNIT 09 1 p.67

A

(1) All of a sudden
(2) injure
(3) impact

B

(1) as light as
(2) wearing jeans
(3) was painted by

C

(1) second
(2) spacecraft
(3) Internet
(4) broadcasting services
(5) hit[injured]

UNIT 09 2 p.69

A

(1) unusual

(2) playful

(3) scary

B

(1) The boring documentary made me fall asleep

(2) Jimmy noticed his earphones were missing

(3) protect the environment by recycling plastic

C

(1) babies

(2) sumo wrestlers

(3) cry

(4) loudest[longest]

(5) longest[loudest]

UNIT 09
3 p.71

A

(1) impossible

(2) perform

(3) prepare

B

(1) planned to go

(2) had to return

(3) can be opened

C

(1) sing[perform]

(2) instruments

(3) water tank

(4) breaths

(5) years

UNIT 09
4 p.73

A

(1) block

(2) thin

(3) protective

B

(1) It is not easy to remember

(2) prevented Dave from focusing

(3) Have you ever visited the Louvre Museum

C

(1) tough

(2) water

(3) outer

(4) warm

UNIT 10
1 p.75

A

(1) bump

(2) greeting

(3) germ

B

(1) will be taking exams

(2) because of stress

(3) 31 times smaller than

C

(1) fists

(2) handshakes

(3) germs

(4) hands

(5) back

(6) mouth[nose]

(7) nose[mouth]

UNIT 10
2 p.77

A

(1) get rid of

(2) Stick

(3) stay up

B

(1) Snakes use their tongues to smell

(2) how to use this oven

(3) Here are the books you wanted to read

C

(1) colorful threads

(2) toothpicks

(3) rectangular

(4) ⓒ, ⓑ, ⓐ

UNIT 10
3 p.79

A

(1) crop

(2) environment

(3) producer

B

(1) so boring that

(2) has gone

(3) more calories than

C

(1) body

(2) fats

(3) vitamins

(4) water

(5) roots

UNIT 10
4 p.81

A

(1) kingdom

(2) smart

(3) seek

B

(1) Linda gave Mark the pie

(2) We had to be quiet

(3) as fast as horses

C

(1) rule

(2) wisely

(3) riddle

(4) special

(5) knowledge

(6) correct

MEMO

MEMO

MEMO

HACKERS
READING
SMART 2
LEVEL

해설집

선생님 수업자료부터 교재 추천&문제은행까지!

원하는 건 **다~** 있는

" 해커스**북** 중·고등

해커스북
바로가기

선생님을 위한 **특별 자료실** "

수업자료

문제은행

**단어시험지
제작 프로그램**

**교재 선택
가이드**

나에게 맞는 교재 선택!

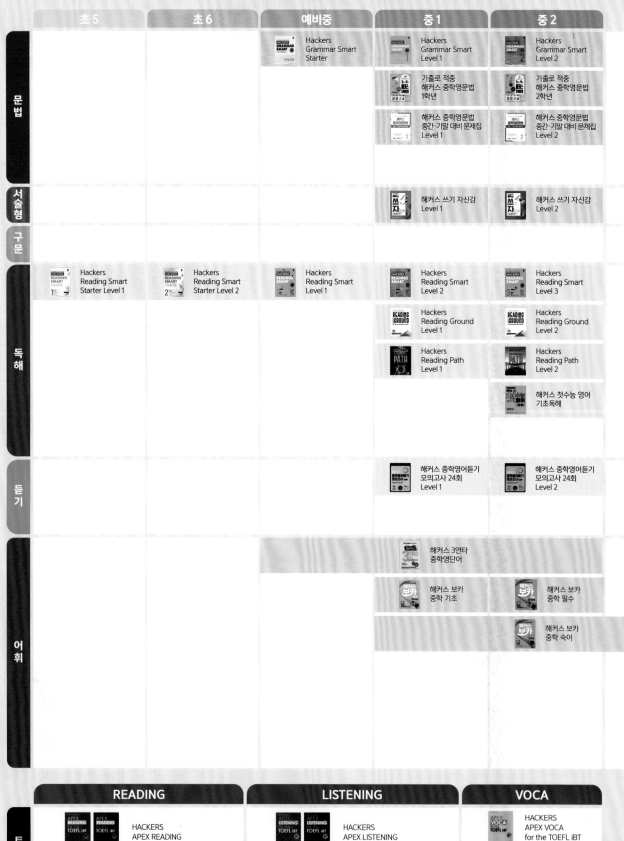

	초5	초6	예비중	중1	중2
문법			Hackers Grammar Smart Starter	Hackers Grammar Smart Level 1	Hackers Grammar Smart Level 2
				기출로 적중 해커스 중학영문법 1학년	기출로 적중 해커스 중학영문법 2학년
				해커스 중학영문법 중간·기말 대비 문제집 Level 1	해커스 중학영문법 중간·기말 대비 문제집 Level 2
서술형				해커스 쓰기 자신감 Level 1	해커스 쓰기 자신감 Level 2
구문					
독해	Hackers Reading Smart Starter Level 1	Hackers Reading Smart Starter Level 2	Hackers Reading Smart Level 1	Hackers Reading Smart Level 2	Hackers Reading Smart Level 3
				Hackers Reading Ground Level 1	Hackers Reading Ground Level 2
				Hackers Reading Path Level 1	Hackers Reading Path Level 2
					해커스 첫수능 영어 기초독해
듣기				해커스 중학영어듣기 모의고사 24회 Level 1	해커스 중학영어듣기 모의고사 24회 Level 2
어휘				해커스 3연타 중학영단어	
				해커스 보카 중학 기초	해커스 보카 중학 필수
				해커스 보카 중학 숙어	

	READING	**LISTENING**	**VOCA**
토플	HACKERS APEX READING for the TOEFL iBT — Basic/Intermediate/Advanced/Expert	HACKERS APEX LISTENING for the TOEFL iBT — Basic/Intermediate/Advanced/Expert	HACKERS APEX VOCA for the TOEFL iBT — HACKERS VOCABULARY

HACKERS
READING SMART

LEVEL

2

WORKBOOK

HACKERS

실력을 올리는 직독직해

끊어 읽기 한 표시를 따라 문장 구조에 유의하여 해석을 쓰고, 각 문장의 주어에는 밑줄을, 동사에는 동그라미를 쳐보세요.

❶ "Fashion trends / repeat." / ❷ Have you ever heard / this saying? /

❸ Even if you haven't, / you have probably experienced this. /

❹ For example, / wide pants were a popular item / in the 1990s. /

❺ But / after 10 years, / they were too old / to still be trendy. / ❻ People

became sick of them, / and they began / to prefer skinny jeans. / ❼ Then, /

after another decade, / wide pants started / to become popular again, /

especially among young people. / ❽ To them, / wide pants were new /

because they had never worn them before.

❾ Even today, / many people enjoy / wearing wide pants. / ❿ On the

other hand, / skinny jeans have lost their popularity. / ⓫ Now, / these

jeans will have to wait / 10 to 20 years / to become stylish again! /

실력을 더 올리는 **서술형 추가 문제**

A 우리말과 일치하도록 빈칸에 알맞은 단어를 글에서 찾아 쓰시오.

(1) 그 과학자는 실험을 여러 번 반복하였다.

⇒ The scientist _____(e)d the experiment several times.

(2) 너는 버스와 지하철 중 어느 것을 선호하니?

⇒ Do you _____ the bus or the subway?

(3) 한국 음식은 미국에서 대중적인 유행이 되었다.

⇒ Korean food has become a popular _____ in the U.S.

B 우리말과 일치하도록 괄호 안의 말을 활용하여 문장을 완성하시오.

(1) 연수는 힙합을 듣는 것을 즐긴다. (enjoy, listen)

⇒ Yeonsu _____ _____ to hip-hop.

(2) 밖에서 놀기에는 너무 추웠다. (cold, play)

⇒ It was _____ _____ _____ _____ outside.

(3) 당신은 전에 홍콩에 가본 적이 있는가? (ever, be)

⇒ _____ _____ _____ _____ to Hong Kong before?

C 글의 내용과 일치하도록 다음 빈칸에 들어갈 말을 글에서 찾아 쓰시오.

Fashion Trends (1) _____

During the 1990s	Wide pants were a(n) (2) _____ .
After 10 years	Wide pants were not (3) _____ anymore. People became (4) _____ _____ them and began to prefer (5) _____ _____ .
After another decade	Wide pants became popular again. They were new to (6) _____ people who had never worn them before.

실력을 올리는 **직독직해**

끊어 읽기 한 표시를 따라 문장 구조에 유의하여 해석을 쓰고, 각 문장의 주어에는 밑줄을, 동사에는 동그라미를 쳐보세요.

❶ Today, / the most common pets / are cats, dogs, fish, and hamsters. /

❷ But some people welcome / much stranger animals / into their

homes. /

❸ One example is the sugar glider. / ❹ It looks like a squirrel, / but it is

able to glide in the air. / ❺ It likes / flying and hanging on your fingers. /

❻ At the same time, / sugar gliders get lonely / very easily. / ❼ If they

are left alone / often, / they can even become sick. / ❽ So, / if you want /

to adopt a sugar glider, / you had better get two. /

❾ Another unique pet / is not so sociable. / ❿ It is the red-eyed

crocodile skink. / ⓫ This lizard looks like / the dragon Toothless from

How to Train Your Dragon, / but it is much smaller. / ⓬ It's only about

20 centimeters long. / ⓭ Unlike sugar gliders, / skinks are very shy and

sensitive. / ⓮ If you touch them, / they might become stressed / and even

play dead! /

실력을 더 올리는 **서술형 추가 문제**

A 다음 영영 풀이에 해당하는 단어를 보기에서 골라 쓰시오.

> 보기   common   adopt   welcome   hang   sociable

(1) _____ : to take an animal and keep it as your pet

(2) _____ : ordinary and not special

(3) _____ : friendly and happy when spending time with others

B 우리말과 일치하도록 괄호 안의 말을 알맞게 배열하시오.

(1) 너는 가능한 한 빨리 진찰을 받는 것이 낫다. (a doctor / had / see / you / better)

⇒ _____ as soon as possible.

(2) 저 구름은 솜사탕처럼 보인다. (looks / cotton candy / like)

⇒ That cloud _____ .

(3) Ben은 초콜릿 쿠키를 구울 수 있다. (able / chocolate cookies / is / bake / to)

⇒ Ben _____ .

C 글의 내용과 일치하도록 다음 빈칸에 들어갈 말을 글에서 찾아 쓰시오.

Sugar glider	Red-eyed crocodile skink
• It looks like a(n) (1) _____ and can (2) _____ in the air. • It gets (3) _____ very easily, so you should adopt (4) _____ .	• It looks like a(n) (5) _____ from a movie, but it is much (6) _____ . • It's not so (7) _____ . • It's very shy and (8) _____ .

실력을 올리는 직독직해

끊어 읽기 한 표시를 따라 문장 구조에 유의하여 해석을 쓰고, 각 문장의 주어에는 밑줄을, 동사에는 동그라미를 쳐보세요.

❶ Most students go to school / on foot, by bus, or by subway. /

❷ But the students / at Sun Peaks School / use a different method. /

❸ The school is located / at the top of a ski slope / that is 1,255 meters

high. / ❹ The way to the school / is usually covered with snow. / ❺ So

they take a ski lift / to get to school! / ❻ Then, / the students ski down

the slope / after class. / ❼ On Fridays, / they spend time / in the snowy

mountains / doing outdoor activities. /

❽ Before Sun Peaks was founded, / there was no school / nearby. /

❾ It took students / two hours / to get to the closest one. / ❿ So / local

parents worked together / to build their own school. / ⓫ They raised

funds / from the local community. / ⓬ As a result, / over 75,000 dollars

was collected. / ⓭ Thanks to their efforts, / the children can now

learn / in their town. / ⓮ Plus, / they can enjoy skiing / anytime! /

실력을 더 올리는 **서술형 추가 문제**

A 다음 빈칸에 알맞은 단어나 표현을 보기에서 골라 쓰시오.

> 보기   spend   activity   be located   get to   community

(1) How can I _____ the library?

(2) She _____s one hour cleaning her room every day.

(3) My favorite _____ is riding my bike.

B 우리말과 일치하도록 괄호 안의 말을 활용하여 문장을 완성하시오.

(1) 나는 시험에 통과하기 위해 열심히 공부했다. (pass, the exam)

⇒ I studied hard _____ _____ _____ _____.

(2) 그 선반은 먼지로 덮여 있다. (cover, dust)

⇒ The shelf _____ _____ _____ _____.

(3) 흰긴수염고래는 지구상에서 가장 큰 동물이다. (big, animal)

⇒ The blue whale is _____ _____ _____ on the planet.

C 글의 내용과 일치하도록 다음 빈칸에 들어갈 말을 글에서 찾아 쓰시오.

> There was no (1) _____ nearby, and it took (2) _____ _____
> to get to the (3) _____ one.

⌄

> Local parents raised (4) _____ to build their own school. Over 75,000 dollars
> was (5) _____.

⌄

> The children can now (6) _____ in their own town. Moreover, they can enjoy
> (7) _____ whenever they want!

실력을 올리는 직독직해

끊어 읽기 한 표시를 따라 문장 구조에 유의하여 해석을 쓰고, 각 문장의 주어에는 밑줄을, 동사에는 동그라미를 쳐보세요.

❶ You pour hot tea / in a mug. / ❷ Suddenly, / the cup changes

color. / ❸ What is going on? /

❹ The cup is painted / with a special ink / that is sensitive to heat. /

❺ It gradually changes color / depending on the temperature. /

❻ For example, / an orange cup will turn brown / if its temperature

drops / below 15°C. / ❼ Then, / it will become yellow / above 40°C. /

❽ This is not only fun / to see / but also useful. / ❾ If the cup is yellow, /

you'll know / it is hot / and be more careful. / ❿ Therefore, / you can

avoid / getting burns. / ⓫ In addition, / the ink can be used / in baby

clothes / to show the baby's condition. / ⓬ If the clothes change color, /

the parents can see / their baby may have a fever. /

실력을 더 올리는 **서술형 추가 문제**

A 우리말과 일치하도록 빈칸에 알맞은 단어를 글에서 찾아 쓰시오

(1) Kate는 유리잔에 오렌지 주스를 부었다.

⇒ Kate _____(e)d orange juice into the glass.

(2) 그는 왼손에 심한 화상이 있다.

⇒ He has a severe _____ on his left hand.

(3) 그 바이올린은 상태가 좋았다.

⇒ The violin was in good _____.

B 우리말과 일치하도록 괄호 안의 말을 알맞게 배열하시오.

(1) 모직으로 만들어진 담요들은 부드러운 느낌이 든다. (are / wool / made / that / from)

⇒ Blankets _____ feel soft.

(2) 당신은 패스트푸드를 먹는 것을 피해야 한다. (eating / avoid / fast food)

⇒ You should _____ .

(3) 오늘은 더울 뿐만 아니라 습하기도 하다. (hot / humid / but / not / also / only)

⇒ Today is _____ .

C 글의 내용과 일치하도록 다음 광고의 빈칸에 들어갈 말을 글에서 찾아 쓰시오.

Color Changing Mug Cup
Our cups are painted with a special ink that is sensitive to (1) _____ .

Below 15°C	An orange cup will become (2) _____ .
Above 40°C	The cup will become (3) _____ . You'll know it is hot and be more (4) _____ , so you'll be able to avoid (5) _____ _____ .

실력을 올리는 **직독직해**

끊어 읽기 한 표시를 따라 문장 구조에 유의하여 해석을 쓰고, 각 문장의 주어에는 밑줄을, 동사에는 동그라미를 쳐보세요.

❶ Jane received a call / from a salesperson. / ❷ He was offering a great

deal / on a cell phone, / so Jane sent him money / to purchase it. / ❸ But

she later realized / that it was a scam. / ❹ Fortunately, / the call had been

recorded / through an app / on her phone. / ❺ The app guessed / what

the criminal looked like / using his voice, / which helped the police catch

him / eventually. /

❻ Sooner or later, / this might happen in real life / with Speech2Face. /

❼ This new technology / guesses people's appearance / by their voice. /

❽ It has artificial intelligence (AI) / that analyzes the speech of millions

of people / to find patterns / between faces and voices. / ❾ When it hears

a voice, / it quickly analyzes / the language, pronunciation, pitch, and

speed. / (❿ AI can also improve the quality of people's lives / in many

ways. /) ⓫ The AI then determines / the person's gender, ethnicity, and

age, / and even produces / an image of his or her facial features. /

실력을 더 올리는 **서술형 추가 문제**

A 다음 빈칸에 알맞은 단어를 보기에서 골라 쓰시오.

> 보기　　　　guess　　gender　　purchase　　record　　criminal

(1) My family will _____ a new TV next month.

(2) The _____ was caught by the police.

(3) The reporter _____(e)d the celebrity's interview with a camera.

B 우리말과 일치하도록 괄호 안의 말을 알맞게 배열하시오.

(1) Eva는 Sue가 그 수학 공식을 이해하도록 도왔다. (Sue / helped / understand)

⇒ Eva _____ the math formula.

(2) 히말라야산맥은 인도와 네팔 사이에 위치해 있다. (between / Nepal / located / India / and / are)

⇒ The Himalayas _____.

(3) Sean은 그가 지난주에 빌렸었던 책을 잃어버렸다. (borrowed / he / last week / had)

⇒ Sean lost the book that _____.

C 글의 내용과 일치하도록 다음 빈칸에 들어갈 말을 글에서 찾아 쓰시오.

Speech2Face

What it does	How it works
• It guesses people's appearance based on their (1) _____. • It can even determine the gender, (2) _____, and age of the person.	• Its artificial intelligence (AI) finds (3) _____ between faces and voices. • It analyzes the language, (4) _____, pitch, and speed of people's voices.

실력을 올리는 **직독직해**

끊어 읽기 한 표시를 따라 문장 구조에 유의하여 해석을 쓰고, 각 문장의 주어에는 밑줄을, 동사에는 동그라미를 쳐보세요.

❶ "Gina runs / all the way / to the goal line. / ❷ She gets six points!" /

the announcer shouts, / and Gina wins the MVP award. /

❸ Gina is a 12-week-old poodle / and a player in the Puppy Bowl. /

❹ The Puppy Bowl is an annual event / that imitates the Super Bowl, /

an American football league's championship game. / ❺ The players are

puppies / between 12 and 21 weeks old. / ❻ They wrestle / for toys and

treats. / ❼ Then, / if one of them carries a toy / across the goal line, / it

scores a point. / ❽ The game has a human referee, / who prevents rough

play, / as well as a vet / to treat any injuries. / ❾ At halftime, / kittens put

on a show, / just like famous singers do / during the Super Bowl. /

❿ Many people enjoy / watching the Puppy Bowl. / ⓫ However, / it

isn't only for entertainment. / ⓬ All the puppies come from shelters. /

⓭ The event is a way / to help them find good homes. /

실력을 더 올리는 서술형 추가 문제

A 우리말과 일치하도록 빈칸에 알맞은 단어를 글에서 찾아 쓰시오.

(1) 아이들은 그들의 부모의 행동을 종종 모방한다.

⇒ Children often _____ their parents' behavior.

(2) Peter는 그의 강아지에게 약간의 비스킷을 간식으로 주었다.

⇒ Peter gave his dog some biscuits as a(n) _____.

(3) 그 테니스 선수는 부상 때문에 시합에 출전하지 않았다.

⇒ The tennis player didn't compete in the game because of his _____.

B 우리말과 일치하도록 괄호 안의 말을 활용하여 문장을 완성하시오.

(1) Brian은 춤추는 것뿐만 아니라 노래하는 것도 잘한다. (well)

⇒ Brian is good at singing _____ _____ _____ dancing.

(2) 그녀는 읽을 책이 있다. (a book, read)

⇒ She has _____ _____ _____ _____.

(3) 거북이는 아주 오래 사는 동물이다. (an animal, live)

⇒ A tortoise is _____ _____ _____ _____ really long.

C 글의 내용과 일치하도록 다음 광고의 빈칸에 들어갈 말을 글에서 찾아 쓰시오.

Enjoy watching this year's Puppy Bowl	
What is the Puppy Bowl?	It is a(n) (1) _____ _____ that is similar to the Super Bowl. Puppies between 12 and 21 weeks old wrestle for (2) _____ and (3) _____. They score a point if they carry a toy across the (4) _____ _____.
What is it for?	It is great entertainment. Moreover, this event helps the puppies find (5) _____ _____.

실력을 올리는 직독직해

끊어 읽기 한 표시를 따라 문장 구조에 유의하여 해석을 쓰고, 각 문장의 주어에는 밑줄을, 동사에는 동그라미를 쳐보세요.

❶ When you go to the mountains, / you often find / plastic water

bottles / people have abandoned. / ❷ Unfortunately, / these bottles / not

only pollute the environment / but also cause forest fires. /

❸ On a sunny day, / clear plastic bottles can act / as magnifying

glasses. / ❹ When sunlight passes through the bottle, / the water inside

it / focuses the light / in one spot. / (❺ Water generally boils at

100°C, / but it boils below 100°C / on the top of a mountain. /) ❻ The

temperature at this point / increases quickly / and can get as hot as

300°C. / ❼ This can easily set things on fire. / ❽ In fact, / in one experiment

with newspapers, / they caught fire / in less than two minutes / this way. /

❾ The problem could be worse / in the mountains / because there are

many leaves and trees / that burn easily. / ❿ So, / you should make sure /

not to leave things behind / in the mountains. / ⓫ This can result in /

huge disasters. /

실력을 더 올리는 서술형 추가 문제

A 다음 영영 풀이에 해당하는 단어를 보기에서 골라 쓰시오.

> 보기   abandon   disaster   increase   pollute   burn

(1) _____ : an event that brings great harm, like a flood or earthquake

(2) _____ : to make something more or larger

(3) _____ : to leave a thing, place, or person and not come back

B 우리말과 일치하도록 괄호 안의 말을 활용하여 문장을 완성하시오.

(1) 나는 Carl을 만날 수 없는데, 그가 브라질로 갔기 때문이다. (go)

⇒ I can't see Carl because he _____ _____ to Brazil.

(2) 나는 Sophia만큼 프랑스어를 유창하게 말할 수 없다. (fluently)

⇒ I can't speak French _____ _____ _____ Sophia.

(3) Adam은 다른 사람에게 나의 비밀을 말하지 않겠다고 약속했다. (tell)

⇒ Adam promised _____ _____ _____ my secret to others.

C 글의 내용과 일치하도록 다음 빈칸에 들어갈 말을 글에서 찾아 쓰고, ⓐ~ⓒ를 알맞은 순서대로 배열하시오.

How Plastic Water Bottles Can Cause (1) _____ _____

> ⓐ The high (2) _____ at this point can easily set things on fire.
>
> ⓑ (3) _____ passes through a plastic bottle.
>
> ⓒ The water inside the bottle (4) _____ sunlight in one spot.

순서: (5) _____ → _____ → _____

실력을 올리는 직독직해

끊어 읽기 한 표시를 따라 문장 구조에 유의하여 해석을 쓰고, 각 문장의 주어에는 밑줄을, 동사에는 동그라미를 쳐보세요.

❶ Easter eggs are hidden messages or features / in films, TV shows, and computer games. / ❷ Now, / do you notice any here? / ❸ Just take / the first letter of each sentence / in this paragraph. / ❹ Observe / what they spell. / ❺ You've just found an Easter egg. /

❻ Here are some other examples / you might "enjoy." / ❼ If you have an iPhone, / try saying / "Hey, Siri. ❽ Give me a beat!" / ❾ Siri will beatbox for you. / ❿ In Google, / type "Atari Breakout" / in the search bar / and click on / the "I'm Feeling Lucky" button. / ⓫ Then / you can enjoy a brick-breaking game! /

⓬ Easter eggs are fun and interesting. / ⓭ But some of them / are so hard to find / that it can take years / to do so. / ⓮ In one video game, / for example, / it took 26 years / for players / to find an Easter egg! /

실력을 더 올리는 서술형 추가 문제

A 다음 빈칸에 알맞은 단어를 보기 에서 골라 쓰시오.

> 보기　　　　paragraph　　spell　　observe　　breakout　　feature

(1) The scientist _____(e)d sea lions' eating habits.

(2) Could you tell me how to _____ your last name?

(3) This new TV model has many special _____s.

B 우리말과 일치하도록 괄호 안의 말을 알맞게 배열하시오.

(1) 그 박스는 너무 무거워서 그는 그것을 혼자서 옮길 수 없다.

(heavy / can't / that / so / move / it / he)

⇒ The box is _____ by himself.

(2) Jamie는 이번 여름에 유럽에 갈 수도 있다. (go / Europe / might / this summer / to)

⇒ Jamie _____.

(3) 나의 자전거를 고치는 데 두 시간이 걸렸다. (two hours / it / repair / to / took)

⇒ _____ my bike.

C 글의 내용과 일치하도록 다음 빈칸에 들어갈 말을 글에서 찾아 쓰시오.

> Easter Eggs are messages or features that are (1) _____ in films, TV shows, and computer games.

Example 1 **In the Passage**
If you take the
(2) _____ _____
of each sentence in the
first paragraph, it spells
out (3) _____.

Example 2 **iPhone**
You can make Siri
(4) _____ for
you by saying "Hey, Siri.
Give me a(n) (5) _____!"

Example 3 **Google**
Type the words
"(6) _____ _____"
in the search bar, and
click on the button, "I'm
Feeling (7) _____"
to play a game.

실력을 올리는 **직독직해**

끊어 읽기 한 표시를 따라 문장 구조에 유의하여 해석을 쓰고, 각 문장의 주어에는 밑줄을, 동사에는 동그라미를 쳐보세요.

❶ Sometimes / our bodies smell bad, / especially when we sweat. /

❷ However, / some people have a stronger scent / than others. /

❸ Scientists say / one reason for this / is genes. / ❹ There are three

types / of body odor genes: / GG, GA, and AA. / ❺ People with type GG /

have the strongest smell. / ❻ Those with type GA / have a weaker scent, /

and people with AA genes / smell the least. / ❼ So, / if you have a strong

odor, / you may have the GG gene. /

❽ There are a few things / you can do / to deal with body odor. /

❾ For example, / eating lots of fruit / can reduce body smells / by removing

toxins. / ❿ Also, / wash behind your ears / frequently, / and you'll smell

much less. / ⓫ Lots of sebum and dirt / build up there, / causing a bad

smell. /

실력을 더 올리는 서술형 추가 문제

A 우리말과 일치하도록 빈칸에 알맞은 단어나 표현을 글에서 찾아 쓰시오.

(1) 나는 이 문제를 어떻게 처리해야 할지 모르겠다.

⇒ I don't know how to _____ _____ this problem.

(2) 너무 더워서 Eugene은 땀을 흘리기 시작했다.

⇒ It was so hot that Eugene started to _____.

(3) Jerry는 주말에 그의 할머니를 자주 방문한다.

⇒ Jerry visits his grandmother on weekends _____.

B 우리말과 일치하도록 괄호 안의 말을 활용하여 문장을 완성하시오.

(1) 나는 브라우니를 만들기 위한 몇 가지의 요리법을 찾았다. (few, recipes)

⇒ I found _____ _____ _____ for making brownies.

(2) 코끼리는 의사소통을 하기 위해 그들의 코를 사용한다. (communicate)

⇒ Elephants use their trunks _____ _____.

(3) 이 전시회에서는, 사진을 찍는 것이 허용되지 않는다. (take, pictures)

⇒ In this exhibition, _____ _____ is not allowed.

C 글의 내용과 일치하도록 다음 빈칸에 들어갈 말을 글에서 찾아 쓰시오.

> **Q.** Why do some people have a stronger scent than others?
>
> **A.** One reason is that people have different types of (1) _____.

> **Q.** How many types of body odor genes are there?
>
> **A.** There are (2) _____ types of body odor genes, GG, (3) _____, and AA.

> **Q.** How are they different?
>
> **A.** People with type GG have the (4) _____ smell, while those with type GA and AA have a(n) (5) _____ scent.

실력을 올리는 **직독직해**

끊어 읽기 한 표시를 따라 문장 구조에 유의하여 해석을 쓰고, 각 문장의 주어에는 밑줄을, 동사에는 동그라미를 쳐보세요.

❶ Every year, / filmmakers and performers in Hollywood / get

together / for awards shows / like the Oscars and the Golden Globes. /

❷ They are happy / to receive awards / for their hard work. /

❸ However, / there is one awards show / that no one wants to attend.

❹ It is the Golden Raspberries, / or the Razzies. / ❺ At this awards show, /

prizes are given / to the worst films and performers. /

❻ Usually, / the Razzies is held / a day before the Oscars. / ❼ There are

10 categories, / including the worst picture, director, and performers. /

❽ The winner of each category / is chosen / by the Razzies Organization /

and receives a raspberry trophy / painted with fake gold. /

❾ Most winners never go / to this awards show, / but Sandra Bullock

did / in 2010. / ❿ She received the Worst Actress award / and gave a

humorous speech. / ⓫ Ironically, / she won an Oscar / the next day / for

a different film! /

실력을 더 올리는 **서술형 추가 문제**

A 다음 영영 풀이에 해당하는 단어를 보기에서 골라 쓰시오.

> 보기　　　performer　　speech　　fake　　director　　category

(1) _____ : not real or true

(2) _____ : someone who supervises actors and staff in a film or play

(3) _____ : a talk that is given to many people

B 우리말과 일치하도록 괄호 안의 말을 알맞게 배열하시오.

(1) 지난달에 출간된 그 소설은 베스트셀러가 되었다. (last month / the novel / published)

　⇒ _____ became a best seller.

(2) 선물이 Sophie에 의해 그에게 주어졌다. (to / him / given / a present / was)

　⇒ _____ by Sophie.

(3) 나는 그 나쁜 소식을 들어서 실망했다. (to / disappointed / the bad news / hear)

　⇒ I was _____ .

C 글의 내용과 일치하도록 다음 빈칸에 들어갈 말을 글에서 찾아 쓰시오.

The Golden Raspberries Awards Show

또 다른 이름	It's also called the (1) _____ .
일시	It is held a day (2) _____ the Oscars.
수여 대상	The (3) _____ films and performers are awarded.
부문	There are (4) _____ _____ , which include the worst picture, (5) _____ , actor, and actress.
시상품	The winners receive a raspberry trophy that is painted with (6) _____ _____ .

실력을 올리는 **직독직해**

끊어 읽기 한 표시를 따라 문장 구조에 유의하여 해석을 쓰고, 각 문장의 주어에는 밑줄을, 동사에는 동그라미를 쳐보세요.

❶ The basketball court / was full of heavy breathing. / ❷ Only three

seconds were left / until the end of the game, / and the team / —the

Charlotte Hornets— / was losing / by two points. /

❻ At that moment, / Jeremy Lamb was more than 14 meters

away / from the basket. / ❼ He grabbed the ball. / ❽ There was still one

last chance / to score and win the game. /

❸ He shot the ball / when the timer was showing / that only half

a second remained. / ❹ The buzzer sounded / while the ball was flying /

through the air. / ❺ Then, / like a miracle, / the ball went in. /

❾ The Charlotte Hornets won / thanks to Jeremy's buzzer beater. /

❿ A buzzer beater is a shot / scored / after the buzzer sounds / for the end

of the game. / ⓫ It is one of the most exciting shots / to watch. / ⓬ As the

saying goes, / it truly isn't over / until it's over. /

실력을 더 올리는 서술형 추가 문제

A 다음 빈칸에 알맞은 단어를 보기에서 골라 쓰시오.

> 보기   court   exciting   breathing   remain   miracle

(1) Only five minutes _____(e)d until the end of the game.

(2) The new movie was very fun and _____.

(3) Our tennis club uses this _____ every Saturday.

B 우리말과 일치하도록 괄호 안의 말을 활용하여 문장을 완성하시오.

(1) Dan은 내가 그에게 전화했을 때 샤워하고 있었다. (take, a shower)

⇒ Dan _____ _____ _____ _____ when I called him.

(2) 우리 도시에는 Arch라고 불리는 다리가 있다. (call, the Arch)

⇒ There is a bridge _____ _____ _____ in our city.

(3) 이 용기는 전자레인지에 사용하기에 안전하다. (safe, use)

⇒ This container is _____ _____ _____ in microwave ovens.

C 글의 내용과 일치하도록 다음 빈칸에 들어갈 말을 글에서 찾아 쓰고, ⓐ~ⓓ를 알맞은 순서대로 배열하시오.

A Buzzer Beater Miracle Victory

ⓐ The (1) _____ sounded as the ball was flying through the air.

ⓑ There were only (2) _____ _____ left until the game was over, but the Charlotte Hornets were (3) _____ by two points.

ⓒ The ball went in, and the Charlotte Hornets (4) _____!

ⓓ Jeremy Lamb (5) _____ the ball and shot it.

순서: (6) _____ → _____ → _____ → _____

실력을 올리는 직독직해

끊어 읽기 한 표시를 따라 문장 구조에 유의하여 해석을 쓰고, 각 문장의 주어에는 밑줄을, 동사에는 동그라미를 쳐보세요.

❶ In the famous film series, / *Pirates of the Caribbean*, / a huge sea creature / destroys ships / with its long tentacles. / ❷ It is a legendary monster / called the Kraken. / ❸ The Kraken originated / from ancient myths / about the ocean. / ❹ But many sailors / in the past / insisted / they had seen the real Kraken. / ❺ Some of them even said / it had attacked them! /

❻ In fact, / a similar animal actually exists / —the giant squid. / ❼ The largest one in history / had an 18-meter-long body / and weighed a ton. / ❽ But no one knows / how big the giant squid can grow. / ❾ These squid live underwater / at depths between 300 and 600 meters, / so they are rarely seen. / ❿ However, / they sometimes attack ships / that come near them. / ⓫ So, / what many people know / as the Kraken / may be this monster-like creature. /

실력을 더 올리는 서술형 추가 문제

A 우리말과 일치하도록 빈칸에 알맞은 단어를 글에서 찾아 쓰시오

(1) 나의 남동생은 산타클로스가 존재한다고 여전히 믿는다.
⇒ My little brother still believes that Santa Claus _____s.

(2) 저 대왕판다는 무게가 140kg 나간다.
⇒ That giant panda _____s 140 kilograms.

(3) 재즈는 미국에서 기원했다.
⇒ Jazz _____(e)d in the United States.

B 우리말과 일치하도록 괄호 안의 말을 알맞게 배열하시오.

(1) 아무도 땅속에 묻힌 그 보물을 찾을 수 없었다. (could / no / the buried treasure / find / one)
⇒ _____.

(2) 너의 생일 선물로 네가 원하는 것을 내게 말해줘. (for / you / your birthday present / what / want)
⇒ Tell me _____.

(3) 나는 저 산이 얼마나 높은지 알고 싶다. (is / how / that mountain / high)
⇒ I want to know _____.

C 글의 내용과 일치하도록 다음 빈칸에 들어갈 말을 글에서 찾아 쓰시오.

The Giant Squid

Myth	It is similar to a legendary monster called the (1) _____.
Size and Weight	The (2) _____ one in history had an 18-meter-long body and (3) _____ a ton. However, nobody knows how (4) _____ it can grow.

끊어 읽기 한 표시를 따라 문장 구조에 유의하여 해석을 쓰고, 각 문장의 주어에는 밑줄을, 동사에는 동그라미를 쳐보세요.

❶ Lake Natron is known as / the lake of Medusa. / ❷ As Medusa

turned / living things into stone, / the lake seems / to do the same. /

❸ One day, / a photographer / traveling in Africa / saw this unusual

lake. / ❹ There were all kinds of dead bats and birds / along the shore. /

❺ However, / they did not seem like / typical dead animals. / ❻ Their

bodies were dried up / and as hard as rocks, / so they looked like stone

sculptures! /

❼ Actually, / these animals were killed / by the lake. / ❽ This is

because / Lake Natron has a pH level of 10.5. / ❾ It is high enough / to

cause burns / and eventually kill animals. / ❿ In addition, / the lake has

a high amount of salt. / ⓫ So, / the saltwater absorbs the moisture / from

the dead bodies of animals. / ⓬ This causes them to remain / in the same

condition, / exactly like a mummy! /

실력을 더 올리는 서술형 추가 문제

A 다음 영영 풀이에 해당하는 단어를 보기에서 골라 쓰시오.

> 보기   shore   cause   burn   absorb   moisture

(1) _____ : an injury caused by fire, acid, etc.

(2) _____ : tiny drops of water in the air, on the ground, etc.

(3) _____ : soak up water or gas like a sponge does

B 우리말과 일치하도록 괄호 안의 말을 활용하여 문장을 완성하시오.

(1) 파리는 "빛의 도시"라고 알려져 있다. (know)

⇒ Paris _____ _____ _____ "The City of Light."

(2) 버스 정류장에서 기다리고 있는 사람들이 많다. (people, wait)

⇒ There are many _____ _____ at the bus stop.

(3) 고릴라는 자동차를 들 만큼 충분히 힘이 세다. (strong, lift)

⇒ A gorilla is _____ _____ _____ _____ a car.

C 글의 내용과 일치하도록 다음 빈칸에 들어갈 말을 글에서 찾아 쓰시오.

> **Q.** What did the photographer traveling in Africa see?
>
> **A.** He saw a(n) (1) _____ lake with all kinds of (2) _____ bats and birds along the shore.

> **Q.** What did the dead animals look like?
>
> **A.** They seemed different from (3) _____ dead animals because they looked like (4) _____ _____ .

> **Q.** Why were these animals killed?
>
> **A.** Lake Natron's pH level was (5) _____ enough to cause burns and eventually kill animals.

실력을 올리는 직독직해

끊어 읽기 한 표시를 따라 문장 구조에 유의하여 해석을 쓰고, 각 문장의 주어에는 밑줄을, 동사에는 동그라미를 쳐보세요.

❶ When Olympic champions pose / for photos, / they often do one

thing: / bite their gold medals! / ❷ Why do they do this? /

❸ In the past, / gold coins were commonly used. / ❹ But some bad

people added other metals, / such as copper, / to make fake gold coins. /

❺ Therefore, / to find out / if a coin was pure gold or not, / the

merchant would bite it. / ❻ Since gold is a very soft metal, / biting the

coin / would leave teeth marks. / ❼ On the other hand, / if the coin

contained other metals, / no teeth marks would be seen. /

❽ Although people don't use gold coins / anymore, / the tradition

continues / with gold medals. / ❾ However, / Olympic gold medals /

haven't been made of pure gold / since 1912. / ❿ So / when you bite it, /

it won't get marked easily. /

실력을 더 올리는 서술형 추가 문제

A 다음 빈칸에 알맞은 단어를 보기에서 골라 쓰시오.

보기   add   pose   merchant   bite   champion

(1) Sean was afraid that the dog might _____ him.

(2) _____ more sugar to make the cookies sweeter.

(3) The models stood on stage and _____(e)d for the camera.

B 우리말과 일치하도록 괄호 안의 말을 알맞게 배열하시오.

(1) 비록 에어컨이 켜져 있었지만, 여전히 더웠다. (the air conditioner / on / although / was)

⇒ _____, it was still hot.

(2) 그 영화가 훌륭했기 때문에, Mark는 그것을 두 번 봤다. (was / since / the movie / great)

⇒ _____, Mark watched it twice.

(3) 그 요리사는 파스타를 만들기 위해 물을 끓이고 있다. (the water / make / pasta / boiling / to)

⇒ The chef is _____.

(4) 나의 새 벨트는 가죽으로 만들어졌다. (leather / is / of / my new belt / made)

⇒ _____.

C 글의 내용과 일치하도록 다음 빈칸에 들어갈 말을 글에서 찾아 쓰시오.

Fake Gold Coin	Pure Gold Coin
It has other metals, such as (1) _____. If it is fake, no (2) _____ _____ would be seen.	Gold is a very (3) _____ metal. So, when you bite it, it would (4) _____ teeth marks.

실력을 올리는 직독직해

끊어 읽기 한 표시를 따라 문장 구조에 유의하여 해석을 쓰고, 각 문장의 주어에는 밑줄을, 동사에는 동그라미를 쳐보세요.

❶ When people are on a diet, / a "cheat day" is like an oasis / in the

desert. / ❷ On regular days, / they only eat healthy foods. / ❸ But they can

eat anything / that they want / on cheat days. /

❹ Originally, / cheat days were for athletes. / ❻ They usually

maintain high-protein diets / that help build and repair muscles. /

❼ However, / they sometimes eat the foods / they want, / including

those with lots of fats and carbohydrates. / ❺ These are their cheat

days. /

❽ Now, / many people / who want to lose weight / by dieting / have

cheat days, too. / ❾ A cheat day acts as a reward / after following a strict

diet / for several days. / ❿ So, / it helps relieve stress / and gives dieters

extra motivation / to do well. / ⓫ It also helps / them overcome the

temptation / to eat too much / on other days. / ⓬ As long as it is used

wisely, / a cheat day can help / dieters lose weight. /

실력을 더 올리는 서술형 추가 문제

A 우리말과 일치하도록 빈칸에 알맞은 단어를 글에서 찾아 쓰시오

(1) 그 연설은 나에게 큰 동기 부여가 되었다.

⇒ The speech was a great _____ for me.

(2) Julia는 거미에 대한 두려움을 극복하려고 노력했다.

⇒ Julia tried to _____ her fear of spiders.

(3) Alex는 그의 노력에 대한 보상으로 선물을 받았다.

⇒ Alex received a gift as a(n) _____ for his effort.

B 우리말과 일치하도록 괄호 안의 말을 활용하여 문장을 완성하시오.

(1) Cindy는 스페인 드라마를 봄으로써 스페인어를 배우고 있다. (watch, Spanish dramas)

⇒ Cindy is learning Spanish _____ _____ _____ _____.

(2) 그 지도는 우리가 길을 찾을 수 있도록 도왔다. (help, find)

⇒ The map _____ _____ _____ the way.

(3) 저녁 식사 후에 먹을 약간의 디저트를 사자. (some dessert, eat)

⇒ Let's buy _____ _____ _____ _____ after dinner.

C 글의 내용과 일치하도록 다음 빈칸에 들어갈 말을 보기에서 찾아 쓰시오.

보기	fats and carbohydrates	give extra motivation
	want to lose weight	high-protein diets

Cheat Day: For Athletes vs. For Dieters

Athletes	Dieters
Athletes usually maintain (1) _____. However, they sometimes eat food with lots of (2) _____ on their cheat days.	Those who (3) _____ have cheat days, too. It can act as a reward and (4) _____.

실력을 올리는 **직독직해**

끊어 읽기 한 표시를 따라 문장 구조에 유의하여 해석을 쓰고, 각 문장의 주어에는 밑줄을, 동사에는 동그라미를 쳐보세요.

❶ Most artists sign / all of their artwork. / ❷ However, / Michelangelo only signed / one of his works / —the *Pietà*. / ❸ This is a statue / of Jesus and his mother, Mary. / ❹ On Mary's shoulder, / there is a strap with the words / "Michelangelo from Florence / made this." /

❺ Michelangelo sculpted the *Pietà* / in 1499. / ❻ He was only 24 years old, / and not many people knew / about him or his work / at the time. / ❼ One day, / he heard / some viewers talking about the *Pietà*. / ❽ One of them asked / who had made it, / and someone answered, / "Gobbo, / the artist from the city of Milan, / carved it." / ❾ Michelangelo, / of course, / was unhappy. / ❿ He secretly carved his name / upon the statue / one night. / ⓫ This made / his reputation grow. / ⓬ But eventually, / Michelangelo regretted signing it. / ⓭ He said, / "God, creator of the world, / did not even leave a signature / on his creatures, / but I did!" /

실력을 더 올리는 서술형 추가 문제

A 다음 영영 풀이에 해당하는 단어를 보기에서 골라 쓰시오.

> 보기   sign   reputation   strap   sculpt   secretly

(1) _____ : to form a figure from stone, wood, etc.

(2) _____ : to write your name on documents

(3) _____ : a narrow band for holding things together

B 우리말과 일치하도록 괄호 안의 말을 알맞게 배열하시오.

(1) 지수는 아침에 알람 시계가 울리는 것을 들었다. (ringing / the alarm clock / heard)

⇒ Jisu _____ in the morning.

(2) 경찰은 Billy가 잃어버렸던 지갑을 찾았다. (the wallet / had / that / found / Billy / lost)

⇒ The police _____.

(3) 그 코미디 영화는 나를 웃게 만들었다. (me / the comedy movie / made / laugh)

⇒ _____.

C 다음은 미켈란젤로와의 가상 인터뷰이다. 글의 내용과 일치하도록 다음 답변의 빈칸에 들어갈 말을 글에서 찾아 쓰시오.

> **Q.** Could you tell us about your work, the *Pietà*?
>
> **A.** Sure. It's a(n) (1) _____ of Mother Mary holding Jesus. It has a(n) (2) _____ on Mary's shoulder with some words.

> **Q.** This was the only work that you signed, right? Why did you sign it?
>
> **A.** When I heard someone saying (3) _____, the Milanese artist, made it, I felt unhappy. So, I (4) _____ carved my name on it at night.

> **Q.** Did it help make your reputation grow?
>
> **A.** Yes, it made me more famous, but later, I (5) _____ signing it. God didn't leave a(n) (6) _____ on his creatures, but I did!

실력을 올리는 **직독직해**

끊어 읽기 한 표시를 따라 문장 구조에 유의하여 해석을 쓰고, 각 문장의 주어에는 밑줄을, 동사에는 동그라미를 쳐보세요.

❶ The remote control stops working, / and you take out the batteries / to replace them. / ❷ But you drop them / by mistake, / and now there are both old and new batteries / on the floor. / ❸ You have a problem: / which ones are new / and which ones are dead? /

❹ To find out, / hold the battery / with the negative end / facing down. /

❺ Drop it / from five centimeters above the ground. / ❻ If the battery is new, / it won't bounce / and it might even stand up. / ❼ A dead battery, / however, / will bounce / and fall over. / ❽ It's simple and easy, / isn't it? /

❾ This test works / because batteries usually contain zinc / in the form of a gel. / ❿ Gels don't bounce, / so a fresh battery doesn't bounce / as well. / ⓫ However, / as you use batteries, / the chemistry inside changes, / and the zinc becomes a material / that is like a network of springs. / ⓬ This makes / the battery bounce easily. /

실력을 더 올리는 서술형 추가 문제

A 우리말과 일치하도록 빈칸에 알맞은 단어나 표현을 글에서 찾아 쓰시오.

(1) 그 정비사는 오래된 부품들을 새로운 것들로 교체했다.

⇒ The mechanic _____(e)d the old parts with new ones.

(2) 지나는 파티가 언제 있을지 알아내고 싶어 했다.

⇒ Jina wanted to _____ _____ when the party would be.

(3) 나는 실수로 노트북을 껐다.

⇒ I turned off the laptop _____ _____ .

B 우리말과 일치하도록 괄호 안의 말을 활용하여 문장을 완성하시오.

(1) 너는 밤에 초콜릿을 먹는 것을 멈춰야 한다. (stop, eat, chocolate)

⇒ You should _____ _____ _____ at night.

(2) 너는 고양이와 개 중 어느 동물을 더 좋아하니? (animal)

⇒ _____ _____ do you like better, cats or dogs?

(3) 아이들과 어른들 모두 그 노래를 정말 좋아했다. (kids, adults)

⇒ _____ _____ _____ _____ loved the song.

C 글의 내용과 일치하도록 다음 빈칸에 들어갈 말을 글에서 찾아 쓰시오.

Experiment: New Battery vs. Old Battery	Reason

| (1) _____ the battery from five centimeters above the ground with the (2) _____ end facing down. | **New Battery** It won't bounce. It might even (3) _____ _____ . | As you use batteries, the (5) _____ inside changes. Also, the zinc inside them becomes a material like a(n) (6) _____ of springs. |
| | **Old Battery** It will bounce and (4) _____ _____ . | |

실력을 올리는 **직독직해**

끊어 읽기 한 표시를 따라 문장 구조에 유의하여 해석을 쓰고, 각 문장의 주어에는 밑줄을, 동사에는 동그라미를 쳐보세요.

---

❶ Smoky eyes are a popular beauty trend. / ❷ The eyes look more

intense and mysterious. / ❸ It is believed / that ancient Egyptians first

used makeup / to create smoky eyes. / ❹ However, / they did not do

this / just for beauty. /

❺ In ancient Egypt, / people put on a black substance, / kohl, / to make

smoky eyes. / ❻ They soon discovered / something interesting / about the

substance. / ❼ Insects hated it! / ❽ The kohl kept away / mosquitoes and

flies. / ❾ So, / the Egyptians could avoid / getting the infectious diseases /

that were carried by these insects. /

❿ But there was one big problem / that the Egyptians didn't know

about. / ⓫ Kohl contains a very toxic substance, / lead. / ⓬ When this

builds up / in the body, / it can affect almost every organ. / ⓭ As a result, /

the Egyptians probably had / some serious health problems / in the end. /

실력을 더 올리는 서술형 추가 문제

A 다음 빈칸에 알맞은 단어나 표현을 보기에서 골라 쓰시오.

> 보기   put on   build up   trend   keep away   disease

(1) Zebra stripes help _____ flies.

(2) You should _____ sunscreen before you go out.

(3) The doctors will find a cure for the _____.

(4) If you don't clean your room, dust will _____.

B 우리말과 일치하도록 괄호 안의 말을 알맞게 배열하시오.

(1) 그는 그 롤러코스터가 무섭게 보인다고 말했다. (scary / looks / the roller coaster)

⇒ He said that _____.

(2) 대나무는 판다가 먹는 유일한 식물이다. (eat / the only plant / pandas / that)

⇒ Bamboo is _____.

(3) Sandy는 밤에 진공청소기를 사용하는 것을 피한다. (using / the vacuum cleaner / avoids)

⇒ Sandy _____ at night.

C 글의 내용과 일치하도록 다음 빈칸에 들어갈 말을 글에서 찾아 쓰시오.

Kohl: Good Points vs. Bad Points

Good	Bad
Kohl kept away (1) _____ and flies. So, (2) _____ diseases carried by them could be avoided.	Kohl contains a very (3) _____ substance called (4) _____. This substance can affect almost every (5) _____.

실력을 올리는 직독직해

끊어 읽기 한 표시를 따라 문장 구조에 유의하여 해석을 쓰고, 각 문장의 주어에는 밑줄을, 동사에는 동그라미를 쳐보세요.

❶ What makes / a baby / a boy or a girl? / ❷ For most animals, / it is

DNA alone. / ❸ But this is not true / for some reptiles / like alligators and

turtles. / ❹ In addition to DNA, / temperature decides their gender! /

❺ Most alligators and turtles / lay eggs in the sand. / ❻ The gender

of the babies / is determined / by the temperature around the eggs. /

❼ One example is the American alligator. / ❽ When the temperature

of the nest / is higher than 34°C, / the babies will be mostly males. /

❾ And if the temperature is lower than 30°C, / most will be females. /

❿ On the other hand, / the opposite is true / for turtles. / ⓫ The hotter

it is, / the more female babies / will be born. /

⓬ So what happens / if the Earth keeps getting hotter? / ⓭ Then / maybe

there will only be / male alligators and female turtles! /

실력을 더 올리는 **서술형 추가 문제**

A 우리말과 일치하도록 빈칸에 알맞은 단어를 글에서 찾아 쓰시오.

(1) 뱀, 거북이, 그리고 악어는 모두 파충류이다.

⇒ Snakes, turtles, and crocodiles are all _____s.

(2) 햄스터는 대부분 씨앗과 채소를 먹는다.

⇒ Hamsters _____ eat seeds and vegetables.

(3) 저 나무 꼭대기에 새 둥지가 있다.

⇒ There is a bird's _____ on top of that tree.

B 우리말과 일치하도록 괄호 안의 말을 활용하여 문장을 완성하시오.

(1) 그 책은 15개가 넘는 언어로 출판될 것이다. (will, publish)

⇒ The book _____ _____ _____ in more than 15 languages.

(2) 나는 그를 버스 정류장에서 계속해서 기다렸다. (keep, wait)

⇒ I _____ _____ for him at the bus stop.

(3) 바다는 깊으면 깊을수록 더 차가워진다. (deep, cold)

⇒ _____ _____ the ocean is, _____ _____ it is.

C 글의 내용과 일치하도록 다음 빈칸에 들어갈 말을 글에서 찾아 쓰시오.

American Alligators vs. Turtles

Similarities	• Along with DNA, their gender is decided by (1) _____. • Most of them lay eggs in the (2) _____.
Differences	• The hotter the air is, the more (3) _____ alligators will be born. • For turtles, the (4) _____ is true. If the temperature is hot, more (5) _____ turtles will be born.

실력을 올리는 **직독직해**

끊어 읽기 한 표시를 따라 문장 구조에 유의하여 해석을 쓰고, 각 문장의 주어에는 밑줄을, 동사에는 동그라미를 쳐보세요.

❶ Did you understand / the above conversation / right away? /

❷ If so, / you probably understand / how convenient emojis are. / ❸ They

let us deliver / our thoughts and feelings / without typing words. /

❹ They can even help / us communicate with people / who speak a

different language. /

❺ However, / not every emoji has the same meaning / to everyone. /

❻ For example, / a smiling face with tears / is called a LOL (Laugh Out

Loud) emoji / in Western countries. / ❼ It means / you're laughing so

hard / that you eventually cry. / ❽ But people from the Middle East /

understand the same emoji / very differently. / ❾ They see it / as a face /

filled with sadness! /

❿ To understand these differences, / some people study / the various

meanings / emojis have / in different cultures. / ⓫ They are emoji

translators! / ⓬ These translators research / how people use each emoji /

based on their cultural background. /

실력을 더 올리는 **서술형 추가 문제**

A 다음 영영 풀이에 해당하는 단어를 보기에서 골라 쓰시오.

보기   translator   type   conversation   research   deliver

(1) _____ : to study a subject to find out new facts or ideas

(2) _____ : someone who changes words into a different language

(3) _____ : a talk between two or more people

B 우리말과 일치하도록 괄호 안의 말을 알맞게 배열하시오.

(1) 모든 과일이 단맛이 나는 것은 아니다. (fruit / sweet / not / tastes / every)

⇒ _____ .

(2) 그 마라톤 선수들은 물을 마시지 않고 1시간 동안 달렸다. (drinking / without / water)

⇒ The marathon runners ran for one hour _____ .

(3) 혜리는 내가 그녀의 원피스를 입도록 해주었다. (her dress / let / Hyeri / wear / me)

⇒ _____ .

(4) Arturo Vittori는 와카 타워를 지은 건축가이다. (built / the architect / the Warka Tower/ who)

⇒ Arturo Vittori is _____ .

C 글의 내용과 일치하도록 다음 빈칸에 들어갈 말을 글에서 찾아 쓰시오.

Emoji: A Smiling Face with Tears

Western countries	Middle East
It is called a(n) (1) _____ _____ . It means you're (2) _____ so hard that you eventually (3) _____ .	It is seen as a face that is filled with (4) _____ .
⇒ The way people use emojis is based on their (5) _____ background.	

실력을 올리는 **직독직해**

끊어 읽기 한 표시를 따라 문장 구조에 유의하여 해석을 쓰고, 각 문장의 주어에는 밑줄을, 동사에는 동그라미를 쳐보세요.

❶ There is a place / where lightning strikes / almost every day. / ❷ It is

the Catatumbo River / of Venezuela. /

❸ Along the Catatumbo River, / lightning occurs / 260 days a year / on

average. / ❹ During the rainy season, / around October, / it strikes / up to

28 times / per minute. / ❺ And this can go on / for 10 hours / each day. /

❻ The lightning is so intense / that it can be seen / from 400 kilometers

away. / ❼ In fact, / sailors / who traveled along the nearby lake / —Lake

Maracaibo— / used it as a lighthouse / to guide their boats. / ❽ That's

why / Catatumbo lightning is also known as / "Maracaibo's Lighthouse!" /

❾ Why does the area / get so much lightning? / ❿ Interestingly, / the

reason is still not known. / ⓫ However, / scientists believe / one reason

may be the location. / ⓬ The river is surrounded / by the Andes

Mountains. / ⓭ At night, / the warm air from the river / meets / the cold

air from the mountains. / ⓮ This creates the perfect conditions / for

lightning. /

실력을 더 올리는 서술형 추가 문제

A 다음 빈칸에 알맞은 단어를 보기에서 골라 쓰시오.

> 보기   surround   occur   conditions   guide   lighthouse

(1) The tourists used a flashlight to _____ themselves through the tunnel.

(2) Flowers grow best in sunny and warm _____.

(3) Tall trees _____ the pond near my home.

B 우리말과 일치하도록 괄호 안의 말을 활용하여 문장을 완성하시오.

(1) 우리가 방문했던 그 섬은 아름다웠다. (the island, visit)

⇒ _____ _____ _____ _____

was beautiful.

(2) 거대한 꽃들은 열대 우림에서 발견될 수 있다. (find)

⇒ Large flowers _____ _____ _____ in the rainforest.

(3) 나는 너무 배가 고파서 피자를 혼자서 전부 다 먹었다. (so, hungry)

⇒ I was _____ _____ _____ I ate all the pizza by myself.

C 글의 내용과 일치하도록 다음 빈칸에 들어갈 말을 글에서 찾아 쓰시오.

> **Q.** How often does lightning strike along the Catatumbo River in Venezuela?
>
> **A.** Lightning occurs 260 days on (1) _____ in a year. During the
>   (2) _____ _____ , it strikes up to 28 times per minute.

> **Q.** What causes the frequent lightning?
>
> **A.** One possible reason is the (3) _____ . At night, the river's (4) _____
>   air meets the (5) _____ air from the Andes Mountains. This creates the
>   perfect conditions for (6) _____ .

실력을 올리는 직독직해

끊어 읽기 한 표시를 따라 문장 구조에 유의하여 해석을 쓰고, 각 문장의 주어에는 밑줄을, 동사에는 동그라미를 쳐보세요.

❶ Adam and Lisa / have an interesting hobby. / ❷ They go looking

for / valuable things / buried underground. /

❸ One day in 2019, / they were on a farm, / searching for treasure. /

❹ Adam was investigating the field / with his metal detector. /

❺ Suddenly, / it started beeping. / ❻ "What is it?" / Lisa asked. / ❼ It

was a silver coin. / ❽ Lisa searched the nearby area, / and she also found

one. / ❾ Soon, / they found another, and another, and another. / ❿ After

digging around / for hours, / they had discovered / over 2,000 coins. /

⓫ Adam and Lisa / took their discovery / to an expert. / ⓬ Surprisingly, /

the coins were more than 1,000 years old. / ⓭ And there was even better

news. / ⓮ The expert said / they were worth seven million dollars! /

⓯ Their story soon spread, / and many people started / hunting for

treasure. /

실력을 더 올리는 **서술형 추가 문제**

A 다음 영영 풀이에 해당하는 단어를 보기에서 골라 쓰시오.

> 보기   spread   dig   underground   valuable   treasure

(1) _____ : very precious things such as gold, silver, jewels

(2) _____ : to make a hole in the ground with your hands or a tool

(3) _____ : below the surface of the earth

B 우리말과 일치하도록 괄호 안의 말을 알맞게 배열하시오.

(1) Jessica는 눈에 덮인 산을 봤다. (saw / with / snow / a mountain / covered)

⇒ Jessica _____.

(2) 그 사자는 한 시간 전에 낮잠을 자고 있었다. (taking / the lion / was / a nap)

⇒ _____ an hour ago.

(3) 우리는 오후에 배드민턴을 치기 시작했다. (playing / we / started / badminton)

⇒ _____ in the afternoon.

(4) Sean은 그의 형보다 요리를 훨씬 더 잘할 수 있다. (his brother / better / even / than)

⇒ Sean can cook _____.

C 글의 내용과 일치하도록 다음 빈칸에 들어갈 말을 글에서 찾아 쓰고, ⓐ~ⓒ를 알맞은 순서대로 배열하시오.

> ⓐ They discovered over 2,000 coins that were (1) _____ seven million
> dollars.
>
> ⓑ Their story soon (2) _____, and many people started (3) _____
> for treasure.
>
> ⓒ When Adam and Lisa were searching for (4) _____, Adam's metal
> detector suddenly started (5) _____.

순서: (6) _____ → _____ → _____

실력을 올리는 **직독직해**

끊어 읽기 한 표시를 따라 문장 구조에 유의하여 해석을 쓰고, 각 문장의 주어에는 밑줄을, 동사에는 동그라미를 쳐보세요.

❶ What comes to mind / when you hear "love game"? / ❷ You might

think of / a complicated relationship / between lovers. / ❸ But "love game"

is a term in tennis. / ❹ It means winning / without giving a single point /

to the opponent. / ❺ In other words, / the player / who loses / scores no

points. / ❻ This is because / *love* means "zero points" / in tennis. / ❼ So

when a game begins, / players start / at love—love (0—0). /

❽ There is an interesting story / about where the word love in tennis

came from. / ❾ When tennis first started / in France, / scores were

written / on a scoreboard. / ⓫ Some witty French people found /

that a zero on the board / looked like an egg. / ❿ So instead of zero, /

they called it *l'oeuf*, / meaning "egg". / ⓬ And *l'oeuf* sounds like *love* /

in English. / ⓭ Eventually, / after tennis became popular / in England, /

people started / to call a score of zero *love*. /

실력을 더 올리는 **서술형 추가 문제**

A 다음 빈칸에 알맞은 단어를 보기에서 골라 쓰시오.

보기   opponent   eventually   score   complicated   relationship

(1) Tina has a very good _____ with her aunt.

(2) In the final round, the boxer defeated his _____ .

(3) After a long search, they _____ found the missing necklace.

B 우리말과 일치하도록 괄호 안의 말을 활용하여 문장을 완성하시오.

(1) Peter는 나에게 그의 손목시계가 어디에 있는지 물었다. (his watch, be)

⇒ Peter asked me _____ _____ _____ _____ .

(2) Allison은 멈추지 않고 5킬로미터를 달렸다. (without, stop)

⇒ Allison ran five kilometers _____ _____ .

(3) 그것은 좋은 계획처럼 들린다. (sound, a good plan)

⇒ That _____ _____ _____ _____ .

C 글의 내용과 일치하도록 다음 빈칸에 들어갈 말을 글에서 찾아 쓰시오.

In (1) _____ , tennis scores were written on a(n) (2) _____ .

⌄

Some French people thought that a(n) (3) _____ on the board looked like a(n) (4) _____ and began calling it *l'oeuf.*

⌄

After tennis became (5) _____ in England, people called zero points (6) _____ . This was because *l'oeuf* sounded like love in English.

실력을 올리는 **직독직해**

끊어 읽기 한 표시를 따라 문장 구조에 유의하여 해석을 쓰고, 각 문장의 주어에는 밑줄을, 동사에는 동그라미를 쳐보세요.

❶ It's April 10. / ❷ You find / an unopened bottle of milk / in the

refrigerator. / ❸ On the bottle, / it says / "Sell by April 2." / ❹ Is it OK /

to drink the milk? / ❺ Actually, / it is. /

❻ The sell-by date tells stores / how long / they can display the

product / for sale. / ❼ What you really need to check / is the use-by date. /

❽ This is the last day / you can safely eat the food. / ❾ Usually, / the

use-by date / is a few days or weeks later / than the sell-by date. / ❿ So

you can still eat food / that is past its sell-by date, / as long as it is before

the use-by date. / (⓫ But eating too much food / isn't good for your

body. /)

⓬ Unfortunately, / it's not always easy / to distinguish these dates. /

⓭ As a result, / people often waste food. / ⓮ In fact, / it was reported / in

2017 / that more than 80% of Americans / throw away / perfectly good

food. / ⓯ What a waste! /

실력을 더 올리는 서술형 추가 문제

A 우리말과 일치하도록 빈칸에 알맞은 단어나 표현을 글에서 찾아 쓰시오.

(1) 실수를 후회하는 것에 너의 시간을 낭비하지 마라.

⇒ Don't _____ your time regretting mistakes.

(2) 냉장고에 요거트가 있다.

⇒ There is yogurt in the _____.

(3) Mike는 저 낡은 의자를 버리고 싶어 한다.

⇒ Mike wants to _____ _____ that old chair.

B 우리말과 일치하도록 괄호 안의 말을 알맞게 배열하시오.

(1) 그 코미디언은 청중에게 웃긴 농담을 말해줬다. (told / the audience / funny jokes / the comedian)

⇒ _____ .

(2) 사탕이 항상 달콤한 것은 아니다. (not / is / sweet / candy / always)

⇒ _____ .

(3) 새 악기를 배우는 것은 시간이 오래 걸린다. (a new instrument / takes / learning)

⇒ _____ a lot of time.

C 글의 내용과 일치하도록 다음 빈칸에 들어갈 말을 글에서 찾아 쓰시오.

Sell-by Date	Use-by Date
This date shows how long stores can (1) _____ the product for sale. That is why it's okay to eat food that is (2) _____ its sell-by date.	It shows the (3) _____ day you can safely (4) _____ the food. Therefore, this is the date you really need to (5) _____ .

실력을 올리는 직독직해

끊어 읽기 한 표시를 따라 문장 구조에 유의하여 해석을 쓰고, 각 문장의 주어에는 밑줄을, 동사에는 동그라미를 쳐보세요.

❶ Hand warmers are helpful / on cold winter days. / ❷ If you shake

them, / they produce heat / to keep you warm. / ❸ But did you ever

think / about how they work? /

❹ A hand warmer is a small packet / that is filled with iron powder. /

❼ It is usually sealed / in a plastic package. / ❻ If you open the

package, / the iron in the packet / is exposed to air / and begins to rust. /

❺ This reaction releases heat energy. / ❽ If you shake the hand

warmer, / the reaction occurs faster. / ❾ When all of the iron is rusted, /

the hand warmer / no longer gives off heat / and begins to cool down. /

❿ If you want to use the hand warmer / again later, / there's a way /

to stop the reaction / for a while. / ⓫ Just put it in a container / before

the heat goes away. / ⓬ However, / make sure / that no air gets inside. /

⓭ Otherwise, / the reaction won't stop / until all of the iron becomes

rusted. /

실력을 더 올리는 **서술형 추가 문제**

A 다음 영영 풀이에 해당하는 단어나 표현을 [보기]에서 골라 쓰시오.

> [보기]   container   helpful   occur   give off   reaction

(1) _____ : to make heat, light, a smell, etc.

(2) _____ : something such as a box or bowl you keep things in

(3) _____ : useful and can make a situation better and easier

B 우리말과 일치하도록 괄호 안의 말을 활용하여 문장을 완성하시오.

(1) 민지는 이번 주말에 그녀의 할머니를 방문하고 싶어 한다. (want, visit)

⇒ Minji _____ _____ _____ her grandmother this weekend.

(2) 그 유리잔은 망고 주스로 가득 차 있다. (fill, mango juice)

⇒ The glass _____ _____ _____ _____ _____.

(3) Alex는 그 영화가 끝날 때까지 깨어 있었다. (the movie, end)

⇒ Alex stayed awake _____ _____ _____ _____.

C 글의 내용과 일치하도록 다음 빈칸에 들어갈 말을 글에서 찾아 쓰시오.

> **Q.** How do hand warmers work?
>
> **A.** When you open the package, the iron powder meets the air and begins to
> (1) _____. Doing this releases (2) _____ _____. The
> reaction occurs faster if you (3) _____ the hand warmer.

> **Q.** Is there a way to stop the reaction for a while?
>
> **A.** Yes. Put the hand warmer in a(n) (4) _____ when it's still hot. Make
> sure that (5) _____ _____ gets in.

실력을 올리는 **직독직해**

끊어 읽기 한 표시를 따라 문장 구조에 유의하여 해석을 쓰고, 각 문장의 주어에는 밑줄을, 동사에는 동그라미를 쳐보세요.

❶ After a big festival, / there's usually trash / all over the ground. /

❷ How can we / get people to throw trash / into a bin? / ❸ Voting with

trash / can be one way! /

❹ For example, / two trash cans are placed / at an event, / and each

represents a different answer / to one question. / ❺ If the question is /

"What is the best superpower?", / one trash can / could say "Invisibility." /

❻ And the other could say "Flying." / ❼ Then, / people can vote / by

throwing their trash into the bin / they agree with. / ❽ The bins are

clear containers, / so everyone can see / how many / other people

voted / for each option. /

❾ These voting trash cans / actually work well. / ❿ At one festival /

held in the Netherlands, / more than 30,000 people / picked up trash /

and voted. / ⓫ This is a fun and easy way / to keep the environment

clean. /

실력을 더 올리는 **서술형 추가 문제**

A 다음 빈칸에 알맞은 단어나 표현을 보기에서 골라 쓰시오.

> 보기　　　　festival　　vote　　agree with　　trash　　superpower

(1) I totally _____ your idea.

(2) Could you throw away the _____ after dinner?

(3) Did you _____ in the student election?

B 우리말과 일치하도록 괄호 안의 말을 알맞게 배열하시오.

(1) Amy가 그녀의 책상을 어떻게 항상 깔끔하게 유지하는지 놀랍다.

(her desk / Amy / keeps / neat / always)

⇒ It's amazing how _____.

(2) 노란색으로 칠해진 그 빌딩은 관광객들에게 인기 있다. (yellow / painted / the building)

⇒ _____ is popular with tourists.

(3) 각각의 학생은 명찰을 달고 있다. (a name tag / student / wearing / is / each)

⇒ _____.

C 글의 내용과 일치하도록 다음 대화의 빈칸에 들어갈 말을 보기에서 찾아 쓰시오.

> 보기　　voting trash cans　　　the best superpower　　　place two trash cans
> 　　　　the same answer　　　a different answer　　　keep the environment clean

Tom : How can we get people to throw trash into the bin?

Ally : I heard (1) _____ worked well at a festival in the
Netherlands. Let's try that!

Tom : Sure! It sounds like a fun way to (2) _____.

Ally : We should (3) _____ at the event. Each one
should have (4) _____ to one question.

Tom : OK. I have an idea! How about "What is (5) _____?"

Ally : Great! One trash can say "Invisibility" and the other can say "Flying."

실력을 올리는 **직독직해**

끊어 읽기 한 표시를 따라 문장 구조에 유의하여 해석을 쓰고, 각 문장의 주어에는 밑줄을, 동사에는 동그라미를 쳐보세요.

❶ A "hat trick" is a term / used in sports / like soccer or ice hockey. /

❷ It means / a player scores three times / in a single game. / ❸ When this

happens in ice hockey, / fans sometimes throw their hats / on the ice / to

celebrate it. / ❹ But why is it *hats*? /

❺ The term hat trick / originally comes from / a traditional English

sport, / cricket. / ❻ Cricket is similar to baseball. / ❼ It's a match / between

a bowler and a batsman. / ❽ The bowler throws the ball, / and the batsman

hits it. / ❾ For the first time / in 1858, / a bowler defeated three batsmen /

with only three throws. / ❿ This was a rare accomplishment / since it's

hard / to get even one batsman out. / ⓫ So, / to congratulate him, / fans

bought a hat / and gave it to him / as a gift. / ⓬ And this is how / the

term hat trick came about. / ⓭ An excellent "trick" was worth / receiving

a "hat"! /

실력을 더 올리는 **서술형 추가 문제**

A 우리말과 일치하도록 빈칸에 알맞은 단어를 글에서 찾아 쓰시오.

(1) 그 예술가는 전통적인 스타일에 현대적인 것을 조합한다.

⇒ The artist blends _____ styles with modern ones.

(2) 내 형의 팀이 어젯밤 축구 경기에 이겼다.

⇒ My brother's team won the soccer _____ last night.

(3) 우리는 Max가 그 시험에서 만점을 받은 것을 축하해줬다.

⇒ We _____(e)d Max for getting a perfect score on the test.

B 우리말과 일치하도록 괄호 안의 말을 활용하여 문장을 완성하시오.

(1) 그들은 그 사고를 신고하기 위해 경찰을 불렀다. (report, the accident)

⇒ They called the police _____ _____ _____ _____.

(2) 이 태블릿 PC는 그것의 유용한 기능들 때문에 살 가치가 있다. (worth, buy)

⇒ This tablet PC is _____ _____ because of its useful features.

(3) Ian은 나에게 그 택배를 주었다. (give, the package, me)

⇒ Ian _____ _____ _____ _____.

C 글의 내용과 일치하도록 다음 빈칸에 들어갈 말을 글에서 찾아 쓰시오.

Q. Where and when is the term hat trick used?

A. It is used in sports such as soccer or (1) _____ _____. It can be used when a player scores (2) _____ times in a single game.

Q. Where does hat trick originally come from?

A. It comes from a traditional (3) _____ sport called (4) _____. In 1858, a bowler (5) _____ three batsmen with three throws. This was very rare, so fans bought the bowler a(n) (6) _____ as a gift to congratulate him.

실력을 올리는 직독직해

끊어 읽기 한 표시를 따라 문장 구조에 유의하여 해석을 쓰고, 각 문장의 주어에는 밑줄을, 동사에는 동그라미를 쳐보세요.

❶ What animals live in the Arctic? / ❷ Most people think of / polar

bears, seals, and reindeer. / ❸ But surprisingly, / some frogs live there,

too! / ❹ Wood frogs, / which are found across North America, /

even live in the Arctic. / ❺ This is possible / because they can survive /

the freezing temperatures there. / ❻ When winter comes, / wood

frogs freeze. / ❼ Their breathing / as well as their brain and heart

activity / stops completely. / ❽ This lasts for months, / so they seem

dead. / ❾ However, / when spring comes, / they revive! /

❿ When wood frogs start to freeze, / their bodies produce / a special

antifreeze substance. / ⓫ This prevents / one-third of the water in their

bodies / from freezing. / ⓬ If their bodies weren't able to produce it, /

they would freeze to death. / ⓭ Nowadays, / medical experts are studying /

this amazing ability of wood frogs. / ⓮ Someday, / they may find a way /

to freeze and unfreeze a person! /

실력을 더 올리는 서술형 추가 문제

A 다음 영영 풀이에 해당하는 단어를 보기에서 골라 쓰시오.

> 보기　　　　survive　　expert　　freezing　　revive　　substance

(1) _____ : extremely cold

(2) _____ : to bring something back to life, health, or use

(3) _____ : someone who has a special skill or knowledge of something

B 우리말과 일치하도록 괄호 안의 말을 알맞게 배열하시오.

(1) 그 타코 요리법은 만들기 쉬운 것처럼 보였다. (make / seemed / to / easy)

⇒ The recipe for tacos _____ .

(2) 창문을 닫는 것은 모기들이 안으로 들어오는 것을 막는다. (from / mosquitoes / prevents / coming)

⇒ Closing the windows _____ inside.

(3) 나는 피자뿐만 아니라 치킨도 주문하고 싶다. (as / order / to / pizza / well / chicken / as)

⇒ I want _____ .

C 글의 내용과 일치하도록 다음 빈칸에 들어갈 말을 글에서 찾아 쓰시오.

> **Q.** What happens to wood frogs during the winter?
>
> **A.** During the winter, woods frogs (1) _____ . Their breathing as well as their brain and heart activity (2) _____ completely. This lasts for months, so they seem (3) _____ . However, they revive when (4) _____ comes.

> **Q.** How do they survive the cold winter?
>
> **A.** They are protected because their bodies produce a special (5) _____ _____ . It (6) _____ one-third of their body water from freezing.

실력을 올리는 **직독직해**

끊어 읽기 한 표시를 따라 문장 구조에 유의하여 해석을 쓰고, 각 문장의 주어에는 밑줄을, 동사에는 동그라미를 쳐보세요.

❶ The brand logos above / have one thing in common. / ❷ Do you

see it? / ❸ They all use the same typeface / —Helvetica! /

❹ Though you may not have noticed, / Helvetica is used / in many

corporate logos, posters, and websites. / ❺ That's why / it is also

known as / the world's most popular font. / ❻ Helvetica has a uniform

appearance. / ❼ Each letter is almost the same width and height. / ❽ This

makes the font easy / to read. / ❾ In addition, / Helvetica is neutral and

simple. / ❿ Most other fonts are designed / to give you a certain feeling /

about the text. / ⓫ However, / Helvetica is not supposed / to stand out /

or call attention to itself. / ⓬ So, / designers can use it / in a variety of

creative ways. / ⓭ No matter what they do, / it fits right in! / ⓮ For these

reasons, / many designers love / to use Helvetica. /

실력을 더 올리는 서술형 추가 문제

A 다음 영영 풀이에 해당하는 단어나 표현을 보기에서 골라 쓰시오.

> 보기   height   creative   stand out   neutral   a variety of

(1) _____ : using new ideas and imagination

(2) _____ : to be very easy to see or notice

(3) _____ : how tall someone or something is

B 우리말과 일치하도록 괄호 안의 말을 활용하여 문장을 완성하시오.

(1) 나의 강아지들은 공원에서 노는 것을 좋아한다. (love, play)

⇒ My puppies _____ _____ _____ in the park.

(2) 아이스크림을 먹는 것은 항상 나를 행복하게 만든다. (make, happy)

⇒ Eating ice cream always _____ _____ _____ .

(3) 그 약사는 나에게 두통을 위한 약을 주었다. (give, medicine)

⇒ The pharmacist _____ _____ _____ for the headache.

C 글의 내용과 일치하도록 다음 포스터의 빈칸에 들어갈 말을 글에서 찾아 쓰시오.

Everybody Loves Helvetica!

Helvetica is known as the world's most popular font! It has a(n) (1) _____ appearance. All the letters have almost the same (2) _____ and height, so it is easy to (3) _____ . The font is also (4) _____ and simple. It fits right in. As a result, (5) _____ can use it in many creative ways!

실력을 올리는 **직독직해**

끊어 읽기 한 표시를 따라 문장 구조에 유의하여 해석을 쓰고, 각 문장의 주어에는 밑줄을, 동사에는 동그라미를 쳐보세요.

❶ The start of the new year / is usually celebrated / with a countdown, /

but some countries do more / to celebrate. / ❷ In Denmark, / people get

ready to jump / right after the countdown. / ❸ They stand on chairs,

sofas, or tables. / ❹ When the clock strikes 12, / everyone jumps down! /

❺ This means / they are jumping into the new year. /

❻ The Philippines also has / a unique New Year's tradition / with

coins. / ❼ Coins represent wealth / in the coming year / because round

things are symbols of fortune / in the Philippines. / ❽ On December 31, /

people scatter coins / inside their homes. / ❾ These are later picked

up / by children, / who put them in their pockets. / ❿ Then, / at midnight, /

the children shake their pockets / filled with the coins. / ⓫ This is

because / the loud noise scares bad luck away. / ⓬ The more coins they

shake, / the louder the noise is / and the better their year will be. /

실력을 더 올리는 **서술형 추가 문제**

A 우리말과 일치하도록 빈칸에 알맞은 단어를 글에서 찾아 쓰시오.

(1) 새우 위에 약간의 소금을 뿌리는 것을 잊지 마라.

⇒ Don't forget to _____ some salt over the shrimp.

(2) 네잎클로버는 행운의 상징이다.

⇒ The four-leaf clover is a(n) _____ of good luck.

(3) 사이렌의 소음이 그녀의 귀를 아프게 했다.

⇒ The _____ of the siren hurt her ears.

B 우리말과 일치하도록 괄호 안의 말을 알맞게 배열하시오.

(1) Henry는 훌륭한 요리사인데, 그는 자신의 레스토랑을 열 계획이다. (is / who / a great chef)

⇒ Henry, _____, plans to open his own restaurant.

(2) 우리는 지금 나갈 준비를 해야 한다. (get / to / ready / we / leave / should)

⇒ _____ right now.

(3) 숲속에서 찾은 그 버섯은 독이 있었다. (in the forest / the mushroom / found)

⇒ _____ was poisonous.

C 다음은 필리핀 학생의 일기이다. 글의 내용과 일치하지 <u>않는</u> 보기를 두 개 고르고, 알맞은 말을 글에서 찾아 바르게 고쳐 쓰시오.

Happy New Year from the Philippines!   **January 1, 202X**

    Last night, we celebrated the New Year. My parents scattered coins ① <u>outside</u> the house. I later ② <u>picked up</u> the coins and put them in my pockets. At ③ <u>midnight</u>, I shook my pockets to scare ④ <u>bad luck</u> away. The ⑤ <u>less</u> coins you shake, the better your year will be!

틀린 보기	고쳐 쓰기
(1) _____	(2) _____ → (3) _____
(4) _____	(5) _____ → (6) _____

실력을 올리는 **직독직해**

끊어 읽기 한 표시를 따라 문장 구조에 유의하여 해석을 쓰고, 각 문장의 주어에는 밑줄을, 동사에는 동그라미를 쳐보세요.

❶ Think about your last breath. / ❷ Did you use your nose / or your

mouth? / ❸ Breathing through your nose / is much more beneficial /

than through your mouth. / ❹ First of all, / the tiny hairs in your nose /

trap dust and dirt, / so they don't enter the lungs. / ❺ In addition, /

a special chemical / produced in the nose / kills viruses / and expands

blood vessels. / ❻ This allows / the blood / to absorb more oxygen. / ❼ As

a result, / you can think and exercise better, / since the brain and muscles

are well supplied / with oxygen. /

❽ On the other hand, / when you use your mouth / to breathe, / a lot

of issues arise. / ❾ Mainly, / it makes / the inside of the mouth / very

dry. / ❿ This can produce / bad breath and cavities. / ⓫ Furthermore, /

mouth breathing during childhood / can result in / uneven teeth and a

longer face. /

실력을 더 올리는 **서술형 추가 문제**

A 다음 영영 풀이에 해당하는 단어를 보기에서 골라 쓰시오.

보기　　　chemical　　expand　　absorb　　beneficial　　uneven

(1) _____ : helpful, useful, or good

(2) _____ : to become larger in size, amount, etc.

(3) _____ : not straight, flat, or equal

B 우리말과 일치하도록 괄호 안의 말을 활용하여 문장을 완성하시오.

(1) 축구 경기를 보는 것은 항상 흥미진진하다. (watch, soccer games)

⇒ _____ _____ _____ is always exciting.

(2) Mia는 내가 그녀의 새 카메라를 사용하도록 허락했다. (allow, use)

⇒ Mia _____ _____ _____ _____ her new camera.

(3) 그는 나보다 기타를 훨씬 더 잘 친다. (much, better)

⇒ He plays the guitar _____ _____ _____ I do.

C 글의 내용과 일치하도록 다음 빈칸에 들어갈 말을 글에서 찾아 쓰시오.

Breathing Through Your Nose

- It is a much more beneficial way to breathe than through your (1) _____ .

- The (2) _____ _____ in your nose prevent dust and dirt from entering the (3) _____ .

- Your nose produces a special chemical that (4) _____ viruses and

  (5) _____ blood vessels. This allows the blood to absorb more

  (6) _____ .

실력을 올리는 직독직해

끊어 읽기 한 표시를 따라 문장 구조에 유의하여 해석을 쓰고, 각 문장의 주어에는 밑줄을, 동사에는 동그라미를 쳐보세요.

❶ Some people / are diligently brushing the ice / with brooms. / ❷ Are

they janitors? / ❸ No, / they're players / on a curling team! /

❹ Every curling team / has two players / who are called sweepers. /

❺ They sweep / in front of the curling stone / to heat up the ice / and

reduce friction. / ❻ By doing so, / they can control / the direction and

speed of the stone. / ❼ If they sweep hard, / the stone moves faster and

straighter. / ❽ On the other hand, / if they sweep softly / or don't sweep

at all, / the stone will slow down / and curve more. / ❾ The captain of

the team / guides the sweepers. / ❿ If the ice needs more sweeping, / the

captain will yell "Hard!" / ⓫ If it needs less, / the captain says "Whoa!" /

⓬ By following the captain's directions, / the team tries to place the

stone / as close to the target as possible / and win the game. /

실력을 더 올리는 **서술형 추가 문제**

A 다음 빈칸에 알맞은 단어를 보기에서 골라 쓰시오.

| 보기 | target | diligently | direction | reduce | yell |

(1) We will _____ "surprise" when the guest enters the room.

(2) The medicine helped _____ the pain.

(3) The ants are working _____ to make their new home.

B 우리말과 일치하도록 괄호 안의 말을 알맞게 배열하시오.

(1) 셰익스피어는 '로미오와 줄리엣'을 쓴 작가이다. (who / *Romeo and Juliet* / the writer / wrote)

⇒ Shakespeare is _____ .

(2) Benny는 그의 반 친구들로부터 Ben이라고 불린다. (called / Benny / is / Ben)

⇒ _____ by his classmates.

(3) 당신의 이름을 가능한 한 명확하게 쓰세요. (as / possible / clearly / as)

⇒ Write down your name _____ .

C 글의 내용과 일치하도록 다음 빈칸에 들어갈 말을 글에서 찾아 쓰시오.

Who Are Sweepers?

- There are (1) _____ players who are called sweepers on a curling team.

- They sweep in front of a curling stone, and this lets them control the stone's
  (2) _____ and (3) _____ .

- If they sweep (4) _____ , the stone will move faster and straighter.

- If they sweep (5) _____ or don't sweep, the stone will move slower and
  (6) _____ more.

- Their goal is to place the stone as (7) _____ to the target as possible.

실력을 올리는 **직독직해**

끊어 읽기 한 표시를 따라 문장 구조에 유의하여 해석을 쓰고, 각 문장의 주어에는 밑줄을, 동사에는 동그라미를 쳐보세요.

❶ Parts of an old satellite / crash into a spacecraft. / ❷ The spacecraft

breaks into pieces. / ❸ All of a sudden, / the astronauts are thrown from

the spacecraft / and float away in space. /

❹ Unfortunately, / this is really possible. / ❺ There are about 500,000

pieces of junk / floating around in space. / ❻ They move / at speeds of 7

to 10 kilometers / per second. / ❼ At this speed, / a piece that is as

tiny as a pea / can completely destroy / a satellite or a spacecraft. /

❽ When satellites are damaged, / the Internet and broadcasting

services / may not work. / ❾ Space pollution / could have an even worse

impact; / you could be hit / by space junk! / ❿ In 1969, / some space junk /

from an old Russian satellite / fell to the Earth. / ⓫ It crashed into a

Japanese ship, / and five sailors were injured. / ⓬ Clearly, / space junk is

not just a problem in space. /

실력을 더 올리는 서술형 추가 문제

A 우리말과 일치하도록 빈칸에 알맞은 단어나 표현을 글에서 찾아 쓰시오.

(1) 갑자기, 눈이 내리기 시작했다.

⇒ _____ _____ _____ _____ , it started to snow.

(2) 지나친 운동은 당신의 근육에 부상을 입힐 수 있다.

⇒ Too much exercise can _____ your muscles.

(3) 음악은 나의 감정에 긍정적인 영향을 끼친다.

⇒ Music has a positive _____ on my emotions.

B 우리말과 일치하도록 괄호 안의 말을 활용하여 문장을 완성하시오.

(1) 그 코트는 깃털만큼 가볍게 느껴졌다. (light)

⇒ The coat felt _____ _____ _____ a feather.

(2) 청바지를 입고 있는 그 남자는 Tom이다. (wear, jeans)

⇒ The guy _____ _____ is Tom.

(3) 그 아름다운 예술 작품은 Vincent van Gogh에 의해 그려졌다. (paint, by)

⇒ The beautiful artwork _____ _____ _____ Vincent van Gogh.

C 글의 내용과 일치하도록 다음 빈칸에 들어갈 말을 글에서 찾아 쓰시오.

Q. How fast does space junk move?

A. It moves 7 to 10 kilometers per (1) _____ . At this speed, even a tiny piece can destroy a satellite or a(n) (2) _____ .

Q. What problems could be caused by space junk?

A. The (3) _____ and (4) _____ _____ may not work if satellites are damaged. People on Earth could also be (5) _____ by space junk.

실력을 올리는 **직독직해**

끊어 읽기 한 표시를 따라 문장 구조에 유의하여 해석을 쓰고, 각 문장의 주어에는 밑줄을, 동사에는 동그라미를 쳐보세요.

---

❶ In Japan, / there is a traditional competition / called *Naki Sumo*, / or the crying baby contest. / ❷ The main participants are babies / from 6 to 18 months of age. / ❸ The contest is held / in a sumo wrestling ring. /

❹ Two sumo wrestlers help / the babies compete / by trying to make them cry. /

❺ This unusual custom began / almost 400 years ago. / ❻ At that time, / people thought / the sound of crying babies / chased away evil spirits. / ❼ They also believed / the ceremony brought / good fortune and health. /

❽ The competition begins / with two sumo wrestlers / holding babies in their arms. / ❾ These wrestlers try to make / their babies cry / by using any playful method. / ❿ They swing the babies / or make loud noises and scary faces. / ⓫ The baby / who cries first, loudest, or longest / becomes the winner! /

실력을 더 올리는 **서술형 추가 문제**

A 다음 영영 풀이에 해당하는 단어를 보기에서 골라 쓰시오.

> 보기   traditional   playful   unusual   contest   scary

(1) _____ : different from what is usual or expected

(2) _____ : fun and not serious

(3) _____ : making you feel frightened

B 우리말과 일치하도록 괄호 안의 말을 알맞게 배열하시오.

(1) 그 지루한 다큐멘터리는 나를 잠들게 만들었다.

(made / the boring documentary / fall asleep / me)

⇒ _____ .

(2) Jimmy는 그의 이어폰이 없어진 것을 알아챘다. (noticed / missing / were / Jimmy / his earphones)

⇒ _____ .

(3) 우리는 플라스틱을 재활용함으로써 환경을 보호할 수 있다.

(by / plastic / the environment / recycling / protect)

⇒ We can _____ .

C 글의 내용과 일치하도록 다음 빈칸에 들어갈 말을 글에서 찾아 쓰시오.

Rules of the *Naki Sumo* Competition

Participants	• The competitors are (1) _____ who are from 6 to 18 months old. • Two (2) _____ _____ hold the babies inside a sumo wrestling ring.
Method	• The wrestlers try to make the babies (3) _____ . • The baby who cries first, (4) _____ , or (5) _____ wins!

실력을 올리는 직독직해

끊어 읽기 한 표시를 따라 문장 구조에 유의하여 해석을 쓰고, 각 문장의 주어에는 밑줄을, 동사에는 동그라미를 쳐보세요.

❶ It's almost impossible / to sing underwater. / ❷ However, / musician

Laila Skovmand developed a way / to do it. / ❸ First, / she takes a deep

breath / and goes underwater. / ❹ Then, / she lets a bit of air come out

of her lungs / to form an air bubble. / ❺ She keeps the air bubble / in her

mouth / and sings through it. /

❻ Laila also formed a band / with four other musicians. / ❼ They

created instruments / that can be played underwater / and planned to

put on a concert. / ❽ It took many years / to prepare. / ❾ The members

had to train themselves / to perform in a glass water tank. / ❿ For example, /

they practiced / holding their breaths. / ⓫ Playing instruments, / such as

the drums, / requires more energy and oxygen, / so some members had

to do / a lot of breathing exercises. /

⓬ In 2018, / the band successfully gave a performance. / ⓭ The music

may sound strange at first, / but it's fascinating! /

실력을 더 올리는 **서술형 추가 문제**

A 우리말과 일치하도록 빈칸에 알맞은 단어를 글에서 찾아 쓰시오.

(1) Bill의 지저분한 손글씨를 읽는 것은 불가능했다.

⇒ It was _____ to read Bill's messy handwriting.

(2) 내가 가장 좋아하는 밴드가 오늘 밤에 공연할 것이다.

⇒ My favorite band is going to _____ tonight.

(3) Sarah는 그녀의 연설을 준비할 시간이 없었다.

⇒ Sarah had no time to _____ for her speech.

B 우리말과 일치하도록 괄호 안의 말을 활용하여 문장을 완성하시오.

(1) 우리는 내년에 같이 여행 가는 것을 계획했다. (plan, go)

⇒ We _____ _____ _____ on a trip together next year.

(2) Jill은 어제 그 책들을 반납해야 했다. (return)

⇒ Jill _____ _____ _____ the books yesterday.

(3) 그 병은 쉽게 열릴 수 있다. (can, open)

⇒ The jar _____ _____ _____ easily.

C 글의 내용과 일치하도록 다음 광고의 빈칸에 들어갈 말을 글에서 찾아 쓰시오.

Underwater Music Performance!

Featuring	Laila Skovmand has developed a way to (1) _____ underwater! Laila and her band have created (2) _____ that can be played underwater.
Behind the Scenes	They trained to perform in a glass (3) _____ _____ and practiced holding their (4) _____ . It took many (5) _____ to prepare, but now they are ready!

실력을 올리는 **직독직해**

끊어 읽기 한 표시를 따라 문장 구조에 유의하여 해석을 쓰고, 각 문장의 주어에는 밑줄을, 동사에는 동그라미를 쳐보세요.

❶ You may have a goose-down or duck-down jacket / in your

closet / for winter. / ❷ But you probably don't have a chicken-down

jacket. / ❸ Have you ever wondered why? /

❹ Actually, / it's impossible / to make padded jackets / with chicken

feathers. / ❺ This is because / chickens don't have down. / ❻ "Down"

refers to / the thin, light feathers / that many birds have / under their

protective outer feathers. / (❼ Some birds have colorful feathers / to

attract other birds' attention. /) ❽ It traps air, / preventing heat from

escaping / and blocking cold air from entering. / ❾ That's why / we use

down for padded jackets. /

❿ For birds / that go in the water / like ducks and geese, / down

is necessary / to keep their bodies warm. / ⓫ Without it, / their body

temperature would drop / while they're in cold ponds. / ⓬ On the other

hand, / chickens rarely go in the water, / so they don't need down. /

⓭ Instead, / they only have strong, tough feathers. /

실력을 더 올리는 **서술형 추가 문제**

A 다음 빈칸에 알맞은 단어를 보기에서 골라 쓰시오.

> 보기   protective   escape   necessary   thin   block

(1) The black curtain _____(e)d the sunlight.

(2) The chef cut the meat into _____ slices.

(3) You should wear a(n) _____ helmet while riding a bicycle.

B 우리말과 일치하도록 괄호 안의 말을 알맞게 배열하시오.

(1) 모두의 생일을 기억하는 것은 쉽지 않다. (remember / not / it / easy / to / is)

⇒ _____ everyone's birthday.

(2) 그 소음은 Dave가 시험에 집중하는 것을 막았다. (prevented / focusing / Dave / from)

⇒ The noise _____ on the test.

(3) 당신은 루브르 박물관에 방문해 본 적이 있는가? (visited / you / the Louvre Museum / have / ever)

⇒ _____ ?

C 글의 내용과 일치하도록 다음 빈칸에 들어갈 말을 글에서 찾아 쓰시오.

	Chickens	Ducks and Geese
Feathers	Their feathers are strong and (1) _____ .	They have thin and light feathers under their protective (3) _____ ones.
Down	They rarely go in the (2) _____ , so they don't need down.	Down is necessary to keep their bodies (4) _____ . It is used for padded jackets, too.

실력을 올리는 **직독직해**

끊어 읽기 한 표시를 따라 문장 구조에 유의하여 해석을 쓰고, 각 문장의 주어에는 밑줄을, 동사에는 동그라미를 쳐보세요.

❶ Two guys bump their fists / with a smile / and say, / "What's up,

bro?" / ❷ This greeting is called a fist bump. / ❸ It became popular /

because of one baseball player / in the 1950s. / ❹ He often caught colds

/ after shaking hands with fans. / ❺ Therefore, / he started giving fist

bumps / instead of handshakes. / ❻ Did it actually help? /

❼ Surprisingly, / the answer is "yes." / ❽ In fact, / the fist bump is even

recommended / by some doctors. / ❾ In an experiment, / it was found /

that fist bumps transferred / 20 times fewer germs / than handshakes /

because the hands have less contact. / ❿ Moreover, / germs on the

back of your hand / are less likely to / get into your mouth and nose. /

⓫ Maybe one day, / everyone will be greeting each other / with fist

bumps! /

실력을 더 올리는 서술형 추가 문제

A 다음 영영 풀이에 해당하는 단어를 보기에서 골라 쓰시오.

> 보기   contact   bump   greeting   germ   recommend

(1) _____ : to hit against somebody or something

(2) _____ : something that people say or do when they meet each other

(3) _____ : a very small living thing that can make you sick

B 우리말과 일치하도록 괄호 안의 말을 활용하여 문장을 완성하시오.

(1) 나는 내일 두 시에 시험을 보고 있을 것이다. (take, exams)

⇒ I _____ _____ _____ _____ at 2 o'clock tomorrow.

(2) Jordan은 스트레스 때문에 잠을 잘 수 없었다. (stress)

⇒ Jordan couldn't sleep _____ _____ _____.

(3) 프랑스는 러시아보다 31배 더 작다. (31 times, small)

⇒ France is _____ _____ _____ _____ Russia.

C 글의 내용과 일치하도록 다음 빈칸에 들어갈 말을 글에서 찾아 쓰시오.

Fist Bump

Definition	In this greeting, you bump your (1) _____ . You can use this instead of (2) _____ .
Advantages	• It transfers fewer (3) _____ because the (4) _____ have less contact. • Germs on the (5) _____ of your hand have a smaller chance of getting to your (6) _____ and (7) _____ .

실력을 올리는 **직독직해**

끊어 읽기 한 표시를 따라 문장 구조에 유의하여 해석을 쓰고, 각 문장의 주어에는 밑줄을, 동사에는 동그라미를 쳐보세요.

❶ Have you ever stayed up / all night / because of worries? / ❷ What

did you do / to get rid of them? / ❸ Some people let / dolls / get rid of

their worries. / ❹ These are worry dolls. / ❺ They are small figures / that

can be easily made from paper and wool. /

❻ Here is / how to make and use a worry doll. / ❼ Cut out / a piece

of paper / in a rectangular shape / and draw a doll's face / on the top. /

❽ Stick toothpicks / to the paper / to make its arms and legs. / ❾ Dress

the doll / with colorful threads. / ❿ Then, / tell your doll about

something / that is bothering you. / ⓫ Finally, / put it under your

pillow / and go to sleep. / (⓬ If you don't get enough sleep, / you

may be very tired / during the day. /) ⓭ The worry doll / will take away

your concerns / during the night. / ⓮ When you wake up, / you will be

worry-free and at ease! /

실력을 더 올리는 **서술형 추가 문제**

A 우리말과 일치하도록 빈칸에 알맞은 단어나 표현을 글에서 찾아 쓰시오.

(1) Mike은 그의 오래된 옷들을 없앨 것이다.

⇒ Mike will ＿＿＿＿＿＿ ＿＿＿＿＿＿ ＿＿＿＿＿＿ his old clothes.

(2) 우편을 보낼 때 봉투에 우표를 붙여라.

⇒ ＿＿＿＿＿＿ a stamp on the envelope when you send mail.

(3) 주말에, 나는 항상 늦게까지 깨어 있다.

⇒ On weekends, I always ＿＿＿＿＿＿ ＿＿＿＿＿＿ late.

B 우리말과 일치하도록 괄호 안의 말을 알맞게 배열하시오.

(1) 뱀은 냄새를 맡기 위해 그들의 혀를 사용한다. (to / use / snakes / smell / their tongues)

⇒ ＿＿＿＿＿＿＿＿＿＿＿＿＿＿＿＿＿＿＿＿＿＿ .

(2) Kelly는 이 오븐을 사용하는 방법을 알고 싶다. (use / how / this oven / to)

⇒ Kelly wants to know ＿＿＿＿＿＿＿＿＿＿＿＿＿＿＿＿ .

(3) 여기 네가 지난주에 읽고 싶었던 책들이 있다. (are / wanted / you / read / the books / to / here)

⇒ ＿＿＿＿＿＿＿＿＿＿＿＿＿＿＿＿＿＿ last week.

C 글의 내용과 일치하도록 다음 빈칸에 들어갈 말을 글에서 찾아 쓰고, ⓐ~ⓒ를 알맞은 순서대로 배열하시오.

How to Make a Worry Doll

ⓐ Use (1) ＿＿＿＿＿＿ ＿＿＿＿＿＿ to dress the doll.

ⓑ Stick (2) ＿＿＿＿＿＿ to the paper for its arms and legs.

ⓒ Cut some paper into a(n) (3) ＿＿＿＿＿＿ shape, and draw a doll's face.

순서: (4) ＿＿＿＿＿＿ → ＿＿＿＿＿＿ → ＿＿＿＿＿＿

실력을 올리는 직독직해

끊어 읽기 한 표시를 따라 문장 구조에 유의하여 해석을 쓰고, 각 문장의 주어에는 밑줄을, 동사에는 동그라미를 쳐보세요.

❶ These days, / people often enjoy avocados in many foods / like

salads and sandwiches. / ❷ Avocados contain / healthy fats and lots of

vitamins, / so they are good for your body. / ❸ But ironically, / they

aren't good for the environment. /

❹ Avocados need much more water / to grow / than other crops. /

❺ This is because / they have underdeveloped, hairless roots. / ❻ These

roots cannot absorb water / very well. / ❼ So, / producing a single avocado /

usually requires / a lot of water / —about 70 liters. / ❽ In comparison, /

oranges need 22 liters / and tomatoes only need around 5 liters. /

❾ As a result, / avocados have caused / a lack of water / in many places. /

❿ In fact, / in Chile's Petorca region, / one of the country's largest

producers of avocados, / residents have to get water / from water

trucks. / ⓫ Avocado farms use so much water / that there isn't enough

water / left for homes! /

실력을 더 올리는 서술형 추가 문제

A 다음 빈칸에 알맞은 단어를 보기에서 골라 쓰시오.

> 보기   environment   crop   resident   producer   lack

(1) Rice is one of the main _____ s in my country.

(2) Burning coal is bad for the _____ .

(3) Brazil is a major _____ of the world's coffee.

B 우리말과 일치하도록 괄호 안의 말을 활용하여 문장을 완성하시오.

(1) 그 영화는 너무 지루해서 나는 잠들었다. (boring)

⇒ The movie was _____ _____ _____ I fell asleep.

(2) Kevin은 영어를 공부하기 위해 미국에 갔다. (go)

⇒ Kevin _____ _____ to America to study English.

(3) 달리기는 수영보다 더 많은 칼로리를 소모한다. (calories)

⇒ Running burns _____ _____ _____ swimming.

C 글의 내용과 일치하도록 다음 빈칸에 들어갈 말을 글에서 찾아 쓰시오.

The Two Faces of Avocados

Pros	Cons
Avocados are good for your (1) _____ . This is because they contain healthy (2) _____ and lots of (3) _____ .	Avocados have caused a lack of (4) _____ in many places. Their (5) _____ cannot absorb water very well, so they need a lot of it to grow.

실력을 올리는 **직독직해**

끊어 읽기 한 표시를 따라 문장 구조에 유의하여 해석을 쓰고, 각 문장의 주어에는 밑줄을, 동사에는 동그라미를 쳐보세요.

❶ Once upon a time, / there was a kingdom / called Wise West, /

which was ruled by Queen Clever. / ❷ She had a daughter, / Elizabeth, /

who would become queen someday. / ❸ But first, / the Queen had to

be sure / Elizabeth could rule the kingdom / as wisely as her. / ❹ So, /

the Queen gave her a riddle. /

⓫ She asked, / "Everyone wants more of this / to feel special, / but

the more you have of it, / the less special you feel. / ⓬ What is it?" /

❺ The princess answered confidently. / ❻ "Everyone wants to

be smarter / than others, / so we seek this. / ❼ But we actually

become humble / when we know more, / as we learn / there is no end /

to learning. / ❽ Therefore, / the answer must be knowledge." /

❾ "That is the correct answer!" / said the Queen proudly. /

❿ She could now trust / her daughter / to become a wise queen, / just like

herself. /

실력을 더 올리는 **서술형 추가 문제**

A 다음 영영 풀이에 해당하는 단어를 [보기]에서 골라 쓰시오.

> [보기] correct   riddle   smart   kingdom   seek

(1) _____ : a country or territory ruled by a king or queen

(2) _____ : intelligent or able to think in clever ways

(3) _____ : to try to get or find something

B 우리말과 일치하도록 괄호 안의 말을 알맞게 배열하시오.

(1) Linda는 Mark에게 그녀가 만든 파이를 줬다. (Mark / gave / Linda / the pie)

⇒ _____ she made.

(2) 우리는 아기가 자고 있었기 때문에 조용해야 했다. (quiet / had / we / be / to)

⇒ _____ because the baby was sleeping.

(3) 곰은 말만큼 빠르게 달릴 수 있다. (as / fast / horses / as)

⇒ Bears can run _____ .

C 글의 내용과 일치하도록 다음 빈칸에 들어갈 말을 글에서 찾아 쓰시오.

Queen Clever wanted to see if Elizabeth could (1) _____ the kingdom as
(2) _____ as herself.

⌄

So, she gave her daughter a(n) (3) _____. "Everyone wants more of this, but
they feel less (4) _____ as they get more of it."

⌄

The princess answered (5) "_____." It was the (6) _____ answer!
The Queen could now trust her to become a wise queen.

MEMO

MEMO